숨마 주니어®

쓰면서 마스터하는 중학 영문법

중/학/영/어

문법 연습 3

KB052847

이룸이앤비
Education&Books

구성 & 학습법

〈중학 영어 문법 연습 ❸〉 활용 공부법

학습 준비 단계

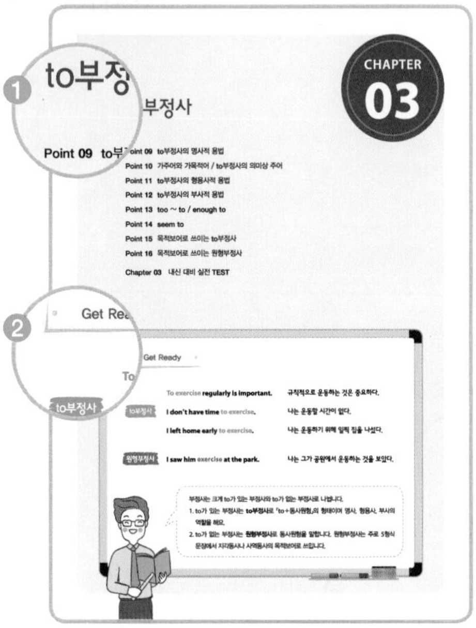

❶ 학습하기 편하게 나누어진 문법 Point
❷ 학습을 위한 기본 지식

1단계 문법 개념 학습

정리된 문법 설명을 이해한 후 예문을 읽어봅니다. 〈✚〉와 〈Q&A〉의 추가 개념들로 더 완벽한 문법 지식을 쌓을 수 있습니다.

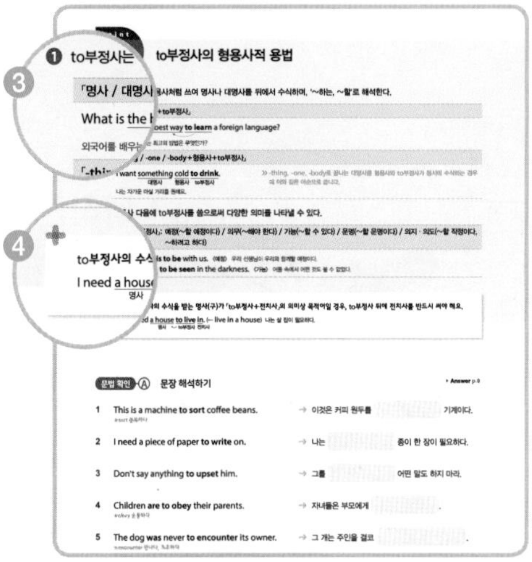

❸ 명쾌한 문법 설명
❹ 추가 개념 학습

2단계 문법 확인 학습

짧은 문장들을 해석해보며 학습한 문법 지식을 확인합니다.

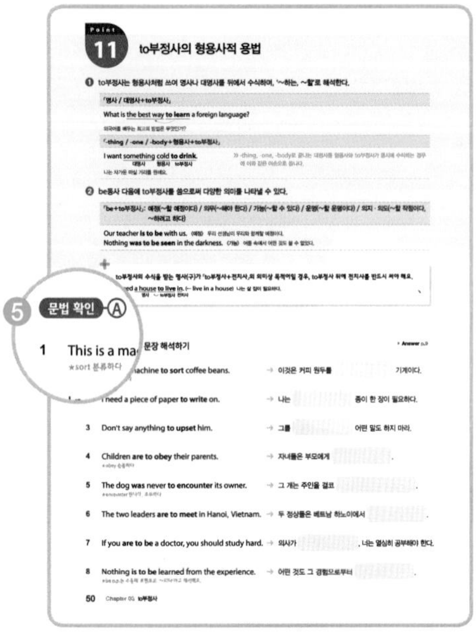

❺ 문장 해석을 통한 문법 연습

3단계 문법 기본 연습

선택형 · 단답형 유형으로 이루어진 쉬운 문제들을 연습하며 기본기를 쌓습니다.

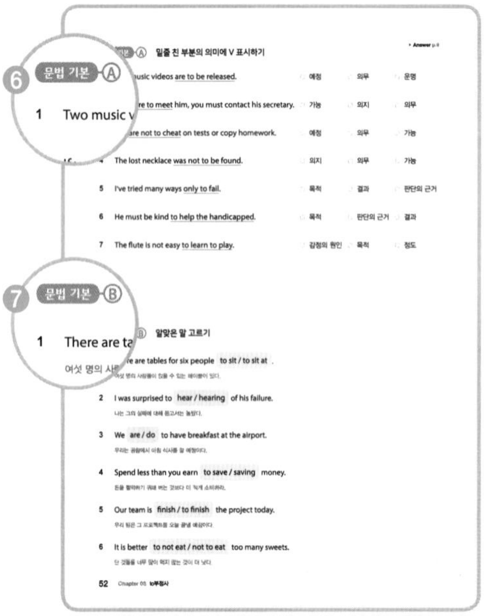

❻ - ❼ 기본 문제 연습

[연습유형]
알맞은 말/형태 고르기
알맞은 말/형태 쓰기
⋮

4단계 문법 쓰기 연습

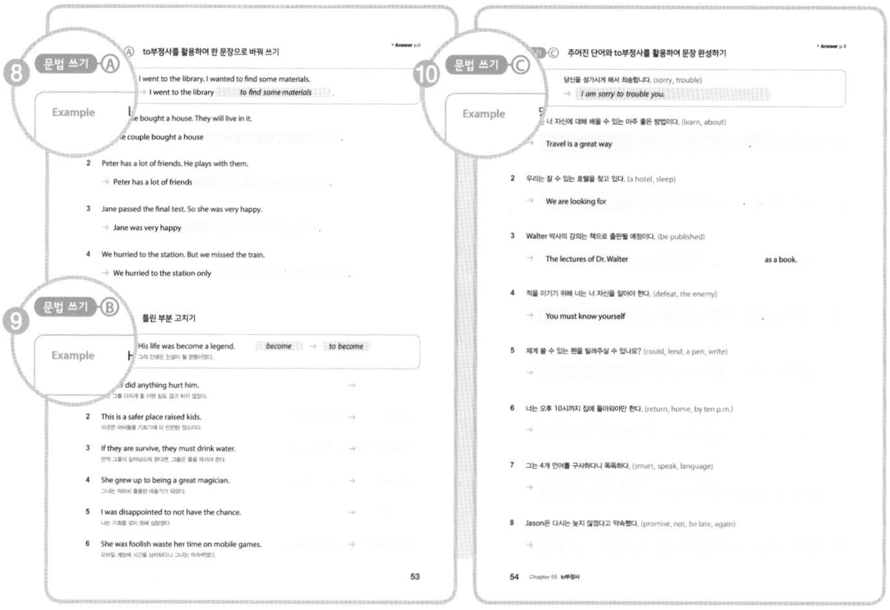

⑧ - ⑩ 심화 문제 연습

3단계보다 한 단계 높아진 유형들의 문제들을 연습하며 문장의 구조를 익히고, 문법 지식을 확실하게 내 것으로 만듭니다.

[연습유형]

문장 전환하기
어순 배열하기
틀린 어법 고치기
문장 완성하기
⋮

5단계 서술형 • 내신 실전 연습

〈서술형 예제〉와 〈실전 연습〉 문제를 풀어보며 서술형 문제가 어떻게 출제되는지를 파악하고 해결 방법도 확인합니다. 〈내신 대비 실전 TEST〉에서는 Chapter에서 학습한 내용을 종합적으로 테스트하면서 실전 감각을 익힙니다. 틀린 문제는 해설을 확인하고 연계 Point를 다시 복습하여 완벽하게 실전대비를 합니다.

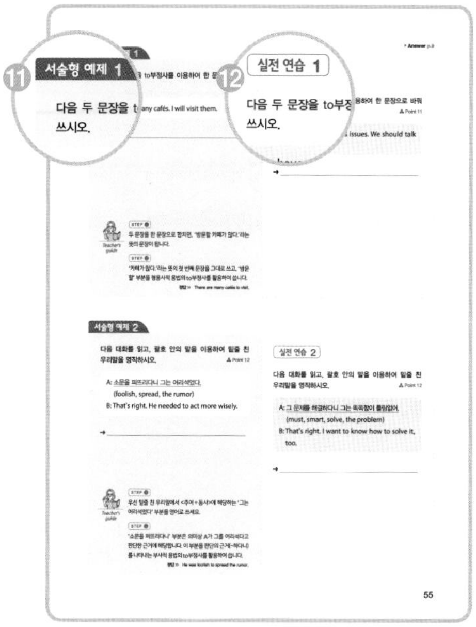

⑪ 〈서술형 예제〉와 풀이
⑫ 서술형 대비 〈실전 연습〉

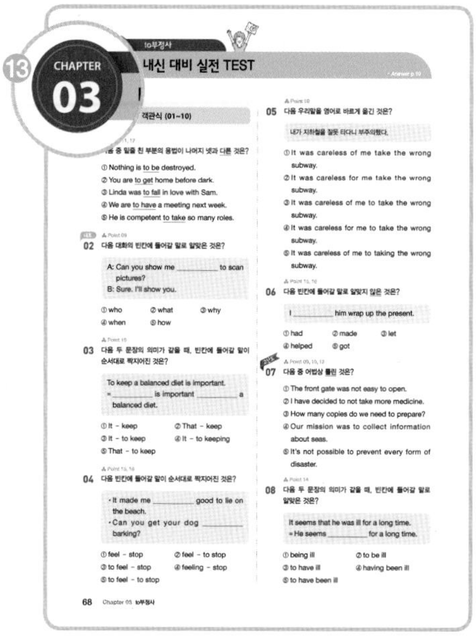

⑬ 〈객관식〉 - 〈서술형 기본〉 - 〈서술형 심화〉 문제로 구성된 Chapter 마무리 실전 TEST

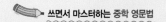

〈중학 영어 문법 연습 ❸〉

차례

• 권별 문법 분류표

• 40일 완성 **Study Plan**

Chapter 01 시제

Point **01** 현재완료 (1) ---- 12

Point **02** 현재완료 (2) ---- 13

Point **03** 과거완료 ---- 18

Point **04** 완료진행형 ---- 19

Chapter **01** 내신 대비 실전 TEST ---- 24

Chapter 02 조동사

Point **05** had better/would rather/would like to ---- 28

Point **06** used to/would ---- 29

Point **07** 조동사+have+p.p. (1) ---- 34

Point **08** 조동사+have+p.p. (2) ---- 35

Chapter **02** 내신 대비 실전 TEST ---- 40

Chapter 03 to부정사

Point **09** to부정사의 명사적 용법 ---- 44

Point **10** 가주어와 가목적어/to부정사의 의미상 주어 ---- 45

Point **11** to부정사의 형용사적 용법 ---- 50

Point **12** to부정사의 부사적 용법 ---- 51

Point **13** too ~ to/enough to ---- 56

Point **14** seem to ---- 57

Point **15** 목적보어로 쓰이는 to부정사 ---- 62

Point **16** 목적보어로 쓰이는 원형부정사 ---- 63

Chapter **03** 내신 대비 실전 TEST ---- 68

Chapter 04 동명사

Point **17** 동명사의 쓰임과 형태 ---- 72

Point **18** 동명사의 의미상 주어와 수동형 ---- 73

Point **19** 동명사와 to부정사 ---- 78

Point **20** 동명사의 관용 표현 ---- 79

Chapter **04** 내신 대비 실전 TEST ---- 84

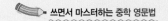

Chapter 05 분사구문

Point 21 분사구문의 개념과 형태 ---- 88
Point 22 분사구문의 의미 ---- 89
Point 23 분사구문의 부정과 완료형 ---- 94
Point 24 분사구문의 태와 생략 ---- 95
Point 25 독립 분사구문 ---- 100
Point 26 with+(대)명사+분사 ---- 101

Chapter 05 내신 대비 실전 TEST ---- 106

Chapter 06 수동태

Point 27 수동태의 개념과 형태 ---- 110
Point 28 수동태의 시제 ---- 111
Point 29 4형식 문장의 수동태 ---- 116
Point 30 5형식 문장의 수동태 ---- 117

Chapter 06 내신 대비 실전 TEST ---- 122

Chapter 07 관계사

Point 31 주격 관계대명사 ---- 126
Point 32 소유격 · 목적격 관계대명사 ---- 127
Point 33 관계대명사 that / what ---- 132
Point 34 관계부사 ---- 133
Point 35 복합관계대명사 ---- 138
Point 36 복합관계부사 ---- 139

Chapter 07 내신 대비 실전 TEST ---- 144

Chapter 08 접속사

Point 37 부사절 접속사 ---- 148
Point 38 상관접속사 ---- 149
Point 39 접속사 that ---- 154
Point 40 간접의문문 ---- 155

Chapter 08 내신 대비 실전 TEST ---- 160

차례

Chapter 09 가정법

Point **41** 가정법 과거와 과거완료 ---- 164
Point **42** 혼합 가정법 ---- 165
Point **43** I wish+가정법 ---- 170
Point **44** as if+가정법 ---- 171
Chapter **09** 내신 대비 실전 TEST ---- 176

Chapter 10 비교 구문

Point **45** 원급 비교 ---- 180
Point **46** 비교급 표현 ---- 181
Point **47** 최상급 표현 (1) ---- 186
Point **48** 최상급 표현 (2) ---- 187
Chapter **10** 내신 대비 실전 TEST ---- 192

Chapter 11 특수구문

Point **49** 강조 ---- 196
Point **50** 부정 ---- 197
Point **51** 부사구 · 부정어 도치 ---- 202
Point **52** 부사 도치 ---- 203
Chapter **11** 내신 대비 실전 TEST ---- 208

Chapter 12 일치와 화법

Point **53** 수 일치 ---- 212
Point **54** 시제 일치 ---- 213
Point **55** 평서문의 화법 전환 ---- 218
Point **56** 의문문 · 명령문의 화법 전환 ---- 219
Chapter **12** 내신 대비 실전 TEST ---- 224

- 일반동사의 불규칙 변화표
- 정답 및 해설 **[책 속의 책]**

권별 문법 분류표

〈중학 영어 문법 연습 ❶, ❷, ❸〉에 실린 문법 항목

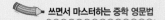

문법 항목		문법 연습 ❶	문법 연습 ❷	문법 연습 ❸
시제	단순시제	●	●	
	진행형(현재 / 과거)	●	●	
	현재완료		●	●
	과거완료			●
	완료진행형			●
동사 / 조동사	be동사 / 일반동사	●		
	can / may	●	●	
	must / have to / should	●	●	
	used to / would		●	●
	had better		●	●
	would rather / would like to			●
	「조동사 + have + p.p.」			●
문장의 형식	문장의 5형식	●	●	
	to부정사가 목적보어인 5형식 문장		●	●
	사역동사 / 지각동사(5형식)		●	●
to부정사	to부정사의 명사적 · 형용사적 · 부사적 용법	●	●	●
	「의문사 + to부정사」		●	
	It ~ to		●	●
	의미상 주어		●	●
	enough to / too ~ to		●	●
	seem to			●
동명사	동명사의 쓰임	●	●	●
	동명사와 to부정사를 목적어로 쓰는 동사	●	●	●
	동명사의 관용 표현		●	●
	의미상 주어			●
분사	현재분사 / 과거분사		●	●
	분사구문의 쓰임		●	●
	완료 · 독립 · 유사 분사구문			●
명사 / 대명사	셀 수 있는 명사 / 셀 수 없는 명사	●		
	인칭대명사	●		
	비인칭 주어 it	●		
	재귀대명사	●	●	
	부정대명사	●	●	
형용사 / 부사	형용사의 쓰임	●		
	부사의 쓰임	●		
	빈도부사	●		
	원급 · 비교급 · 최상급 비교	●	●	●
	비교급 · 최상급 표현		●	●
전치사 / 접속사	전치사	●		
	등위접속사	●		
	시간 · 이유 · 조건의 접속사	●	●	●
	접속사 that	●	●	●
	상관접속사		●	●
	양보 · 결과의 접속사		●	●
관계사	주격 · 목적격 · 소유격 관계대명사		●	●
	관계대명사 what		●	●
	관계부사		●	●
	복합관계사			●
가정법	가정법 과거		●	●
	가정법 과거완료			●
	혼합 가정법			●
의문문 명령문 감탄문	의문사 의문문	●		
	부가의문문	●		
	간접의문문		●	●
	감탄문	●		
	명령문	●	●	
태 / 일치 / 화법	수동태		●	●
	수 · 시제 일치			●
	화법 전환			●
특수구문	강조			●
	전체 부정 / 부분 부정			●
	도치			●

40일 완성
Study Plan

40일 문법 공부계획을 실천해 보세요.

	학습일	학습 내용	학습 날짜	문법 이해도
CHAPTER 01	Day 01	Point 01~02	월 일	☺ 😐 ☹
	Day 02	Point 03~04	월 일	☺ 😐 ☹
	Day 03	Chapter 01 내신 대비 실전 TEST	월 일	☺ 😐 ☹
CHAPTER 02	Day 04	Point 05~06	월 일	☺ 😐 ☹
	Day 05	Point 07~08	월 일	☺ 😐 ☹
	Day 06	Chapter 02 내신 대비 실전 TEST	월 일	☺ 😐 ☹
CHAPTER 03	Day 07	Point 09~10	월 일	☺ 😐 ☹
	Day 08	Point 11~12	월 일	☺ 😐 ☹
	Day 09	Point 13~14	월 일	☺ 😐 ☹
	Day 10	Point 15~16	월 일	☺ 😐 ☹
	Day 11	Chapter 03 내신 대비 실전 TEST	월 일	☺ 😐 ☹
CHAPTER 04	Day 12	Point 17~18	월 일	☺ 😐 ☹
	Day 13	Point 19~20	월 일	☺ 😐 ☹
	Day 14	Chapter 04 내신 대비 실전 TEST	월 일	☺ 😐 ☹
CHAPTER 05	Day 15	Point 21~22	월 일	☺ 😐 ☹
	Day 16	Point 23~24	월 일	☺ 😐 ☹
	Day 17	Point 25~26	월 일	☺ 😐 ☹
	Day 18	Chapter 05 내신 대비 실전 TEST	월 일	☺ 😐 ☹
CHAPTER 06	Day 19	Point 27~28	월 일	☺ 😐 ☹
	Day 20	Point 29~30	월 일	☺ 😐 ☹

STUDY PLAN에 따라 정해진 양을 매일 꾸준히 풀면,
40일 만에 중학 핵심 문법 포인트 56개를 내 것으로 만들 수 있다!

	학습일	학습 내용	학습 날짜	문법 이해도
CHAPTER 06	Day 21	Chapter 06 내신 대비 실전 TEST	월 일	☺ 😐 ☹
CHAPTER 07	Day 22	Point 31~32	월 일	☺ 😐 ☹
	Day 23	Point 33~34	월 일	☺ 😐 ☹
	Day 24	Point 35~36	월 일	☺ 😐 ☹
	Day 25	Chapter 07 내신 대비 실전 TEST	월 일	☺ 😐 ☹
CHAPTER 08	Day 26	Point 37~38	월 일	☺ 😐 ☹
	Day 27	Point 39~40	월 일	☺ 😐 ☹
	Day 28	Chapter 08 내신 대비 실전 TEST	월 일	☺ 😐 ☹
CHAPTER 09	Day 29	Point 41~42	월 일	☺ 😐 ☹
	Day 30	Point 43~44	월 일	☺ 😐 ☹
	Day 31	Chapter 09 내신 대비 실전 TEST	월 일	☺ 😐 ☹
CHAPTER 10	Day 32	Point 45~46	월 일	☺ 😐 ☹
	Day 33	Point 47~48	월 일	☺ 😐 ☹
	Day 34	Chapter 10 내신 대비 실전 TEST	월 일	☺ 😐 ☹
CHAPTER 11	Day 35	Point 49~50	월 일	☺ 😐 ☹
	Day 36	Point 51~52	월 일	☺ 😐 ☹
	Day 37	Chapter 11 내신 대비 실전 TEST	월 일	☺ 😐 ☹
CHAPTER 12	Day 38	Point 53~54	월 일	☺ 😐 ☹
	Day 39	Point 55~56	월 일	☺ 😐 ☹
	Day 40	Chapter 12 내신 대비 실전 TEST	월 일	☺ 😐 ☹

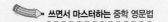

숨마 주니어® 중학 영어 문법 연습 ❸

CHAPTER 01

시제

Point 01 현재완료 (1)

Point 02 현재완료 (2)

Point 03 과거완료

Point 04 완료진행형

Chapter 01 내신 대비 실전 **TEST**

Get Ready

시제 \ 상	단순	진행	완료	완료진행
현재	단순현재 (works)	**현재진행** (is working)	**현재완료** (have worked)	**현재완료진행** (have been working)
과거	단순과거 (worked)	**과거진행** (was working)	**과거완료** (had worked)	**과거완료진행** (had been working)
미래	단순미래 (will work)	**미래진행** (will be working)	**미래완료** (will have worked)	**미래완료진행** (will have been working)

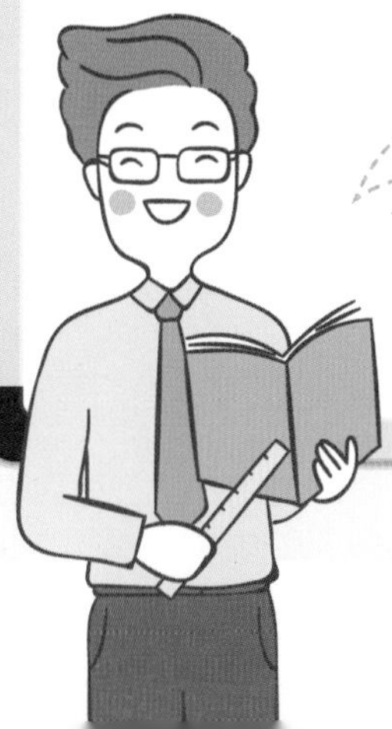

1. **시제**란 동작이나 상태가 일어난 때에 관한 정보를 동사의 형태 변화로 나타내는 것이에요.
2. **상**이란 현재, 과거, 미래의 시점에서 이루어지는 행위가 습관적인 것인지, 진행되고 있는 것인지, 완료된 것인지 등을 나타내는 것입니다.

Point **01**

현재완료 (1)

❶ 현재완료는 과거의 일이 현재와 관련이 있거나 현재에 영향을 미칠 때 쓴다.

현재완료: 「have/has+과거분사(p.p.)」의 형태로, 경험/완료/계속/결과의 의미로 쓰인다.

She **has used** a drone. 그녀는 드론을 사용해본 적이 있다.
She **has** *never* **used** a drone. 그녀는 드론을 사용해본 적이 없다.
Has she **used** a drone? 그녀는 드론을 사용해본 적이 있니?

» 현재완료 부정문: 「주어+have/has+not/never+p.p.~」
» 현재완료 의문문: 「(의문사)+have/has+주어+p.p.~?」

❷ 현재완료는 과거부터 현재까지의 경험을 나타낼 수 있다. 이때 '~한 적이 있다'로 해석한다.

I **have met** him *before*. 〈경험〉 나는 이전에 그를 만난 적이 있다.

» 경험을 나타내는 현재완료는 ever, never, seldom, once, twice, often, before, ~times 등의 표현과 자주 함께 쓰여요.

❸ 현재완료는 과거에 시작되어 현재에 완료된 동작을 나타낼 수 있다. 이때 '지금/막/이미/최근에 ~했다[해버렸다]'로 해석한다.

John **has** *just* **finished** his homework. 〈완료〉
John은 방금 그의 숙제를 끝냈다.

» 완료를 나타내는 현재완료는 just, already, still, yet, now, recently, lately, this week[month] 등의 표현과 자주 함께 쓰여요.
» just, already는 보통 have[has]와 p.p. 사이에 와요.

Q 현재완료는 과거시제와 비슷하게 해석이 되는데 서로 어떻게 다른 건가요?

A 과거시제는 단순히 과거에 끝난 동작이나 상태를 나타내며, 현재와는 아무런 관련성이 없어요. 과거시제와는 달리 현재완료는 현재 상태에 대한 정보를 줍니다.
I **lost** my car key. 나는 차 열쇠를 잃어버렸다. (과거의 어느 때에 잃어버렸고 현재 상태는 알 수 없음)
I **have lost** my car key. 나는 차 열쇠를 잃어버렸다. (최근에 잃어버렸고 현재까지도 못 찾은 상태)

문법 확인 Ⓐ 문장 해석하기

▸ Answer p.2

1 I **have seen** her paintings in person. → 나는 그녀의 그림을 직접 .

2 I **have visited** Singapore many times. → 나는 싱가포르에 여러 차례 .

3 He **has never used** the air fryer before. → 그는 이전에 에어 프라이어를 .

4 **Have** you ever **eaten** the durian? → 당신은 두리안을 ?

5 She **has** just **parked** her car in the garage. → 그녀는 방금 차고에 자동차를 .

6 He **has** still **not regained** consciousness. → 그는 여전히 의식을 .
★regain 되찾다

7 **Have** you **reserved** a seat on the train? → 당신은 기차의 좌석을 ?

8 I **have** recently **resigned** from the company. → 나는 최근에 회사에서 .
★resign from ~에서 퇴사[사임]하다

Point
02 현재완료 (2)

❶ 현재완료는 과거에서 현재까지 계속되어 온 동작이나 상태를 나타낼 수 있다. 이때 '~해 왔다'로 해석한다.

He **has studied** at the library *for* three hours. 〈계속〉
그는 세 시간 동안 도서관에서 공부해 왔다.

We **have been** friends *since* high school. 〈계속〉
우리는 고등학교 때부터 친구로 지내 왔다.

» 'for+과거 기간'은 '~동안'의 의미이고, 'since+과거 시점'은 '~이후[부터] (죽)'의 의미예요.

» 계속을 나타내는 현재완료는 for, since, how long, so far, always, these days, all day 등의 표현과 자주 함께 쓰여요.

❷ 현재완료는 과거의 일이 현재에 영향을 미친 결과를 나타낼 수 있다. 이때 '~했다(그 결과 지금 …인 상태이다)'로 해석한다.

Jane **has gone to** Berlin. 〈결과〉 Jane은 베를린에 가고 없다.

Jane **has been to** Berlin. 〈경험〉 Jane은 베를린에 가본 적이 있다.

» have gone to: ~에 가고 없다 〈결과〉
*주로 3인칭 주어와 함께 써요.

» have been to: ~에 가본 적이 있다 〈경험〉, ~에 갔다 왔다 〈완료〉

Q 현재완료와 함께 쓸 수 없는 표현도 있나요?

A 현재완료는 명백한 과거를 나타내는 부사(구)인 yesterday, last ~, ago, when, just now, then, in+특정 연도 등과 함께 쓸 수 없어요.

문법 확인 Ⓑ 문장 해석하기

▸ Answer p.2

1 She **has taught** at our school for 20 years. → 그녀는 20년 동안 우리 학교에서 ______.

2 He **has stayed** in his room since yesterday. → 그는 어제 이후로 자신의 방에서 ______.

3 I **haven't touched** the work so far. → 나는 지금까지 그 일에 ______.

4 How long **have** you **known** each other? → 너희는 얼마나 오랫동안 서로를 ______?

5 Jack **has lost** his dog at the park. → Jack은 공원에서 그의 개를 ______.

6 I **have forgotten** my uncle's address. → 나는 나의 삼촌의 주소를 ______.

7 Maggie **has not brought** her sunglasses. → Maggie는 선글라스를 ______.

8 **Has** he **left** for a business trip to Busan? → 그는 부산으로 출장을 ______?

▸ Answer p.2

문법 기본 Ⓐ <보기>에서 알맞은 단어를 골라 형태 바꿔 쓰기

보기

keep learn hear wear get finish

1 I ____________ the swimsuit twice. (나는 그 수영복을 두 번 입어본 적이 있다.)

2 I ____________ a diary since middle school. (나는 중학교 이후로 일기를 써 왔다.)

3 She ____________ the test results yesterday. (그녀는 어제 시험 결과를 받았다.)

4 He ____________ the news about her recently. (그는 최근에 그녀에 관한 소식을 들었다.)

5 She ____________ washing the dishes two hours ago. (그녀는 두 시간 전에 설거지를 끝냈다.)

6 They ____________ table tennis for two years. (그들은 2년 동안 탁구를 배워 왔다.)

문법 기본 Ⓑ 알맞은 말 고르기

1 I talked / have talked with numerous scientists since last month.

나는 지난달 이후 수많은 과학자들과 토론해 왔다.

2 I have never met / have met never anyone from Australia before.

나는 이전에 호주 출신의 사람을 한 번도 만나본 적이 없다.

3 Two years have passed since he leaves / left for England.

그가 영국으로 떠난 이후로 2년이 지났다.

4 How long has the teacher teach / taught history?

그 선생님은 얼마나 오랫동안 역사를 가르쳐 왔나요?

5 When did the typhoon reach / has the typhoon reached the south coast?

태풍이 언제 남부 해안에 상륙했니?

6 He established / has established the company 10 years ago.

그는 10년 전에 회사를 설립했다.

▸ Answer p.2

문법 쓰기 Ⓐ 지시에 맞게 문장 바꿔 쓰기

Example She has met him before.
→ (부정문) She *has never met* him before.

1 They have stayed at the hotel for a week.
→ (의문문) ______ at the hotel for a week?

2 Her text message has just arrived.
→ (부정문) Her text message ______ yet.

3 He has often rented a car.
→ (의문문) ______ a car?

4 The train has left the railroad station.
→ (부정문) The train ______ the railroad station.

문법 쓰기 Ⓑ 틀린 부분 고치기

Example I have hearing enough of this. *hearing* → *heard*
나는 이것에 대해 충분히 들어 왔다.

1 He have just returned from China. ______ → ______
그는 중국에서 방금 돌아왔다.

2 He has losing his eyesight because of illness. ______ → ______
그는 질병 때문에 그의 시력을 잃었다(그 결과 지금 보이지 않는다).

3 She has gone to the art museum several times. ______ → ______
그녀는 그 미술관에 여러 번 가봤다.

4 Amy raises a cat since last year. ______ → ______
Amy는 작년 이후로 고양이 한 마리를 길러 왔다.

5 Have you ever visit a temple? ______ → ______
당신은 사원에 방문해본 적이 있나요?

6 My birthday has been three days ago. ______ → ______
나의 생일은 3일 전이었다.

▸ **Answer** p.2

문법 쓰기 Ⓒ 주어진 단어를 활용하여 문장 완성하기

Example	그녀는 방금 우리 동아리에 가입했다. (just, join, club)
	→ *She has just joined our club.*

1 당신은 스카이다이빙을 시도해본 적이 있나요? (ever, try)

→ skydiving?

2 무역 박람회는 방금 끝났다. (just, end)

→ The trade fair .

3 Jack은 3년 동안 드럼을 연주해 왔다. (play, the drums)

→ Jack for three years.

4 그녀는 시장 조사를 하기 위해 태국에 갔다. (그래서 지금 여기에 없다.) (Thailand)

→ She to do a market survey.

5 나는 그에 대한 믿음을 잃었다. (lose, faith in)

→

6 그 편지는 아직 내게 도착하지 않았다. (letter, reach, yet)

→

7 그 콘서트는 5분 전에 시작했다. (concert, start, ago)

→

8 그는 얼마나 오랫동안 잠들어 있나요? (be asleep)

→

▸ Answer p.2

서술형 예제 1

다음 우리말과 일치하도록 괄호 안의 말을 이용하여 대화를 완성하시오. Point 01

A: 당신은 그 믹서기를 사용해본 적이 있나요? (ever, use)
B: 아니요, 저 기계는 오늘 막 도착했어요. (just, arrive)

A : (1) ______________________ the blender?

B : No, the machine (2) ______________________ today.

Teacher's guide

STEP ❶
'~한 적이 있다'라는 뜻의 경험을 나타내는 문장은 현재완료형으로 표현합니다. 현재완료 의문문은 「(의문사) + have/has + 주어 + p.p.~?」의 형태로 씁니다.

STEP ❷
'막 ~했다'라는 뜻의 완료를 나타내는 문장 역시 현재완료형으로 표현합니다. 부사 just는 has와 p.p. 사이에 오는 것에 유의하세요.

정답 ≫ (1) Have you ever used (2) has just arrived

실전 연습 1

다음 우리말과 일치하도록 괄호 안의 말을 이용하여 대화를 완성하시오. Point 01

A: 당신은 겨울에 스키를 즐겨본 적이 있나요? (ever, enjoy, skiing)
B: 아니요, 하지만 나는 스키장에는 몇 번 가본 적이 있어요. (be, a ski resort)

A : (1) ______________________ in winter?

B : No, but (2) ______________________ several times.

서술형 예제 2

다음 두 문장을 완료형을 이용하여 한 문장으로 바꿔 쓰시오. Point 02

Linda forgot his family name. She still doesn't know his family name.

→ ______________________

Teacher's guide

STEP ❶
Linda는 그의 성을 까먹은 결과, 아직까지도 그것을 모르고 있는 상황입니다. 이렇게 과거의 일이 현재까지 영향을 미치는 내용의 문장은 현재완료형 「have/has + p.p.」로 쓸 수 있어요.

STEP ❷
첫 번째 문장의 동사를 「has + p.p.」의 형태로 고치면, '~해서 (그 결과) 지금 …인 상태이다'라는 뜻의 결과를 나타내는 현재완료 문장이 됩니다.

정답 ≫ Linda has forgotten his family name.

실전 연습 2

다음 두 문장을 완료형을 이용하여 한 문장으로 바꿔 쓰시오. Point 02

I started practicing for my speech a week ago. I still practice for my speech.

→ ______________________

Point

03 과거완료

❶ 과거완료는 과거의 특정 시점을 기준으로 하여 그때까지의 경험, 완료, 계속, 결과를 나타낼 때 쓴다.

과거완료: 「**had+p.p.**」의 형태로, 경험/완료/계속/결과의 의미로 쓰인다.

She **had been** asleep for ten hours when I came back. 〈계속〉
내가 돌아왔을 때 그녀는 10시간 동안 잠자고 있었다.
When I arrived at the office, he **had** already **finished** his proposal. 〈완료〉
내가 사무실에 도착했을 때, 그는 이미 제안서를 완성한 상태였다.

❷ 과거완료는 어느 특정한 과거의 일보다 시간상으로 앞선 과거의 일(대과거)을 나타낼 때 쓰기도 한다.

I took my dog to the vet, but he **had** already **died**.
나는 나의 개를 수의사에게 데려갔지만, 개는 이미 죽어 있었다.
My aunt gave me a music box that she **had bought** in Sweden.
나의 고모는 스웨덴에서 산 오르골을 내게 주셨다.
Daniel lent me the DVD after he **watched** it.
Daniel은 그 DVD를 본 후에 그것을 내게 빌려 주었다.

» 두 과거 사건의 발생 순서가 명확할 경우, 먼저 일어난 일이라도 굳이 대과거로 쓰지 않고 과거시제로 써요.

문법 확인 Ⓐ 문장 해석하기

▸ Answer p.2

1 I **had never seen** a bald eagle until then. ★과거완료 부정문: 「주어+had not[never] p.p.」

→ 나는 그때까지 대머리독수리를 ______________.

2 **Had** she **waited** for long before he showed up? ★과거완료 의문문: 「(의문사+)Had+주어+p.p. ~?」

→ 그가 나타나기 전에 그녀는 오랫동안 ______________?

3 The girl **had gained** some weight but looked healthier.

→ 그 소녀는 ______________ 더 건강해 보였다.

4 I found out that the event **had been cancelled.** ★be cancelled 취소되다

→ 나는 그 행사가 ______________ 알았다.

5 He **had** just **finished** shaving when his dad called out to him.

→ 그의 아빠가 그에게 큰 소리로 말했을 때, 그는 면도를 ______________.

6 After she **had cleaned** her room, she lay on the couch.

→ 그녀는 ______________ 후에 소파 위에 누웠다.

Point
04 완료진행형

❶ 현재완료진행형은 과거의 동작이 현재까지 계속 진행되고 있음을 나타낼 때 쓴다.

현재완료진행형: 「have/has+been+v-ing」의 형태로, '(계속) ~하는 중이다, ~하고 있다'로 해석한다.

The students **have been doing** the experiment in their science class.
학생들은 과학 수업 시간에 실험을 하고 있다.
It **has been raining** for two hours.
두 시간 동안 비가 오고 있다.

>> 현재완료진행형은 현재완료보다 동작이 계속됨을 좀 더 강조해요.

❷ 과거완료진행형은 과거의 어떤 때를 기준으로 그 이전에 시작한 동작이 그때까지 계속되었음을 강조할 때 쓴다.

과거완료진행형: 「had+been+v-ing」의 형태로, '(계속) ~하는 중이었다, ~하고 있었다'로 해석한다.

They **had been debating** for an hour when I arrived.
내가 도착했을 때, 그들은 한 시간 동안 토론을 하는 중이었다.
Mary told me she **had been waiting** for 30 minutes.
Mary는 자신이 30분 동안 기다리고 있었다고 나에게 말했다.

문법 확인 Ⓑ 문장 해석하기

▸ Answer p.2

1 She **has been playing** the guitar since she had dinner.

→ 그녀는 저녁을 먹은 이후부터 기타를 ______________.

2 I **have been taking** care of two dogs since last year.

→ 나는 작년 이후부터 두 마리의 개를 ______________.

3 He **has not been competing** in the Olympics for a long time. ★compete in ~에 출전하다

→ 그는 오랫동안 올림픽에 ______________.

4 The couple **had been dating** for almost five years.

→ 그 커플은 거의 오 년 동안 ______________.

5 She **had been preparing** for a meeting when I went to see her.

→ 내가 그녀를 보러 갔을 때, 그녀는 회의를 위해 ______________.

6 When I first met him, he **had been teaching** art for three years.

→ 내가 그를 처음 만났을 때, 그는 삼 년 동안 미술을 ______________.

▸ Answer p.2

문법 기본 Ⓐ <보기>에서 알맞은 단어를 골라 형태 바꿔 쓰기

보기

start watch sit be take

1 Steven __________ __________ __________ in a lawn chair since this morning.
(Steven은 오늘 아침 이후부터 야외용 의자에 앉아 있는 중이다.)

2 Julie __________ __________ pictures of the dishes before we tried them.
(우리가 먹기도 전에 Julie가 그 음식들의 사진을 찍었다.)

3 The musical __________ __________ when we arrived.
(우리가 도착했을 때 뮤지컬은 시작한 상황이었다.)

4 They __________ __________ __________ TV when I got home.
(내가 집에 도착했을 때 그들은 TV를 보고 있었다.)

5 This house __________ __________ empty for a long time before I moved in.
(내가 이사를 들어오기 전에 이 집은 오랫동안 비어 있었다.)

문법 기본 Ⓑ 알맞은 말 고르기

1 When I got to the classroom, the class was / had already started.
내가 교실에 왔을 때, 수업은 이미 시작한 후였다.

2 The graduation ceremony had end / ended before he arrived.
그가 도착하기 전에 졸업식은 끝나 있었다.

3 Robert had lived in his family's house until he got / had got married.
Robert는 결혼할 때까지 그의 가족의 집에서 살았다.

4 She has been / being conducting various campaigns for students since last year.
그녀는 작년 이후로 학생들을 위한 다양한 캠페인을 수행하고 있다.

5 He has / had never played chess before he was twenty.
그는 20살이 되기 전에는 체스를 한 번도 해본 적이 없었다.

6 She has been prepared / preparing food for her father for three hours.
그녀는 아버지를 위해 세 시간 동안 음식을 준비하는 중이다.

▸ Answer p.2

문법 쓰기 A 문장의 어순 배열하기

Example 우리가 도착하기 전에 그는 집에 도착했다. (the house / arrived / at / had)
→ He *had arrived at the house* before we got there.

1 그 영화는 두 달 동안 상영하고 있다. (been / for / showing / has / two months)

→ The movie ______ .

2 그는 암이 허파에 이미 퍼져 있었음을 발견했다. (had / the cancer / spread / already)

→ He found out that ______ to his lungs.

3 문에 노크가 있었을 때, 그들은 막 저녁 식사를 마친 후였다. (finished / dinner / had / just)

→ They ______ when there was a knock at the door.

4 그 위성은 작년까지 우주에 관한 데이터를 수집하고 있었다. (been / collecting / had / data)

→ The satellite ______ about the universe until last year.

문법 쓰기 B 틀린 부분 고치기

Example She thought that she has picked a nice-looking outfit. *has* → *had*
그녀는 모양새가 예쁜 옷을 골랐다고 생각했다.

1 The road was slippery as it has snowed last night. ______ → ______
어젯밤에 눈이 와서 그 길은 미끄러웠다.

2 I had been had difficulty sleeping for 10 years. ______ → ______
나는 10년 동안 잠을 자는 데 어려움을 겪는 중이었다.

3 We knew the story because we saw it on TV before. ______ → ______
우리는 이전에 TV에서 그것을 본 적이 있었기 때문에 그 이야기를 알았다.

4 When I got home, my brother have gone out. ______ → ______
내가 집에 도착했을 때, 내 남동생은 나가고 없었다.

5 I had been taking swimming lessons for a month. ______ → ______
나는 한 달 동안 수영 교습을 받고 있다.

6 I noticed that the copying machine has been broken. ______ → ______
나는 그 복사기가 고장이 났다는 것을 알아차렸다.

▸ Answer p.2

문법 쓰기 Ⓒ 주어진 단어를 활용하여 문장 완성하기

Example 나의 이모가 나를 방문했지만, 나는 이미 나가고 없었다. (aunt, visit, already, go out)
→ *My aunt visited me, but I had already gone out.*

1 전쟁이 발발했을 때, 우리는 10년 동안 그곳에 살았었다. (live)

→ We ________ for ten years when the war broke out.

2 내가 가지고 놀았었던 장난감을 찾을 수가 없었다. (play)

→ I couldn't find the toy with which I ________.

3 그는 어제 이후로 의학에 대해 광범위하게 읽는 중이다. (read)

→ He ________ extensively about medical science since yesterday.

4 그가 그녀에게 다가갔을 때, 그녀는 러닝머신에서 달리고 있었다. (run)

→ She ________ on the treadmill when he approached her.

5 나는 미국에 가기 전에 멕시코에 간 적이 있었다. (be, Mexico)

→ ________ before I went to America.

6 나는 그곳에 나의 서류가방을 두고 왔음을 알았다. (leave, my briefcase, there)

→ I knew that ________.

7 그녀는 어린 시절 이후로 우표를 수집하는 중이다. (collect, stamps)

→ ________ since childhood.

8 그가 그곳에 도착했을 때, 그는 두 시간째 걷는 중이었다. (walk, for)

→ When he got there, ________.

▸ Answer p.2

서술형 예제 1

다음 우리말을 〈조건〉에 맞게 영작하시오. Point 03

나는 하루 종일 걸었기 때문에 피곤했다.

조건	• because, walk, all day를 사용할 것 • 총 6단어의 완전한 문장으로 쓸 것

→ I was tired ______________________.

Teacher's guide

STEP ❶
주어진 우리말 문장에는 '나는 피곤했다'와 '나는 하루 종일 걸었다'라는 두 가지 과거의 일이 표현되어 있음을 파악합니다.

STEP ❷
'나는 하루 종일 걸었다'가 '나는 피곤했다'보다 시간상 앞서 일어난 과거의 일이므로 과거완료 「had + p.p.」의 형태로 씁니다.

정답 » because I had walked all day

실전 연습 1

다음 우리말을 〈조건〉에 맞게 영작하시오. Point 03

나는 많은 양의 커피를 마셨기 때문에 잠잘 수 없었다.

조건	• because, drink, much coffee를 사용할 것 • 총 6단어의 완전한 문장으로 쓸 것

→ I couldn't sleep ______________________

______________.

서술형 예제 2

다음 우리말과 일치하도록 괄호 안의 말을 이용하여 대화를 완성하시오. Point 04

A: 어제 이후부터 (1) 비가 내리고 있어요. (rain) 우리가 오늘 캠핑하러 갈 수 있을까요?
B: 조금만 기다려봐요. 저는 오전부터 일기 예보를 (2) 확인하고 있어요. (check)

A : It (1) ______________ since yesterday. Can we go camping today?
B : Wait a minute. I (2) ______________ the weather forecast since morning.

Teacher's guide

STEP ❶
A와 B의 말 모두 과거의 특정 시점 이후부터 현재까지 계속 진행되어온 상태나 동작을 나타내고 있음을 파악합니다.

STEP ❷
빈칸에 들어갈 동사를 현재완료진행형 「have/has + been + v-ing」로 씁니다.

정답 » (1) has been raining (2) have been checking

실전 연습 2

다음 우리말과 일치하도록 괄호 안의 말을 이용하여 대화를 완성하시오. Point 04

A: 저는 3년 동안 우체국에서 (1) 일해오고 있어요. (work) 당신은 무슨 일을 하세요?
B: 저는 작년 이후로 대학에서 학생들을 (2) 가르치고 있어요. (teach)

A : I (1) ______________________ at the post office for three years. What do you do?
B : I (2) ______________________ students in college since last year.

내신 대비 실전 TEST

▸ Answer p.3

객관식 (01~09)

Point 01, 02

01 다음 밑줄 친 부분의 의미가 〈보기〉와 같은 것은?

• 보기 •
He has lost a button from his jacket.

① He has been ill for a week.
② They have already had lunch.
③ Jane has left her book on the bus.
④ She has been to the amusement park.
⑤ He has just finished writing his first book.

대표 Point 02

02 다음 빈칸에 들어갈 말로 알맞지 않은 것은?

Emma has worked for the shop ______.

① before ② yesterday
③ for a week ④ three times
⑤ since last week

Point 02

03 다음 빈칸에 들어갈 말이 순서대로 짝지어진 것은?

• He has been singing __________ three hours.
• I have known him __________ he was a child.

① for – as ② for – since ③ since – for
④ in – as ⑤ in – since

Point 03

04 다음 우리말을 영어로 바르게 옮긴 것은?

우리가 같은 학교에 있었다는 것을 (그 후에) 알았다.

① I found out that we are at the same school.
② I found out that we have been at the same school.
③ I found out that we has been at the same school.
④ I found out that we had been at the same school.
⑤ I found out that we had being at the same school.

고난도 Point 01, 02

05 다음 중 어법상 틀린 것은?

① When did you buy this bike?
② It has been not decided yet.
③ Have you ever rented a camping car?
④ He hasn't had any food for four days.
⑤ I have applied for the online classes twice.

[06~07] 다음 우리말과 일치하도록 할 때, 빈칸에 들어갈 말로 알맞은 것을 고르시오.

Point 03

06

경찰이 도착했을 때, 범인은 현장에서 달아난 후였다.
→ The criminal __________ from the scene when the police arrived.

① got away ② has got away
③ had got away ④ has been getting away
⑤ have been getting away

Point 04

07

주인이 도착했을 때, 그 개는 30분 동안 짖는 중이었다.
→ The dog __________ for half an hour when his owner arrived.

① barks ② is barking
③ has barked ④ had been barking
⑤ has been barking

[08~09] 다음 두 문장을 한 문장으로 바꿀 때, 빈칸에 들어갈 말로 알맞은 것을 고르시오.

Point 01

08

The lights in the living room were off a minute ago. But they are on now.
→ Someone __________ the lights in the living room.

① just turns on ② has just turned on
③ has turned on just ④ had just turned on
⑤ had turned on just

Point 04

09 He started cooking for his son an hour ago. He is still cooking now.
→ He ________ for his son for an hour.

① is cooking ② have cooked
③ had cooked ④ has been cooking
⑤ had been cooking

서술형 기본 (10~18)

[10~11] 다음 문장에서 어법상 틀린 부분을 찾아 바르게 고쳐 쓰시오.

Point 01

10 Have started they working?

________ → ________

Point 03

11 I had recognized James at once because I had seen him before.

________ → ________

Point 04

12 다음 우리말과 일치하도록 괄호 안의 말을 바르게 배열하시오.

그 연극은 지난달부터 상연되고 있다.
(has, month, been, last, showing, since)

→ The play ________
________.

[13~14] 다음 밑줄 친 부분을 바르게 고쳐 쓰시오.

Point 02

13 She has donated to many charities since two years.

→ ________

Point 03

14 He has never passed a math exam before I taught him math.

→ ________

대표

[15~16] 다음 두 문장을 한 문장으로 바꿀 때, 빈칸에 알맞은 말을 쓰시오.

Point 02

15 Tom forgot to submit his report. He just realized the fact now.

→ Tom ________
his report.

Point 04

16 Jack began playing chess an hour ago. He is still playing now.

→ Jack ________
for an hour.

고난도

[17~18] 다음 우리말을 〈조건〉에 맞게 영작하시오.

Point 01

17 당신은 콘택트렌즈를 착용해본 적이 있나요?

조건
• ever, wear, contact lenses를 사용할 것
• 총 6단어의 완전한 문장으로 쓸 것

→ ________

Point 01

18 그 버스는 방금 버스 정류장을 떠났다.

조건
• leave, the bus stop을 사용할 것
• 총 8단어의 완전한 문장으로 쓸 것

→ ________

서술형 심화 (19~24)

Point 01

19 다음 우리말을 〈조건〉에 맞게 영작하시오.

(1) 그가 이전에 당신에게 소리를 지른 적이 있나요?

조건
• ever, yell at, before를 사용할 것
• 총 7단어의 완전한 문장으로 쓸 것

→ ____________________

(2) 그 회사는 최근에 그것의 가격을 낮췄다.

조건
• the company, recently, lower, prices를 사용할 것
• 총 7단어의 완전한 문장으로 쓸 것

→ ____________________
____

대표 Point 03

20 다음 두 문장을 한 문장으로 바꿀 때, 빈칸에 알맞은 말을 쓰시오.

The worship service started. After that, I got to church.

→ When I got to church, ____________________
____________________.

Point 04

21 다음 우리말과 일치하도록 괄호 안의 말을 바르게 배열하시오.

(1) 우리는 오늘 아침부터 인권에 대해 토론하는 중이다. (been, we, discussions, have, having)

→ ____________________
about human rights since this morning.

(2) 초인종이 울렸을 때, 그녀는 20분 동안 욕조 안에 누워 있는 중이었다. (the bathtub, she, lying, had, in, been)

→ ____________________
for 20 minutes when the doorbell rang.

Point 03

22 다음 주어진 문장을 지시에 맞게 바꿔 쓰시오.

(1) The ferry had returned to the port before the storm hit. (부정문으로)

→ ____________________
____

(2) The pizza had got cold before he brought it home. (의문문으로)

→ ____________________
____

고난도 Point 01, 04

23 다음 괄호 안의 말을 이용하여 대화를 완성하시오.

(1) A: ____________________
your homework yet? (why, finish)
B: Sorry, I couldn't finish it because of a bad cold.

(2) A: Hurry up! Everyone ____________________
for you for half an hour. (wait)
B: Sorry. I have just packed up everything. I'm leaving now.

Point 03, 04

24 다음은 Olivia의 일정표이다. 일정표를 참고하여 글을 완성하시오.

<Olivia's Schedule>

Time	Schedule
7 a.m. – 8 a.m.	Have breakfast with my family
10 a.m. – noon	Take classes at school
1 p.m. – 3 p.m.	Work on class assignments at the café

It's 2 p.m. now. I (1) __________ breakfast with my family before I (2) __________ at school. I (3) __________ on class assignments at the café since 1 p.m.

CHAPTER 02

조동사

Point 05 had better / would rather / would like to

Point 06 used to / would

Point 07 조동사+have+p.p. (1)

Point 08 조동사+have+p.p. (2)

Chapter 02 내신 대비 실전 TEST

Get Ready

조동사의 종류	예문
will can may **must should ought to** **had better used to**	**He can speak five different languages.** (능력) 그는 5개 국어를 할 수 있다. **May I have some more information?** (허가) 정보를 좀 더 얻을 수 있을까요? **Your dad must be under a lot of stress.** (추측) 너희 아빠는 스트레스를 많이 받고 있음에 틀림없다. **You should listen to your parents.** (충고) 너는 부모님의 말씀에 귀를 기울여야 한다. **I used to cook on weekend mornings.** (과거의 습관) 나는 주말 아침마다 요리하곤 했다.

1. **조동사**란 본동사를 도와 '능력, 허가, 추측, 충고, 의무' 등의 의미를 더해 주는 말이에요. 보통 하나의 조동사에는 다양한 뜻이 있으므로, 문맥에 맞게 조동사를 해석하는 것이 중요해요.
2. **조동사+have+p.p.**는 과거에 대한 추측, 후회, 유감 등을 나타내는 표현이에요.

Point

05 had better / would rather / would like to

❶ had better는 충고나 권고를 나타낸다.

「**had better+동사원형**」: ~하는 게 낫다

You **had better** take the subway. 너는 지하철을 타는 게 낫다.
We **had better** *not* go there. 우리는 그곳에 가지 않는 게 낫다.

» had better는 should보다 더 강한 어조의 충고나 권고를 나타내요.
» had better의 부정형은 had better not입니다.

❷ would rather는 선호를 나타낸다.

「**would rather+동사원형**」: (차라리) ~하겠다

I **would rather** sing than dance. 나는 춤추기보다는 노래를 하겠어요.
» 「would rather A than B」는 'B하기보다는 (차라리) A하겠다'라는 뜻이에요.

I **would rather** *not* leave her. 나는 그녀를 떠나지 않겠어요.
» would rather의 부정형은 would rather not입니다.

❸ would like to는 소망을 공손히 표현할 때 사용한다.

「**would like to+동사원형**」: ~하고 싶다

I **would like to** join your club. 나는 당신의 동아리에 가입하고 싶어요.
I **would like** a glass of water. 나는 물 한 잔을 마시고 싶어요.
» would like 뒤에 명사가 오면 '~을 원하다'라는 뜻이에요.

문법 확인 Ⓐ 문장 해석하기

▸ Answer p.5

1 We **had better** walk from here. → 우리는 여기서부터 ____________.

2 You'**d better** follow her advice. → 당신은 그녀의 충고를 ____________.
★follow 따르다

3 We **had better not** drive tonight. → 우리는 오늘밤에 ____________.

4 I **would rather** starve than steal. → 나는 훔치기보다는 차라리 ____________.
★starve 굶다

5 I'**d rather** die than betray my country. → 나는 조국을 배반하느니 ____________.

6 I **would rather not** say anything more. → 나는 더는 어떤 것도 ____________.

7 I **would like to** lie down for a while. → 나는 잠시 ____________.

8 I **would like** a wallet for my birthday. → 나는 내 생일 선물로 지갑을 ____________.

Point

06 used to / would

❶ used to는 과거의 규칙적인 습관이나 지속되었던 상태를 나타낸다.

「used to+동사원형」: (규칙적으로) ~하곤 했다, (전에는) ~이었다	
He **used to** study for hours every day. 그는 매일 몇 시간씩 공부하곤 했다.	» 과거의 규칙적 습관을 나타내요.
There **used to** be a lighthouse in this area. 이 지역에 등대가 있었다.	» 과거에 지속되었던 상태를 나타내요.

❷ would는 과거의 불규칙적인 습관을 나타낸다.

「would+동사원형」: (불규칙적으로) ~하곤 했다	
He **would** walk his dog in the morning. 그는 아침에 자신의 개를 산책시키곤 했다.	» would로는 과거의 상태를 나타낼 수 없어요.

+

「be used to-v」: ~하는 데 사용되다	「be used to+동명사[명사]」: ~에 익숙하다
The scale **is used to weigh** produce. 저울은 농산물의 무게를 재는 데 사용된다.	I'**m used to eating** spicy food. 나는 매운 음식을 먹는 것에 익숙하다.

Q "I lived in Seoul."과 "I used to live in Seoul."은 어떻게 다른가요?

A 두 문장 모두 '나는 서울에 살았다.'라는 뜻입니다. 그런데 used to나 would는 현재는 존재하지 않는 과거의 습관을 나타내므로, used to가 쓰인 두 번째 문장에는 '현재는 서울에 살지 않는다.'라는 뜻까지 내포되어 있습니다.

문법 확인 Ⓑ 문장 해석하기

▸ Answer p.5

1 My dog **used to** bark at cats. → 나의 개는 고양이를 향해 ______.
★bark 짖다

2 My father **used to** sing me to sleep. → 우리 아빠는 내가 자도록 ______.

3 She **used to** be a housewife for thirty years. → 그녀는 30년 동안 주부로 ______.
★housewife 주부

4 Computers **are used to run** machines. → 컴퓨터는 기계를 ______.
★run 작동시키다

5 I'**m used to waiting** for my son. → 나는 아들을 ______.

6 We **would** date at the amusement park. → 우리는 놀이공원에서 ______.

7 His attitude **would** drive me crazy. → 그의 태도가 나를 미치게 ______.
★drive (~를 …하게) 만들다

8 Peter **would** fall asleep in his armchair. → Peter는 안락의자에서 ______.

▸ Answer p.5

문법 기본 Ⓐ 조동사와 괄호 안의 말을 활용하여 표현 만들기

had better

1 기다리는 게 낫다 (wait)

→

2 잊는 게 낫다 (forget)

→

would rather

3 차라리 걷겠다 (walk)

→

4 차라리 그만두겠다 (give up)

→

would like to

5 묻고 싶다 (ask)

→

6 참가하고 싶다 (join)

→

used to / would

7 청소하곤 했다 (clean)

→

8 수줍음을 탔다 (be shy)

→

문법 기본 Ⓑ 알맞은 말 고르기

1 He is used to [be / being] alone.
그는 혼자 지내는 것에 익숙하다.

2 I [would / would rather] stay at home.
나는 차라리 집에 머물겠다.

3 There [would / used to] be a police station over there.
저쪽에 경찰서가 있었다.

4 He [used to / would rather] always ask me questions.
그는 항상 내게 질문을 하곤 했다.

5 I [would rather / would] play basketball after school.
나는 방과 후에 농구를 하곤 했다.

6 I [would like to / would] take part in your project.
나는 너의 프로젝트에 참여하고 싶다.

7 You [had better / would rather] watch your step.
너는 발밑을 조심하는 게 낫다.

▸ Answer p.5

문법 쓰기 Ⓐ 알맞은 조동사로 빈칸 완성하기

Example	너는 직접 그를 방문하는 게 낫겠다.	→	You	*had better*	visit him in person.
	그녀는 직접 그를 방문하곤 했다.	→	She	*used to*	visit him in person.

1 너는 밥을 국에 마는 게 낫다. → You ______ put your rice in your soup.

나는 빵을 먹기보다는 밥을 먹겠다. → I ______ eat rice than bread.

2 나는 (예전에) 시골에서 살았다. → I ______ live in the country.

나는 시골에서 살고 싶다. → I ______ live in the country.

3 너는 치과에 가는 게 낫겠다. → You ______ go to the dentist.

그는 해돋이를 보려고 해변에 가곤 했다. → He ______ go to the beach to see the sunrise.

문법 쓰기 Ⓑ 틀린 부분 고치기

Example	You had better to go out right now. 너는 지금 당장 나가는 것이 낫다.	*to go*	→	*go*

1 There would be a lake here. →
여기에 호수가 있었다.

2 He is used to get up early. →
그는 일찍 일어나는 것에 익숙하다.

3 We had better dressing for the reception. →
우리는 축하 연회를 위해 정장을 입는 게 낫다.

4 Who would rather apply for this project? →
누가 이 프로젝트에 지원하고 싶으신가요?

5 I would rather to go fishing tomorrow than today. →
나는 오늘보다 차라리 내일 낚시하러 가겠다.

6 She used to wondered why she did that. →
그녀는 자신이 왜 그것을 했는지 의아해하곤 했다.

▸ Answer p.5

문법 쓰기 Ⓒ 주어진 단어와 조동사를 활용하여 문장 완성하기

Example 그는 종종 점심 식사 후에 자신의 개를 산책시키곤 했다. (would, walk)
→ *He would often walk his dog after lunch.*

1 우리는 경찰을 부르는 게 낫겠어. (call)

→ We the police.

2 그는 자신의 아내와 조깅하러 가곤 했다. (go jogging)

→ He with his wife.

3 나는 차라리 그의 앞에서 침묵을 지키겠다. (keep silent)

→ I in front of him.

4 나는 밤에 늦게까지 깨어 있는 것에 익숙하다. (stay up late)

→ I'm at night.

5 나는 이틀 밤을 위해 방을 예약하고 싶어요. (reserve, for two nights)

→

6 나는 자전거를 타느니 차라리 볼링을 치러 가겠어. (go bowling, cycling)

→

7 (예전에) 여기에 다리가 있었다. (there, a bridge, here)

→

8 너는 그를 위층으로 데려가는 게 낫겠어. (take, upstairs)

→

▸ Answer p.5

서술형 예제 1

다음 우리말과 일치하도록 괄호 안의 말을 이용하여 대화를 완성하시오. Point 05

A: 여보, (1) 당신의 건강을 챙기는 게 낫겠어요. (take care of) 오늘은 일찍 자는 게 어때요?
B: 당신 말이 맞아요. 오늘은 (2) 일하기보다는 차라리 쉬겠어요. (rest, work)

A : Honey, you (1) ______________________.
Why don't you go to bed early today?
B : You are right. I (2) ______________ today.

Teacher's guide

STEP ❶
(1)은 '~하는 게 낫다'라는 뜻의 충고 표현인 「had better + 동사원형」을 활용하여 씁니다.

STEP ❷
(2)는 'B하기보다는 (차라리) A하겠다'라는 뜻의 선호 표현인 「would rather A than B」를 활용하여 씁니다.

정답 ›› (1) had better take care of your health
(2) would rather rest than work

실전 연습 1

다음 우리말과 일치하도록 괄호 안의 말을 이용하여 대화를 완성하시오. Point 05

A: 당신은 (1) Jason에게 도움을 요청하는 게 낫겠어요. (ask, for help)
B: 맞아요. 나는 (2) 차라리 그의 도움을 받겠어요. (get, help)

A : You (1) ______________________.
B : That's right. I (2) ______________________.

서술형 예제 2

다음 우리말을 〈조건〉에 맞게 영작하시오. Point 06

그 가게는 매달 할인을 제공하곤 했다.

조건	• the store, provide, a discount, every를 사용할 것 • 총 9단어의 완전한 문장으로 쓸 것

→ ______________________________

Teacher's guide

STEP ❶
'(규칙적으로) ~하곤 했다'라는 뜻의 문장이에요. 과거에 규칙적으로 일어난 일을 표현할 때는 조동사 used to나 would를 사용합니다. 문장을 총 9단어로 구성해야 하므로, used to를 사용해요.

STEP ❷
조동사 used to 뒤에는 동사원형 provide를 씁니다. every 뒤에는 단수 명사를 써야 함에 유의하세요.

정답 ›› The store used to provide a discount every month.

실전 연습 2

다음 우리말을 〈조건〉에 맞게 영작하시오. Point 06

그는 그녀의 비밀을 나에게 말하곤 했다.

조건	• tell, secrets, to me를 사용할 것 • 총 7단어의 완전한 문장으로 쓸 것

→ ______________________________

Point

07 조동사+have+p.p. (1)

❶ 「must have p.p.」는 과거의 일에 대한 강한 추측을 나타낸다.

「must have p.p.」: ~했음에 틀림없다

He **must have attended** school in Europe.
그는 유럽에 있는 학교에 다녔음에 틀림없다.
» = I'm sure that he attended school in Europe.

She **must** *not* **have been** hungry.
그녀는 배고프지 않음에 틀림없다.
» 「must have p.p.」의 부정형은 「must not have p.p.」로 씁니다.

❷ 「may[might] have p.p.」는 과거의 일에 대한 약한 추측을 나타낸다.

「may[might] have p.p.」: (아마) ~했을지도 모른다

It **might have been** a wrong address.
그것은 틀린 주소였을지도 모른다.
» 「might have p.p.」는 「may have p.p.」보다 좀 더 약한 추측을 나타내지만, 사실상 큰 의미 차이는 없어요.

My son **may** *not* **have read** the storybook.
나의 아들은 그 동화책을 읽지 않았을지도 모른다.
» 「may[might] have p.p.」의 부정형은 「may[might] not have p.p.」로 씁니다.

문법 확인 Ⓐ 문장 해석하기

▸ Answer p.5

1 He **must have forgotten** about it. → 그는 그것에 대해 ______.

2 Something **must have happened** to them. → 무슨 일이 그들에게 ______.

3 I **must have left** my glasses at home. → 나는 안경을 집에 ______.

4 They **must not have known** each other. → 그들은 서로를 ______.

5 The accident **may have been** due to my fault. → 그 사고는 나의 잘못 ______.
★due to ~ 때문에

6 My weight **might have gone** up. → 내 체중이 ______.

7 The difference **may have been** minimal. → 그 차이는 ______.
★minimal 아주 적은

8 She **might not have noticed** the scratch. → 그녀는 그 흠집을 ______.
★notice 알아차리다

Point

08 조동사+have+p.p. (2)

❶ 「cannot have p.p.」는 과거의 일에 대한 강한 의심을 나타낸다.

「cannot have p.p.」: ~했을 리가 없다

You **cannot have seen** him last week.
너는 지난주에 그를 봤을 리가 없다.

» 「cannot have p.p.」는 「must have p.p.」와 반대 의미입니다.

She **cannot have received** my message.
그녀는 내 메시지를 받았을 리가 없다.

❷ 「could have p.p.」는 과거의 일에 대한 가능성을 나타낸다.

「could have p.p.」: ~할 수도 있었다

You **could have asked** me sooner. 너는 내게 더 빨리 물어볼 수도 있었다.

❸ 「should have p.p.」는 과거의 일에 대한 후회나 유감을 나타낸다.

「should have p.p.」: ~했어야 했다(하지만 하지 않았다)

I **should have read** the papers thoroughly.
나는 그 서류를 철저하게 읽었어야 했다.

» = I'm sorry that I didn't read the papers thoroughly.

You **should** *not* **have watched** that horror film.
너는 그 공포 영화를 보지 말았어야 했다.

» 「should have p.p.」의 부정형은 「should not have p.p.」로 씁니다.

문법 확인 Ⓑ 문장 해석하기

▸ Answer p.5

1 He **cannot have expected** the problem. → 그가 그 문제를 ______.
★expect 예상하다

2 She **cannot have done** such a thing. → 그녀가 그러한 일을 ______.

3 She **cannot have told** him the truth. → 그녀가 그에게 진실을 ______.

4 He **could have left** me a message. → 그는 내게 메시지를 ______.

5 I **could have handled** it faster. → 나는 그것을 더 빠르게 ______.
★handle 처리하다

6 You **should have paid** more attention. → 너는 주의를 더 많이 ______.

7 We **should not have doubted** him. → 우리는 그를 ______.
★doubt 의심하다

8 I **should have written** my name on it. → 나는 그 위에 내 이름을 ______.

▸ Answer p.5

문법 기본 Ⓐ 주어진 동사와 조동사를 활용하여 표현 만들기

think

1 생각했어야 했다

→

2 생각할 수도 있었다

→

deliver

3 배송했음에 틀림없다

→

4 배송하지 않았을지도 모른다

→

practice

5 연습했을 리가 없다

→

6 연습하지 않았음에 틀림없다

→

borrow

7 빌렸을지도 모른다

→

8 빌리지 말았어야 했다

→

문법 기본 Ⓑ 알맞은 말 고르기

1 He must work / must have worked hard yesterday.
그는 어제 열심히 일했음에 틀림없다.

2 She cannot have seen / should have seen my e-mail.
그녀가 나의 이메일을 봤을 리가 없다.

3 It might have been / cannot have been true.
그것이 사실이었을지도 모른다.

4 He should have refused / must have refused her request.
그는 그녀의 요구를 거절했어야 했다.

5 I must have walked / may have walked at least ten miles.
나는 적어도 10마일을 걸었음에 틀림없다.

6 I thought you should have noticed / may have noticed .
나는 네가 알아차렸을지도 모른다고 생각했다.

7 We could have solved / must have solved the problem.
우리는 그 문제를 해결할 수도 있었다.

▸ Answer p.5

문법 쓰기 Ⓐ 주어진 동사와 조동사를 활용하여 빈칸 완성하기

Example	do	그는 많은 연구를 했음에 틀림없다.	→ He *must have done* a lot of research.
		그는 많은 연구를 했을지도 모른다.	→ He *may have done* a lot of research.

1 **go**
아빠가 밖에 나가셨음에 틀림없다. → Dad ______ out.
아빠가 밖에 나가셨을 리가 없다. → Dad ______ out.

2 **see**
너는 오늘 그를 봤을 리가 없다. → You ______ him today.
너는 오늘 그를 볼 수도 있었다. → You ______ him today.

3 **arrive**
그는 몇 시간 전에 도착했어야 했다. → He ______ hours ago.
그는 몇 시간 전에 도착했음에 틀림없다. → He ______ hours ago.

4 **apologize**
그는 그녀에게 사과했어야 했다. → He ______ to her.
그가 그녀에게 사과했을지도 모른다. → He ______ to her.

문법 쓰기 Ⓑ 틀린 부분 고치기

Example We should discuss it last week. *should discuss* → *should have discussed*
우리는 지난주에 그것에 관해 토론했어야 했다.

1 You cannot have shared my taxi home. ______ → ______
너는 나와 함께 택시를 타고 집에 갈 수도 있었다.

2 She should not have miss the job opportunity. ______ → ______
그녀는 구직 기회를 놓치지 말았어야 했다.

3 He may have not considered what would happen. ______ → ______
그는 무슨 일이 일어날지 고려하지 못했을지도 모른다.

4 She might have been embarrassed when I wasn't there. ______ → ______
내가 그곳에 있지 않았을 때 그녀는 당황했음에 틀림없다.

5 I might not mention it to her yesterday. ______ → ______
내가 어제 그녀에게 그것을 언급하지 않았을지도 모른다.

6 I thought you must have been sleeping then. ______ → ______
나는 네가 그때 자고 있을 리가 없다고 생각했다.

▸ Answer p.6

문법 쓰기 C 주어진 단어와 조동사를 활용하여 문장 완성하기

Example 나는 잘못된 곳에 걸어 들어갔음에 틀림없다. (walk into, the wrong place)
→ *I must have walked into the wrong place.*

1 그는 해외에서 살았을지도 모른다. (live)

→ He ______ abroad.

2 나는 너에게서 많은 것을 기대하지 말았어야 했다. (expect)

→ I ______ much from you.

3 그녀는 인터넷 카페를 이용할 수도 있었다. (use)

→ She ______ an Internet cafe.

4 너는 그 돈 전부를 하루 만에 썼을 리가 없다. (spend)

→ You ______ all that money in a day.

5 그들은 서로 싸웠음에 틀림없다. (fight, with each other)

→

6 그들은 비행기에 탑승하지 못했음에 틀림없다. (board, the plane)

→

7 우리는 그 파티에서 더 일찍 나왔어야 했다. (leave, the party, earlier)

→

8 너는 그 경고를 이해하지 못했을지도 모른다. (understand, the warning)

→

▸ Answer p.6

서술형 예제 1

다음 대화를 읽고, 괄호 안의 말을 이용하여 밑줄 친 우리말을 영작하시오. Point 07

A: This computer is working again. <u>그것은 수리됐음에 틀림없어요.</u> (be repaired)
B: Yes, I had it fixed yesterday.

→ ____________________

Teacher's guide

STEP ❶
'~했음에 틀림없다'라는 뜻의 조동사 표현 「must have p.p.」를 활용합니다.

STEP ❷
be repaired의 be를 p.p.형인 been으로 바꿔서, must have 뒤에 씁니다.

정답 ›› It must have been repaired.

실전 연습 1

다음 대화를 읽고, 괄호 안의 말을 이용하여 밑줄 친 우리말을 영작하시오. Point 08

A: Tom, Jane hasn't come yet.
B: Oh, my! <u>내가 그녀에게 미리 전화했어야 했는데.</u> (call, in advance)

→ ____________________

서술형 예제 2

다음 우리말을 〈조건〉에 맞게 영작하시오. Point 07

그 편지는 어제 도착했을지도 모른다.

조건	• the letter, arrive를 사용할 것 • 총 6단어의 완전한 문장으로 쓸 것

→ ____________________

Teacher's guide

STEP ❶
'(아마도) ~했을지도 모른다'라는 뜻의 조동사 표현 「may[might] have p.p.」를 활용합니다.

STEP ❷
may[might] have 뒤에 arrive를 p.p.형인 arrived로 바꿔 씁니다.

정답 ›› The letter may[might] have arrived yesterday.

실전 연습 2

다음 우리말을 〈조건〉에 맞게 영작하시오. Point 08

그녀는 어젯밤에 잠을 잘 잤을 리가 없다.

조건	• sleep, well, last night를 사용할 것 • 총 7단어의 완전한 문장으로 쓸 것

→ ____________________

CHAPTER 02 조동사

내신 대비 실전 TEST

▸ Answer p.6

객관식 (01~10)

Point 06

01 다음 중 밑줄 친 부분의 쓰임이 나머지 넷과 다른 것은?

① I would study math with my dad.
② Would you please do me a favor?
③ I would travel by bicycle sometimes.
④ When I was a child, I would get up early.
⑤ He would often go for a walk after lunch.

Point 05, 06

02 다음 중 어법상 옳은 것은?

① I would rather to take a taxi.
② I had not better go any further.
③ I'm used to deal with such people.
④ There would be a shop on the corner.
⑤ I'd like to thank you for coming today.

Point 08

03 다음 중 〈보기〉와 의미가 같은 것은?

• 보기 •
I'm sorry that you wasted so much time.

① You were wasting so much time.
② You may have wasted so much time.
③ You must have wasted so much time.
④ You cannot have wasted so much time.
⑤ You shouldn't have wasted so much time.

Point 07, 08

04 다음 빈칸에 들어갈 말로 알맞은 것은?

She ____________ have done it all by herself.
Someone must have helped her.

① could ② might ③ should
④ cannot ⑤ ought to

Point 07

05 다음 우리말을 영어로 바르게 옮긴 것은?

나는 그것을 잘못된 선반에 놓았음에 틀림없다.

① I must have put it on the wrong shelf.
② I might have put it on the wrong shelf.
③ I cannot have put it on the wrong shelf.
④ I should have put it on the wrong shelf.
⑤ I may not have put it on the wrong shelf.

Point 05

06 다음 대화의 빈칸에 들어갈 말로 알맞은 것은?

A: I don't think I'm feeling well.
B: Oh, no! You ____________ some rest.

① had better get ② had better not get
③ had better to get ④ had not better get
⑤ had better not to get

Point 08

07 다음 우리말과 일치하도록 할 때, 빈칸에 들어갈 말로 알맞은 것은?

그녀가 나의 충고를 잊었을 리가 없다.
→ She ____________________ my advice.

① may have forgotten
② must have forgotten
③ could have forgotten
④ cannot have forgotten
⑤ shouldn't have forgotten

Point 05, 06

08 다음 빈칸에 들어갈 말이 순서대로 짝지어진 것은?

• You ____________ get her permission.
• He ____________ very cold weather.

① used to – would
② had better – would
③ had better – is used to
④ would like – is used to
⑤ would like to – would rather

대표 Point 06

09 다음 두 문장의 의미가 같을 때, 빈칸에 들어갈 말로 알맞은 것은?

> Birds often sang in my backyard, but they don't anymore.
> = Birds __________ sing in my backyard.

① had better ② used to
③ would like to ④ were used to
⑤ would rather

고난도 Point 05, 06

10 다음 중 어법상 틀린 것은?

① I am used to living alone.
② He used to neglect my ability.
③ She would bring some snacks with her.
④ I would rather die than disgrace myself.
⑤ You had not better study so late at night.

서술형 기본 (11~19)

[11~12] 다음 문장에서 어법상 틀린 부분을 찾아 바르게 고쳐 쓰시오.

Point 05

11

> You had better to discuss this issue with Bruno.

__________ → __________

Point 05

12

> I would like to applying for the job.

__________ → __________

[13~14] 다음 우리말과 일치하도록 빈칸에 알맞은 말을 쓰시오.

Point 07

13

> 나는 내 비밀번호를 잊었음에 틀림없다.

→ I __________ my password.

Point 08

14

> 너는 더 사려 깊었어야 했다.

→ You __________ more considerate.

Point 07

15 다음 두 문장의 의미가 같도록 빈칸에 알맞은 말을 쓰시오.

> I'm sure that she was beautiful when she was younger.

= She __________
when she was younger.

대표 Point 05, 06

16 다음 빈칸에 공통으로 알맞은 말을 쓰시오.

> • I __________ like to introduce Dr. White to you.
> • He __________ walk a long way to work.

→ __________

고난도 Point 08

17 다음 대화의 흐름에 맞도록 빈칸에 알맞은 말을 쓰시오.

> A: You __________ more careful.
> You were almost hit by the car.
> B: You're right. I'll try to be more careful next time.

[18~19] 다음 우리말과 일치하도록 괄호 안의 말을 바르게 배열하시오.

Point 07

18

> 그것은 유쾌한 파티였을지도 모르지만, Jack은 그것을 좋아하지 않았다.
> (been, a, might, party, have, pleasant)

→ It __________,
but Jack didn't like it.

Point 06

19

> 그는 어린 시절에 독일에서 살았다.
> (used, he, to, in Germany, live)

→ __________
in his childhood.

서술형 심화 (20~25)

Point 06

20 다음 우리말을 〈조건〉에 맞게 영작하시오.

나는 캐나다에 계신 나의 할아버지를 방문하곤 했다.

조건
- visit, grandfather, in Canada를 사용할 것
- 총 8단어의 완전한 문장으로 쓸 것

→ ____________________

Point 07, 08

21 다음 우리말과 일치하도록 괄호 안의 말을 바르게 배열하시오.

(1) 당신은 간호사들의 (인원) 부족을 눈치 챘을지도 모른다. (noticed, have, lack, might, the)

→ You ____________________ of nurses.

(2) 그가 잘못된 결정을 받아들였을 리가 없다. (wrong, have, cannot, the, accepted)

→ He ____________________ decision.

고난도

Point 05

22 다음은 Daniel과 Jane의 버킷 리스트를 나타내는 표이다. 표를 참고하여 대화를 완성하시오.

Bucket List

Ranking	Daniel	Jane
1	to skydive	to live alone
2	to see the pyramids	to visit the Louvre Museum
3	to travel alone	to go bungee jumping

Sam: Daniel, what would you like to do the most on your bucket list?
Daniel: Well, I (1) ____________________ most someday.
Sam: Jane, do you want to skydive, too?
Jane: No. Most of all, I (2) ____________________.

Point 05

23 다음 대화의 흐름에 맞도록 〈보기〉의 표현을 이용하여 빈칸에 알맞은 말을 쓰시오.

• 보기 •
would had better would like to used to would rather

A: Mom, how is the weather today?
B: It's going to be cold. You (1) __________ __________ a heavy coat.
A: Hmm. I think I have a little cold. So I (2) ____________________ a winter down jacket than a coat.
B: Oh, you probably should.

Point 06, 08

24 다음 글을 읽고 아래 질문에 답하시오.

ⓐ I used to playing tennis every weekend last year. But I'm so busy at work this year that I can hardly exercise. A few days ago, my regular medical checkup showed that my blood pressure was somewhat high. The doctor said, "ⓑ 당신은 운동을 중단하지 말았어야 했어요." (stop, exercising)

(1) 밑줄 친 ⓐ의 어법상 틀린 곳을 고쳐 문장으로 다시 쓰시오.

→ ____________________

(2) 밑줄 친 ⓑ를 괄호 안의 말을 이용하여 영작하시오.

→ ____________________

대표

Point 07

25 다음 ①~⑤ 중 어법상 틀린 것을 골라 바르게 고쳐 쓰시오.

When I got home, I found the vase on my desk ① broken. I locked the door and ② went out, but someone ③ must enter my room. I wondered ④ who it was. The thought kept me ⑤ awake all night.

(   ) ____________________

CHAPTER 03

to부정사

Point 09 to부정사의 명사적 용법

Point 10 가주어와 가목적어 / **to**부정사의 의미상 주어

Point 11 to부정사의 형용사적 용법

Point 12 to부정사의 부사적 용법

Point 13 too ~ to / enough to

Point 14 seem to

Point 15 목적보어로 쓰이는 **to**부정사

Point 16 목적보어로 쓰이는 원형부정사

Chapter 03 내신 대비 실전 **TEST**

Get Ready

to부정사	**To exercise regularly is important.**	규칙적으로 운동하는 것은 중요하다.
	I don't have time to exercise.	나는 운동할 시간이 없다.
	I left home early to exercise.	나는 운동하기 위해 일찍 집을 나섰다.
원형부정사	**I saw him exercise at the park.**	나는 그가 공원에서 운동하는 것을 보았다.

부정사는 크게 to가 있는 부정사와 to가 없는 부정사로 나뉩니다.

1. to가 있는 부정사는 **to부정사**로 「to+동사원형」의 형태이며 명사, 형용사, 부사의 역할을 해요.
2. to가 없는 부정사는 **원형부정사**로 동사원형을 말합니다. 원형부정사는 주로 5형식 문장에서 지각동사나 사역동사의 목적보어로 쓰입니다.

Point

09 to부정사의 명사적 용법

❶ to부정사는 「to+동사원형」의 형태로, 명사처럼 쓰여 문장에서 주어, 보어, 목적어 역할을 한다.

주어 역할: ~하기는, ~하는 것은 / 보어 역할: ~하는 것(이다) / 목적어 역할: ~하기를, ~하는 것을

To know history *is* important to us all. 〈주어 역할〉
역사를 아는 것은 우리 모두에게 중요하다.

>> to부정사가 문장에서 주어 역할을 할 경우, 단수 취급해요.

My hobby is **to watch** animated movies. 〈보어 역할〉
나의 취미는 애니메이션 영화를 시청하는 것이다.

❷ to부정사만을 목적어로 취하는 동사

want, hope, plan, wish, need, decide, promise, refuse, agree, expect, choose, learn, pretend, offer, afford 등	+	**to부정사 목적어**

I decided **to help** my parents on the farm. 〈목적어 역할〉
나는 농장에서 나의 부모님을 돕기로 결정했다.

>> to부정사를 목적어로 취하는 동사는 주로 무슨 일을 하고자 하는 의욕이나 의도를 나타냅니다.

❸ 「의문사+to부정사」는 명사처럼 쓰여 문장에서 주로 목적어 역할을 한다.

who(m)+to부정사	누구를 ~할지	**when+to부정사**	언제 ~할지
where+to부정사	어디서[어디로] ~할지	**what+to부정사**	무엇을 ~할지
how+to부정사	어떻게 ~할지, ~하는 방법	**which+to부정사**	어느 것을 ~할지

I don't know **where to make** a right turn.
= I don't know **where I should make** a right turn.
나는 어디에서 우회전을 해야 할지 모르겠다.

>> 「의문사+to부정사」는 「의문사+주어+should+동사원형」으로 바꿔 쓸 수 있어요.
>> 「why+to부정사」는 쓰지 않아요.

문법 확인 Ⓐ 문장 해석하기

▸ Answer p.8

1 **To keep** water clean is important. → 물을 깨끗하게 ________ 중요하다.

2 Fred refuses **to set** high goals. → Fred는 높은 목표를 ________ 거부한다.

3 She should know **how to use** money wisely. → 그녀는 돈을 현명하게 ________ 알아야 한다.

4 **To walk** in the woods is good for health. → 숲속에서 ________ 건강에 좋다.

5 Their job was **to sell** vegetables at the market. → 그들의 직업은 시장에서 채소를 ________.

6 We decided **to travel** to the southern region. → 우리는 남쪽 지역으로 ________ 결정했다.

7 I can't decide **what to do** after graduation. → 나는 졸업 후에 ________ 결정할 수가 없다.

Point **10**

가주어와 가목적어 / to부정사의 의미상 주어

❶ 주어나 목적어 역할을 하는 to부정사가 길어질 경우 뒤로 보내고 그 자리에 it을 쓴다.

「It(가주어)+동사 ~+to부정사(진주어)」

To get there is easy. 그곳에 가는 것은 쉽다.
→ **It** is easy **to get there**.
가주어 진주어

>> 가주어 It은 따로 해석하지 않아요.

「주어+동사+it(가목적어)+목적보어+to부정사(진목적어)」

I found **to concentrate on the job at hand** hard.
I found **it** hard **to concentrate on the job at hand**.
나는 당면한 일에 집중하는 것이 어렵다는 것을 알았다.

>> 가목적어 it 또한 따로 해석하지 않아요.

❷ to부정사의 의미상 주어란 to부정사의 행위나 상태의 주체를 뜻한다.

일반적인 의미상 주어: 「for+목적격」

It is *impossible* **for him to catch** up with you. 그가 너를 따라잡는 것은 불가능하다.

사람의 성격이나 태도를 나타내는 형용사 뒤에 오는 의미상 주어: 「of+목적격」

It is *foolish* **of you to think** so.
당신이 그렇게 생각하다니 어리석군요.

>> 사람의 성격 · 태도를 나타내는 형용사로는 kind, nice, careful, careless, polite, silly, brave, good, clever, wise, foolish, stupid, rude 등이 있어요.

Q to부정사의 의미상 주어를 항상 밝혀 주어야 하나요?

A to부정사의 의미상 주어가 막연한 일반인이거나 문장의 주어나 목적어와 같으면 보통 생략됩니다.
It is wrong **(for you) to speak** ill of others. (여러분이) 남의 욕을 하는 것은 잘못된 일이다.
I want **(for me) to apply** for the job. 나는 그 일자리에 지원하기를 원합니다.

문법 확인 Ⓑ 문장 해석하기

▸ Answer p.8

1 **It** is interesting **to read your reactions.** ★reaction 반응

→ ______ 재미있어요.

2 I make **it** a rule **to take a nap.** ★take a nap 낮잠을 자다

→ 나는 ______ 규칙으로 삼는다.

3 I don't consider **it** necessary **to answer them.**

→ 나는 ______ 필수적이라고 생각하지 않는다.

4 It is not easy **for me to fall** in a deep sleep.

→ ______ 쉽지 않다.

5 It is kind **of you to offer** me a cup of tea. ★offer 주다, 제공하다

→ ______ 친절하시군요.

▸ Answer p.8

문법 기본 Ⓐ 밑줄 친 부분의 역할에 V 표시하기

1 It is possible <u>to treat the disease</u>. □ 주어 □ 목적어 □ 보어

2 <u>To have four seasons</u> is quite a blessing. □ 주어 □ 목적어 □ 보어

3 His dream was <u>to be a major league pitcher</u>. □ 주어 □ 목적어 □ 보어

4 They plan <u>to serve chicken curry at the party</u>. □ 주어 □ 목적어 □ 보어

5 This shirt makes it hard <u>for me to breathe</u>. □ 주어 □ 목적어 □ 보어

6 It is nice <u>of you to show me the way</u>. □ 주어 □ 목적어 □ 보어

7 I learned <u>how to make and upload YouTube videos</u>. □ 주어 □ 목적어 □ 보어

문법 기본 Ⓑ 알맞은 말 고르기

1 I agree to accept / accepting their offer.
나는 그들의 제안을 받아들이는 것에 동의해요.

2 That / It is wrong to deceive someone.
누군가를 속이는 것은 나쁜 일이다.

3 It is nice for / of you to remember my birthday.
당신이 내 생일을 기억해주다니 다정하시네요.

4 I found it / them easy to see people's faults.
나는 사람들의 흠을 보는 것은 쉽다고 생각했다.

5 It is important of / for you to choose good friends.
여러분이 좋은 친구들을 선택하는 것은 중요하다.

6 I taught him how / why to dance to hip-hop music.
나는 그에게 힙합 음악에 맞춰 춤추는 법을 가르쳤다.

▸ Answer p.8

문법 쓰기 A 문장의 어순 배열하기

Example 여러분이 영어를 배우는 것은 필수적입니다. (learn / you / for / to / English)
→ It is necessary *for you to learn English* .

1 겨울에 감기에 걸리는 것은 쉽다. (easy / to / catch / is / it)

→ ________ a cold in winter.

2 기술은 개인 정보를 수집하는 것을 더 쉽게 만든다. (it / to / makes / collect / easier)

→ Technology ________ personal information.

3 네가 중요한 서류를 잃어버리다니 부주의했구나. (of you / was / it / careless / to lose)

→ ________ the important documents.

4 나는 어디에서 살아야 할지 아직 결정하지 못했다. (haven't / to / where / live / decided)

→ I ________ yet.

문법 쓰기 B 틀린 부분 고치기

Example It is my belief to fighting for my country. *to fighting* → *to fight*
나의 조국을 위해 싸우는 것이 나의 신념이다.

1 To read the book by next week are my plan. →
다음 주까지 그 책을 읽는 것이 나의 계획이다.

2 You need wearing comfortable shoes when jogging. →
너는 조깅할 때 편안한 신발을 신을 필요가 있다.

3 I'm seeking advice on what doing in this situation. →
나는 이 상황에서 무엇을 해야 할지에 관한 조언을 구하고 있다.

4 This makes it easy share files across the network. →
이것은 네트워크를 통해 파일을 공유하는 것을 쉽게 만든다.

5 It is necessary of you to prepare for the worst. →
당신은 최악의 경우를 대비할 필요가 있다.

6 The idea was to combined the two offices. →
그 아이디어는 두 사무실을 합치자는 것이었다.

▸ Answer p.8

문법 쓰기 Ⓒ 주어진 단어와 to부정사를 활용하여 문장 완성하기

Example 판단한다는 것은 의견을 형성하는 것이다. (judge, form, an opinion)
→ *To judge is to form an opinion.*

1 상사는 내게 그 프로젝트를 언제 시작해야 할지 말해주었다. (start, the project)

→ The boss told me ______________________.

2 서핑 보드 위에서 균형을 유지하는 것은 어렵다. (keep, balance)

→ It is difficult ______________________ on a surfboard.

3 그는 일찍 일어나는 것이 힘들다는 것을 알았다. (hard, wake up, early)

→ He found it ______________________.

4 자신의 좌석을 내게 제공하다니 그녀는 예의 발랐다. (it, polite, offer)

→ ______________________ me her seat.

5 경찰관의 일은 시민들을 보호하는 것이다. (a police officer's job, protect, citizens)

→ ______________________

6 James는 그 어린 소년을 입양하기로 결정했다. (decide, adopt, the young boy)

→ ______________________

7 아이들이 세제를 사용하는 것은 위험하다. (it, dangerous, children, use, a detergent)

→ ______________________

8 네 우산을 잃어버리다니 너는 부주의했구나. (it, careless, lose)

→ ______________________

▸ Answer p.8

서술형 예제 1

다음 우리말과 일치하도록 괄호 안의 말을 이용하여 대화를 완성하시오. Point 09

A: 당신은 이곳에서 얼마나 오래 (1) 머무르길 원하십니까? (want, stay)
B: 우리는 2일 더 (2) 머무르기로 결정했습니다. (decide, stay)

A : How long do you (1) ________________ here?
B : We (2) ________________ for another two days.

Teacher's guide

STEP ❶
(1) '원하다'라는 의미의 동사 want는 to부정사를 목적어로 취합니다.

STEP ❷
(2) '결정하다'라는 의미의 동사 decide 또한 to부정사를 목적어로 취합니다.

정답 ›› (1) want to stay (2) decided to stay

실전 연습 1

다음 우리말과 일치하도록 괄호 안의 말을 이용하여 대화를 완성하시오. Point 09

A: 당신은 언제 한국으로 (1) 돌아갈 계획인가요? (plan, go back)
B: 만약 일이 잘 처리된다면, 저는 다음 주에 한국으로 (2) 떠나기를 희망합니다. (hope, leave)

A : When do you (1) ________________ to Korea?
B : If things go well, I (2) ________________ for Korea next week.

서술형 예제 2

다음 우리말을 〈조건〉에 맞게 영작하시오. Point 10

글러브는 야구를 하는 것을 더 쉽게 만든다.

조건	• 가목적어를 사용할 것 • gloves, make, easier, play를 사용할 것 • 총 7단어의 완전한 문장으로 쓸 것

→ ________________________________

Teacher's guide

STEP ❶
주어진 우리말에서 목적어에 해당하는 부분은 '야구를 하는 것을'이고, 목적보어에 해당하는 부분은 '더 쉽게'입니다.

STEP ❷
<주어+동사> 뒤에 가목적어 it과 목적보어 easier를 차례로 씁니다. 그 다음에는 진목적어, 즉 '야구를 하는 것을'을 to부정사를 활용하여 씁니다.

정답 ›› Gloves make it easier to play baseball.

실전 연습 2

다음 우리말을 〈조건〉에 맞게 영작하시오. Point 10

우리는 이익을 내는 것이 불가능함을 알았다.

조건	• 가목적어를 사용할 것 • find, impossible, make, profits를 사용할 것 • 총 7단어의 완전한 문장으로 쓸 것

→ ________________________________

Point

11 to부정사의 형용사적 용법

❶ to부정사는 형용사처럼 쓰여 명사나 대명사를 뒤에서 수식하며, '~하는, ~할'로 해석한다.

「명사 / 대명사+to부정사」

What is the best way **to learn** a foreign language?

외국어를 배우는 최고의 방법은 무엇인가?

「-thing / -one / -body+형용사+to부정사」

I want something cold **to drink.**
대명사 형용사 to부정사

나는 차가운 마실 거리를 원해요.

» -thing, -one, -body로 끝나는 대명사를 형용사와 to부정사가 동시에 수식하는 경우에 이와 같은 어순으로 씁니다.

❷ be동사 다음에 to부정사를 씀으로써 다양한 의미를 나타낼 수 있다.

「be+to부정사」: 예정(~할 예정이다) / 의무(~해야 한다) / 가능(~할 수 있다) / 운명(~할 운명이다) / 의지 · 의도(~할 작정이다, ~하려고 하다)

Our teacher **is to be** with us. 〈예정〉 우리 선생님이 우리와 함께할 예정이다.
Nothing **was to be seen** in the darkness. 〈가능〉 어둠 속에서 어떤 것도 볼 수 없었다.

+

to부정사의 수식을 받는 명사(구)가 「to부정사+전치사」의 의미상 목적어일 경우, to부정사 뒤에 전치사를 반드시 써야 해요.

I need a house **to live in**. (← live **in** a house) 나는 살 집이 필요하다.
명사 to부정사 전치사

문법 확인 Ⓐ 문장 해석하기

▸ Answer p.9

1 This is a machine **to sort** coffee beans. → 이것은 커피 원두를 ________ 기계이다.
★sort 분류하다

2 I need a piece of paper **to write** on. → 나는 ________ 종이 한 장이 필요하다.

3 Don't say anything **to upset** him. → 그를 ________ 어떤 말도 하지 마라.

4 Children **are to obey** their parents. → 자녀들은 부모에게 ________.
★obey 순종하다

5 The dog **was** never **to encounter** its owner. → 그 개는 주인을 결코 ________.
★encounter 만나다, 조우하다

6 The two leaders **are to meet** in Hanoi, Vietnam. → 두 정상들은 베트남 하노이에서 ________.

7 If you **are to be** a doctor, you should study hard. → 의사가 ________, 너는 열심히 공부해야 한다.

8 Nothing **is to be** learned from the experience. → 어떤 것도 그 경험으로부터 ________.
★be p.p.는 수동태 표현으로 '~되다'라고 해석해요.

Point

12 to부정사의 부사적 용법

❶ to부정사는 부사처럼 쓰여 동사, 형용사, 다른 부사, 문장 전체를 수식한다.

목적(~하기 위해서)	결과(~해서 (그 결과) …하다[되다])	감정의 원인(~해서, ~하니)
판단의 근거(~하다니, ~하는 것을 보니)	정도(~하기에, ~하는 데)	

I turned off the heater **to save** energy. 〈목적〉
나는 에너지를 절약하기 위해서 난방기를 껐다.

The girl grew up **to be** a doctor. 〈결과〉
그 소녀는 커서 의사가 되었다.

Tony was happy **to hear** the news. 〈감정의 원인〉
Tony는 그 소식을 듣고 기뻐했다.

You must be a fool **to speak** your mind openly. 〈판단의 근거〉
당신의 마음을 드러내 놓고 말하다니 당신은 바보임에 틀림없군요.

Bottled water is convenient **to carry** around. 〈정도〉
병에 든 생수는 들고 다니기에 편리하다.

» 목적을 나타내는 to부정사는 「in order to[so as to]+동사원형」으로 바꿔 쓸 수 있어요.

» 결과를 나타내는 to부정사는 주로 live, grow up, wake up, awake 등의 동사 뒤에 옵니다.

» 판단의 근거를 나타내는 to부정사는 cannot, must 등과 주로 함께 쓰여요.

❷ to부정사의 부정은 to부정사 바로 앞에 not 또는 never를 써서 나타낸다.

Be careful **not to fall** down. 넘어지지 않도록 조심해라.
I hurried **not to be** late for the meeting. 나는 회의에 늦지 않기 위해 서둘렀다.

문법 확인 Ⓑ 문장 해석하기

▸ Answer p.9

1 I waited fifteen minutes **to get** a table. → 나는 테이블을 ______ 15분을 기다렸다.

2 You might wake up **to find** me gone. → 너는 깨어나서 내가 사라졌음을 ______.

3 She was surprised **to hear** of my arrival. → 그녀는 나의 도착 소식을 ______ 놀랐다.

4 Monkeys must be clever **to use** tools. → 원숭이가 도구를 ______ 영리함에 틀림없다.

5 His personality was hard **to understand**. → 그의 성격은 ______ 어려웠다.

6 They made the law **in order to protect** children. → 그들은 아이들을 ______ 그 법을 만들었다.
★protect 보호하다

7 They decided **not to build** a bridge there. → 그들은 그곳에 다리를 ______ 결정했다.

8 I advise you **never to take** risks. → 저는 당신이 위험을 ______ 권합니다.
★take risks 위험을 무릅쓰다

▸ Answer p.9

문법 기본 A 밑줄 친 부분의 의미에 V 표시하기

1 Two music videos <u>are to be released</u>. □ 예정 □ 의무 □ 운명

2 If you <u>are to meet</u> him, you must contact his secretary. □ 가능 □ 의지 □ 의무

3 You <u>are not to cheat</u> on tests or copy homework. □ 예정 □ 의무 □ 가능

4 The lost necklace <u>was not to be found</u>. □ 의지 □ 의무 □ 가능

5 I've tried many ways <u>only to fail</u>. □ 목적 □ 결과 □ 판단의 근거

6 He must be kind <u>to help the handicapped</u>. □ 목적 □ 판단의 근거 □ 결과

7 The flute is not easy <u>to learn to play</u>. □ 감정의 원인 □ 목적 □ 정도

문법 기본 B 알맞은 말 고르기

1 There are tables for six people to sit / to sit at .
여섯 명의 사람들이 앉을 수 있는 테이블이 있다.

2 I was surprised to hear / hearing of his failure.
나는 그의 실패에 대해 듣고서는 놀랐다.

3 We are / do to have breakfast at the airport.
우리는 공항에서 아침 식사를 할 예정이다.

4 Spend less than you earn to save / saving money.
돈을 절약하기 위해 버는 것보다 더 적게 소비하라.

5 Our team is finish / to finish the project today.
우리 팀은 그 프로젝트를 오늘 끝낼 예정이다.

6 It is better to not eat / not to eat too many sweets.
단 것들을 너무 많이 먹지 않는 것이 더 낫다.

▸ Answer p.9

문법 쓰기 Ⓐ to부정사를 활용하여 한 문장으로 바꿔 쓰기

Example I went to the library. I wanted to find some materials.
→ I went to the library *to find some materials*.

1 The couple bought a house. They will live in it.

→ The couple bought a house ______.

2 Peter has a lot of friends. He plays with them.

→ Peter has a lot of friends ______.

3 Jane passed the final test. So she was very happy.

→ Jane was very happy ______.

4 We hurried to the station. But we missed the train.

→ We hurried to the station only ______.

문법 쓰기 Ⓑ 틀린 부분 고치기

Example His life was become a legend. *become* → *to become*
그의 인생은 전설이 될 운명이었다.

1 I never did anything hurt him. ______ → ______
나는 그를 다치게 할 어떤 일도 결코 하지 않았다.

2 This is a safer place raised kids. ______ → ______
이곳은 아이들을 기르기에 더 안전한 장소이다.

3 If they are survive, they must drink water. ______ → ______
만약 그들이 살아남으려 한다면, 그들은 물을 마셔야 한다.

4 She grew up to being a great magician. ______ → ______
그녀는 자라서 훌륭한 마술가가 되었다.

5 I was disappointed to not have the chance. ______ → ______
나는 기회를 갖지 못해 실망했다.

6 She was foolish waste her time on mobile games. ______ → ______
모바일 게임에 시간을 낭비하다니 그녀는 어리석었다.

문법 쓰기 Ⓒ 주어진 단어와 to부정사를 활용하여 문장 완성하기

▸ Answer p.9

Example 당신을 성가시게 해서 죄송합니다. (sorry, trouble)
→ *I am sorry to trouble you.*

1 여행은 너 자신에 대해 배울 수 있는 아주 좋은 방법이다. (learn, about)

→ Travel is a great way .

2 우리는 잘 수 있는 호텔을 찾고 있다. (a hotel, sleep)

→ We are looking for .

3 Walter 박사의 강의는 책으로 출판될 예정이다. (be published)

→ The lectures of Dr. Walter as a book.

4 적을 이기기 위해 너는 너 자신을 알아야 한다. (defeat, the enemy)

→ You must know yourself .

5 제게 쓸 수 있는 펜을 빌려주실 수 있나요? (could, lend, a pen, write)

→

6 너는 오후 10시까지 집에 돌아와야만 한다. (return, home, by ten p.m.)

→

7 그는 4개 언어를 구사하다니 똑똑하다. (smart, speak, language)

→

8 Jason은 다시는 늦지 않겠다고 약속했다. (promise, not, be late, again)

→

▸ Answer p.9

서술형 예제 1

다음 두 문장을 to부정사를 이용하여 한 문장으로 바꿔 쓰시오. Point 11

There are many cafés. I will visit them.

→ ______________________________

Teacher's guide

STEP ❶
두 문장을 한 문장으로 합치면, '방문할 카페가 많다.'라는 뜻의 문장이 됩니다.

STEP ❷
'카페가 많다.'라는 뜻의 첫 번째 문장을 그대로 쓰고, '방문할' 부분을 형용사적 용법의 to부정사를 활용하여 씁니다.

정답 » There are many cafés to visit.

실전 연습 1

다음 두 문장을 to부정사를 이용하여 한 문장으로 바꿔 쓰시오. Point 11

We have some serious issues. We should talk about them.

→ ______________________________

서술형 예제 2

다음 대화를 읽고, 괄호 안의 말을 이용하여 밑줄 친 우리말을 영작하시오. Point 12

A: <u>소문을 퍼뜨리다니 그는 어리석었다.</u>
(foolish, spread, the rumor)
B: That's right. He needed to act more wisely.

→ ______________________________

Teacher's guide

STEP ❶
우선 밑줄 친 우리말에서 <주어 + 동사>에 해당하는 '그는 어리석었다' 부분을 영어로 쓰세요.

STEP ❷
'소문을 퍼뜨리다니' 부분은 의미상 A가 그를 어리석다고 판단한 근거에 해당합니다. 이 부분을 판단의 근거(~하다니)를 나타내는 부사적 용법의 to부정사를 활용하여 씁니다.

정답 » He was foolish to spread the rumor.

실전 연습 2

다음 대화를 읽고, 괄호 안의 말을 이용하여 밑줄 친 우리말을 영작하시오. Point 12

A: <u>그 문제를 해결하다니 그는 똑똑함이 틀림없어.</u>
(must, smart, solve, the problem)
B: That's right. I want to know how to solve it, too.

→ ______________________________

Point 13

too ~ to / enough to

❶ too ~ to

「too+형용사/부사+to부정사」 (=「so+형용사/부사+that+주어+can't/couldn't+동사원형~」)	: 너무 ~해서 …할 수 없다, …하기에는 너무 ~하다

The soup is **too hot to eat**.
= The soup is **so hot that I can't eat** it.
수프가 너무 뜨거워서 먹을 수가 없다.

The chair was **too small** *for me* **to sit** in.
= The chair was **so small that I couldn't sit** in it.
그 의자는 내가 앉기에는 너무 작았다.

>> to부정사 앞에서 의미상 주어를 「for+목적격」으로 밝힐 수 있어요.

❷ enough to

「형용사/부사+enough+to부정사」 (=「so+형용사/부사+that+주어+can/could+동사원형~」)	: …할 만큼 충분히 ~하다

Ken is **tall enough to be** a basketball player.
= Ken is **so tall that he can be** a basketball player.
Ken은 농구 선수가 될 수 있을 만큼 충분히 키가 크다.

The sandbag is **light enough** *for her* **to pick** up.
= The sandbag is **so light that she can pick** it up.
그 모래주머니는 그녀가 들 수 있을 만큼 충분히 가볍다.

>> 「형용사/부사+enough+to」의 어순에 주의해야 해요. 즉, 「enough+형용사/부사+to」의 어순으로 쓰면 안 돼요.

문법 확인 Ⓐ 문장 해석하기

▸ Answer p.9

1 Robert is **too fat to run** fast. → Robert는 ____________.

2 The room is **too bright to keep** my eyes open. → 그 방은 ____________.

3 She is **too busy to exercise** after work. → 그녀는 ____________.

4 They were **too noisy** for me **to concentrate**. → 그들은 ____________.
★concentrate 집중하다

5 I'm **strong enough to handle** this by myself. → 나는 혼자서 ____________.
★handle 처리하다

6 The bed is **large enough to hold** three people. → 그 침대는 ____________.
★hold 수용하다

7 This article is **easy enough** for me **to read**. → 이 기사는 ____________.

8 She was **honest enough not to lie**. → 그녀는 ____________.

Point

14 seem to

❶ seem+to부정사

「seem+to부정사」: '~인 것 같다, ~하는 것처럼 보인다'라는 뜻으로, 본동사 seem(s)/seemed의 시제와 to부정사의 시제가 같을 때 쓴다.

This **seems to be** true.
= It seems that this is true.
이것은 사실인 것 같다.

>> 이 문장에서 to be는 본동사 seems와 동일한 때(현재)의 상태를 가리킵니다.
>> 「주어+seem+to부정사 ~」는 「It seems that+주어+동사 ~」로 바꿔 쓸 수 있어요.

She **seemed to be** distressed.
= It seemed that she was distressed.
그녀는 괴로운 것 같았다.

>> 이 문장에서 to be는 본동사 seemed와 동일한 때(과거)의 상태를 가리킵니다.

❷ seem+to have p.p.

「seem+to have p.p.」: '~이었던 것 같다, ~했던 것처럼 보인다'라는 뜻으로, 본동사 seem(s)/seemed의 시제보다 to부정사의 시제가 앞설 때 쓴다.

She **seems to have finished** her homework.
= It seems that she finished her homework.
그녀는 자신의 숙제를 끝마친 것처럼 보인다.

>> 이 문장에서 to have finished는 본동사 seems보다 앞서 일어난 행위를 가리킵니다.
>> 「주어+seem+to have p.p. ~」도 「It seems that+주어+동사 ~」로 바꿔 쓸 수 있어요.

They **seemed to have forgotten** it.
= It seemed that they had forgotten it.
그들은 그것을 (이미) 잊어버린 것처럼 보였다.

>> 이 문장에서 to have forgotten은 본동사 seemed보다 앞서 일어난 행위를 가리킵니다.

문법 확인 Ⓑ 문장 해석하기

▸ Answer p.9

1 He **seems to have** a terrible cold. → 그는 지독한 감기에 ______.

2 What **seems to be** the problem with it? → 무엇이 그것의 ______?

3 The residents **seem to support** the opinion. → 주민들은 그 의견을 ______.
★support 지지하다

4 Everybody **seems to be chasing** the same thing. → 모두가 동일한 것을 ______.
★chase 쫓다, 추구하다

5 Nobody **seems to have noticed** the fact. → 아무도 그 사실을 ______.
★notice 알아차리다

6 He **seems to have met** Sam only once. → 그는 Sam을 단 한 번 ______.

7 She **seems to have applied** for the position. → 그녀는 그 직책에 ______.
★apply for ~에 지원하다

8 He **seems to have gained** a good reputation. → 그는 좋은 평판을 ______.
★gain 얻다

▸ Answer p.9

문법 기본 Ⓐ 두 문장이 같은 뜻이 되도록 알맞은 말 고르기

1 The patient was so sick that she couldn't move at all.

= The patient was so / too sick move / to move at all.

2 The robot is so strong that it can lift heavy equipment.

= The robot is strong too / enough lifting / to lift heavy equipment.

3 It seems that she is in serious trouble.

= That / She seems be / to be in serious trouble.

4 It seems that he was handsome in his day.

= It / He seems to be / have been handsome in his day.

문법 기본 Ⓑ 알맞은 말 고르기

1 He was too scared to run / to running away.

그는 너무 무서워서 도망갈 수 없었다.

2 I seem to have misplacing / misplaced my keys.

나는 열쇠를 잘못 두었던 것 같다.

3 Something seemed being / to be filling his throat.

무언가가 그의 목을 채우고 있는 것 같았다.

4 Your ship isn't fast enough / enough fast to catch our ship.

당신의 배는 우리의 배를 따라잡을 만큼 충분히 빠르지 않다.

5 It is too late / lately to do anything about the problem.

그 문제에 대해 무언가를 하기에는 너무 늦었다.

6 She was lucky enough not to die / to not die from the accident.

그녀는 그 사고로 죽지 않을 만큼 충분히 운이 좋았다.

7 The station seems to undergo / to have underwent renovation.

그 역은 보수 공사가 된 것처럼 보인다.

▸ Answer p.9

문법 쓰기 A 두 문장이 같은 뜻이 되도록 문장 바꿔 쓰기

Example It seems that she is upset.
→ She seems *to be upset* .

1 It seems that he is telling a lie.

→ He seems ______ .

2 It seemed that they had eaten dinner.

→ They seemed ______ .

3 The sofa is so big that it can't fit into the space.

→ The sofa is ______ into the space.

4 The wind was so strong that it could divide the sea.

→ The wind was ______ the sea.

문법 쓰기 B 틀린 부분 고치기

Example This is too heavy to floating on water. *to floating* → *to float*
이것은 너무 무거워서 물에 뜰 수 없다.

1 He seems not be able to swim. →
그는 수영을 하지 못하는 것 같다.

2 The forest was so thick to it could block the sunlight. →
그 숲은 매우 울창해서 햇빛을 가릴 수 있었다.

3 It seems than you dealt with the situation quickly. →
네가 그 상황을 빠르게 처리한 것처럼 보인다.

4 He is enough smart to understand complex issues. →
그는 복잡한 사안들을 이해할 만큼 충분히 똑똑하다.

5 Linda seems to wash her face a while ago. →
Linda는 조금 전에 세수한 것처럼 보인다.

6 She is too young that she can't dress herself. →
그녀는 너무 어려서 스스로 옷을 입을 수가 없다.

▸ Answer p.10

문법 쓰기 Ⓒ 주어진 단어와 to부정사를 활용하여 문장 완성하기

Example 그는 체중이 약간 늘었던 것 같다. (seem, gain, some weight)
→ *He seems to have gained some weight.*

1 너의 몸은 질병과 싸울 만큼 충분히 똑똑하다. (clever, fight, diseases)

→ Your body is .

2 내 무릎은 너무 약해서 나를 지탱할 수가 없다. (weak, support)

→ My knees are .

3 그는 정직한 사람인 것 같다. (seem, be)

→ an honest man.

4 그 수술은 잘 되었던 것 같다. (seem, go, well)

→ The operation .

5 바닷물은 너무 짜서 마실 수가 없다. (sea water, salty, drink)

→

6 그녀는 우리에게 길을 알려줄 만큼 충분히 착했다. (good, show, the way)

→

7 그녀는 좋은 기자인 것 같다. (seem, a good reporter)

→

8 그는 그녀의 제안을 거절했던 것처럼 보인다. (seem, reject, offer)

→

▸ Answer p.10

서술형 예제 1

다음 우리말을 〈조건〉에 맞게 영작하시오. Point 13

나는 너무 아파서 오늘 학교에 갈 수 없다.

조건
- to부정사를 사용할 것
- sick, go를 사용할 것
- 총 9단어의 완전한 문장으로 쓸 것

→ ____________________

Teacher's guide

STEP 1
주어진 우리말 문장은 '너무 ~해서 …할 수 없다'라는 뜻입니다.

STEP 2
「too + 형용사/부사 + to부정사」 구문을 사용하여 영작합니다. 이때 결과에 해당하는 부분인 '오늘 학교에 갈 수 없다'를 to부정사구로 표현해야 함에 유의하세요.

정답 » I am too sick to go to school today.

실전 연습 1

다음 우리말을 〈조건〉에 맞게 영작하시오. Point 13

당신은 너무 늦어서 파티에 참가할 수 없다.

조건
- to부정사를 사용할 것
- late, take part in을 사용할 것
- 총 10단어의 완전한 문장으로 쓸 것

→ ____________________

서술형 예제 2

다음 우리말과 일치하도록 괄호 안의 말을 이용하여 대화를 완성하시오. Point 14

A: Mary와 Jane 둘 다 (1) 화난 것 같아. (seem, angry) 둘에게 무슨 일이 있어?
B: 음, 그들은 서로 (2) 싸운 것 같아. (seem, fight)

A: Both Mary and Jane (1) ____________________.
What's wrong with them?
B: Well, they (2) ______________ with each other.

Teacher's guide

STEP 1
(1) A가 보기에 Mary와 Jane은 현재 '화가 나 있는' 상태이므로, 「seem + to부정사」를 활용하여 영어로 씁니다.

STEP 2
(2) B가 보기에 Mary와 Jane은 과거에 '싸움을 한' 상황이므로, 「seem + to have p.p.」를 활용하여 영어로 씁니다.

정답 » (1) seem to be angry (2) seem to have fought

실전 연습 2

다음 우리말과 일치하도록 괄호 안의 말을 이용하여 대화를 완성하시오. Point 14

A: 지금은 시스템이 (1) 빠른 것 같아. (seem, quick)
B: 응. 서비스 엔지니어가 문제를 (2) 해결했던 것 같아. (seem, solve)

A: The system (1) ____________________ now.
B: Yes. The service engineer (2) ______________ ____________________ the problem.

Point 15

목적보어로 쓰이는 to부정사

❶ 목적보어로 to부정사를 취하는 동사로는 want, expect, ask, invite, tell, allow, force, advise, cause, encourage 등이 있다.

「주어+동사(want, expect, ask, invite, tell, allow, force, advise, cause, encourage 등)+목적어+to부정사」

I **asked** her **to mail** the letter.
나는 그녀에게 그 편지를 부쳐 달라고 부탁했다.

My father **forced** me **to learn** German.
나의 아버지는 내가 독일어를 배우도록 강요했다.

❷ 동사 help와 get도 목적보어로 to부정사를 취한다.

「주어+help+목적어+to부정사」: '~가 …하도록 돕다'라는 의미로, to부정사 대신 동사원형이 오기도 한다.

He **helped** me **(to) find** my pencil case.
그는 내가 필통을 찾도록 도와주었다.

「주어+get+목적어+to부정사」: '~에게 …하도록 시키다'라는 사역의 의미이다.

I **got** him **to sign** the contract.
나는 그에게 그 계약서에 서명하도록 시켰다.

» 보통 사역의 의미를 가진 동사는 목적보어로 동사원형을 취하지만, 동사 get은 목적보어로 to부정사를 취한다는 것에 유의하세요.

문법 확인 Ⓐ 문장 해석하기

▸ Answer p.10

1 I **told** him **to write** down his address.

→ 나는 그에게 그의 주소를 __________.

2 I **expected** her **to show** up with Cooper. ★show up 나타나다, 눈에 띄다

→ 나는 그녀가 Cooper와 함께 __________.

3 His pride **didn't allow** him **to ask** for help.

→ 그의 자존심은 그가 도움을 __________.

4 They **helped** me **to push** the cart.

→ 그들은 내가 카트를 __________.

5 I **can't get** them **to have** any motivation.

→ 나는 그들에게 어떠한 열의도 __________.

Point
16 목적보어로 쓰이는 원형부정사

❶ 사역동사 make, have, let은 목적보어로 원형부정사[동사원형]를 취한다.

「사역동사+목적어+원형부정사[동사원형]」: ~가 …하도록 시키다, ~로 하여금 …하게 하다

Let me **know** how you are.
네가 어떻게 지내는지 내게 알려줘.

You **make** me **feel** alive.
너는 나로 하여금 살아 있는 기분을 느끼게 해.

>> 사역동사란 주어가 목적어에게 특정한 일을 하도록 시키는 동사예요.

❷ 지각동사(see, watch, look at / listen to, hear / feel / notice)는 목적보어로 원형부정사[동사원형]를 취한다.

「지각동사+목적어+원형부정사[동사원형]」: ~가 …하는 것을 보다/듣다/느끼다/알아차리다

I **saw** them **walk** in the street.
나는 그들이 길을 걷는 모습을 보았다.

>> 지각동사는 감각기관을 통해 느끼고 알게 되는 것을 의미하는 동사예요.

I **heard** Susie **play[playing]** the guitar at the rehearsal.
나는 Susie가 리허설에서 기타를 연주하고 있는 소리를 들었다.

>> 진행의 의미를 강조할 경우, 목적보어로 원형부정사 대신 현재분사를 쓰기도 합니다.

Q 감각동사와 지각동사는 서로 어떻게 다른가요?

A 둘 다 감각과 관련된 동사이나, 문장 안에서의 쓰임과 뒤따르는 성분이 서로 다릅니다. 감각동사는 2형식 동사로 뒤에 주격보어가 와야 합니다. 지각동사는 5형식 동사로 뒤에 목적어와 목적보어가 와야 합니다. feel은 지각동사인 동시에 감각동사이기도 하므로, 뒤따르는 단어들이 어떤 역할을 하는지를 파악하여 구별하도록 합니다.
She **felt depressed.** 〈감각동사〉 그녀는 우울함을 느꼈다.
She **felt** her heart **sink.** 〈지각동사〉 그녀는 마음이 가라앉는 것을 느꼈다.

문법 확인 Ⓑ 문장 해석하기

▸ Answer p.10

1 The history book **made** him **feel** sleepy.

→ 그 역사서는 그를 ____________.

2 He **let** me **use** his studio at night.

→ 그는 내가 밤에 그의 스튜디오를 ____________.

3 Mr. Brown **had** their students **mop** the floor. ★mop 대걸레로 닦다

→ Brown 선생님은 학생들이 바닥을 ____________.

4 I **noticed** Jane **keep** looking at her watch.

→ 나는 Jane이 자신의 시계를 ____________.

5 He **felt** somebody **staring** at him. ★stare at ~을 응시하다

→ 그는 누군가가 자신을 ____________.

▸ Answer p.10

문법 기본 A 빈칸에 들어갈 말에 V 표시하기 (중복 표시 가능)

1	They forced me ________ the document.	□ sign	□ to sign
2	He helped me ________ a celebrity.	□ become	□ to become
3	I will get her ________ my offer.	□ accept	□ to accept
4	I've never heard my son ________.	□ complain	□ to complain
5	Let me ________ you some specific questions.	□ ask	□ to ask
6	I noticed him ________ in the classroom.	□ coming	□ to come
7	I had my secretary ________ out the memo.	□ send	□ to send

문법 기본 B 알맞은 말 고르기

1 My mom made us set / to set the table for dinner.
우리 엄마는 우리에게 저녁 식사를 위해 상을 차리라고 시켰다.

2 I noticed him went / go out of my room secretly.
나는 그가 내 방을 몰래 나가는 것을 알아차렸다.

3 He got me dust / to dust the dirt off my shoes.
그는 나에게 내 신발에 묻은 먼지를 털도록 시켰다.

4 Can you help Jack clear / clearing the snow?
너는 Jack이 눈을 치우는 것을 도울 수 있니?

5 I advised him concentrate / to concentrate on his work.
나는 그에게 그의 일에 집중하라고 조언했다.

6 The mentor encouraged me not giving / to give up.
스승은 내게 포기하지 말라고 격려했다.

▸ Answer p.10

문법 쓰기 Ⓐ 지시에 맞게 문장 바꿔 쓰기

Example　동사를 advise로 바꾸기　I saw him apply sunscreen on his skin.
→ *I advised him to apply* sunscreen on his skin.

1 동사를 have로 바꾸기　I asked him to wait outside for a moment.
→ ______________ outside for a moment.

2 동사를 force로 바꾸기　She made her son eat a variety of vegetables.
→ ______________ a variety of vegetables.

3 동사를 let으로 바꾸기　Her parents allowed her to sleep at her friend's house.
→ ______________ at her friend's house.

4 동사를 ask로 바꾸기　I heard him play a tune on his harmonica.
→ ______________ a tune on his harmonica.

문법 쓰기 Ⓑ 틀린 부분 고치기

Example　I could not let him to deceive me again.　*to deceive* → *deceive*
나는 그가 다시 나를 속이도록 놔둘 수 없었다.

1 The flood caused the river rising.　______ → ______
홍수가 강물을 불게 했다.

2 I didn't expect him to changed.　______ → ______
나는 그가 변하는 것을 기대하지 않았다.

3 They got me pay off my debts.　______ → ______
그들은 내게 빚을 갚도록 시켰다.

4 She saw him climbed out of the van.　______ → ______
그녀는 그가 승합차 밖으로 기어 나오는 것을 보았다.

5 The sight made me to shut my eyes.　______ → ______
그 광경은 나로 하여금 눈을 감게 했다.

6 Do not allow him manipulated your thoughts.　______ → ______
그가 네 생각을 조종하도록 허락하지 마라.

문법 쓰기 C 주어진 단어와 부정사를 활용하여 문장 완성하기

▸ Answer p.10

Example	나는 그에게 나를 홀로 내버려 두라고 말했다. (tell, leave, alone)
	→ *I told him to leave me alone.*

1 나는 커피를 마시러 오라고 Sam을 초대했다. (drink)

→ I invited Sam .

2 선생님은 아이들에게 쓰레기를 줍도록 시켰다. (pick up, the trash)

→ The teacher got the kids .

3 그 코치는 선수들로 하여금 그늘에서 쉬게 했다. (rest, in the shade)

→ The coach had the players .

4 나는 부엌에서 무언가가 타는 것을 보았다. (burn, in the kitchen)

→ I saw something .

5 그는 나에게 내 꿈을 좇으라고 격려했다. (encourage, pursue, dream)

→

6 제가 답을 찾도록 당신이 도와줄 수 있나요? (can, help, find, the answer)

→

7 그 의사는 나에게 흡연을 중단하도록 시켰다. (the doctor, make, quit, smoking)

→

8 나는 Tommy가 연설을 하는 것을 들었다. (hear, give, a speech)

→

▸ Answer p.10

서술형 예제 1

다음 대화를 읽고, 괄호 안의 말을 이용하여 밑줄 친 우리말을 영작하시오. Point 15

A: <u>나의 부모님이 내가 캠핑을 가도록 허락해주셨어.</u> (allow, go camping)
B: That sounds great! You won't have to worry anymore.

→ ______________________________

Teacher's guide

STEP ❶
동사 allow가 본동사가 되는 <주어+동사+목적어+목적보어> 구조의 5형식 문장임을 파악합니다.

STEP ❷
동사 allow는 목적보어로 to부정사를 취하므로, 동사 go를 to부정사로 바꾸어 목적어 me 뒤에 쓰도록 합니다.

정답 » My parents allowed me to go camping.

실전 연습 1

다음 대화를 읽고, 괄호 안의 말을 이용하여 밑줄 친 우리말을 영작하시오. Point 15

A: <u>나의 아버지는 내게 정크푸드를 먹지 말라고 조언하셨어.</u> (advise, not, eat, junk food)
B: Yeah. My parents always tell me to eat healthy food.

→ ______________________________

서술형 예제 2

다음 우리말을 〈조건〉에 맞게 영작하시오. Point 16

나는 감이 그 나무에서 떨어지는 것을 보았다.

조건
- 부정사를 사용할 것
- see, a persimmon, fall off를 사용할 것
- 총 8단어의 완전한 문장으로 쓸 것

→ ______________________________

Teacher's guide

STEP ❶
주어진 우리말 문장을 보고, 지각동사 see가 본동사가 되는 <주어+동사+목적어+목적보어> 구조의 5형식 문장임을 파악합니다.

STEP ❷
지각동사는 목적보어로 원형부정사를 취하므로, 구동사 fall off를 원형 그대로 목적어 a persimmon 뒤에 쓰도록 합니다.

정답 » I saw a persimmon fall off the tree.

실전 연습 2

다음 우리말을 〈조건〉에 맞게 영작하시오. Point 16

나는 그가 깊은 한숨을 쉬는 소리를 들었다.

조건
- 부정사를 사용할 것
- listen to, give, a deep sigh를 사용할 것
- 총 8단어의 완전한 문장으로 쓸 것

→ ______________________________

CHAPTER 03 to부정사

내신 대비 실전 TEST

▸ Answer p.10

객관식 (01~10)

Point 11, 12

01 다음 중 밑줄 친 부분의 용법이 나머지 넷과 <u>다른</u> 것은?

① Nothing is <u>to be</u> destroyed.
② You are <u>to get</u> home before dark.
③ Linda was <u>to fall</u> in love with Sam.
④ We are <u>to have</u> a meeting next week.
⑤ He is competent <u>to take</u> so many roles.

대표 Point 09

02 다음 대화의 빈칸에 들어갈 말로 알맞은 것은?

A: Can you show me ___________ to scan pictures?
B: Sure. I'll show you.

① who ② what ③ why
④ when ⑤ how

Point 10

03 다음 두 문장의 의미가 같을 때, 빈칸에 들어갈 말이 순서대로 짝지어진 것은?

To keep a balanced diet is important.
= ___________ is important ___________ a balanced diet.

① It – keep ② That – keep
③ It – to keep ④ It – to keeping
⑤ That – to keep

Point 15, 16

04 다음 빈칸에 들어갈 말이 순서대로 짝지어진 것은?

• It made me ___________ good to lie on the beach.
• Can you get your dog ___________ barking?

① feel – stop ② feel – to stop
③ to feel – stop ④ feeling – stop
⑤ to feel – to stop

Point 10

05 다음 우리말을 영어로 바르게 옮긴 것은?

내가 지하철을 잘못 타다니 부주의했다.

① It was careless of me take the wrong subway.
② It was careless for me take the wrong subway.
③ It was careless of me to take the wrong subway.
④ It was careless for me to take the wrong subway.
⑤ It was careless of me to taking the wrong subway.

Point 15, 16

06 다음 빈칸에 들어갈 말로 알맞지 <u>않은</u> 것은?

I ___________ him wrap up the present.

① had ② made ③ let
④ helped ⑤ got

고난도 Point 09, 10, 12

07 다음 중 어법상 <u>틀린</u> 것은?

① The front gate was not easy to open.
② I have decided to not take more medicine.
③ How many copies do we need to prepare?
④ Our mission was to collect information about seas.
⑤ It's not possible to prevent every form of disaster.

Point 14

08 다음 두 문장의 의미가 같을 때, 빈칸에 들어갈 말로 알맞은 것은?

It seems that he was ill for a long time.
= He seems ___________ for a long time.

① being ill ② to be ill
③ to have ill ④ having been ill
⑤ to have been ill

Point 16

09 다음 두 문장을 한 문장으로 알맞게 바꾼 것은?

• We saw him.
• He climbed the tree.

① We saw him climb the tree.
② We saw him climbed the tree.
③ We saw him to climb the tree.
④ We saw him to climbed the tree.
⑤ We saw him to climbing the tree.

Point 13

10 다음 중 〈보기〉와 의미가 같은 은?

• 보기 •
You are too late to change the topic.

① You are so late that you can change the topic.
② You are too late that you can't change the topic.
③ You are too late that you can change the topic.
④ You are so late that you can't change the topic.
⑤ You are so late that you couldn't change the topic.

서술형 기본 (11~18)

[11~12] 다음 문장에서 어법상 틀린 부분을 찾아 바르게 고쳐 쓰시오.

Point 09

11 We learned why to do when a fire breaks out in the building.

______ → ______

Point 13

12 The ice may not be strong enough hold your weight.

______ → ______

대표

[13~14] 다음 문장에서 필요한 단어가 빠진 곳을 고르고, 해당 단어를 쓰시오.

Point 11

13 There ① weren't ② any ③ chairs ④ to sit ⑤.

(   ) ______

Point 15

14 The teacher ① got ② the girl ③ pour ④ out ⑤ her heart.

(   ) ______

[15~16] 다음 우리말과 일치하도록 괄호 안의 말을 이용하여 빈칸에 알맞은 말을 쓰시오.

Point 16

15 경찰관은 그 운전자에게 그의 차를 세우게 했다. (pull over, car)

→ The policeman made the driver ______ ______.

Point 10

16 그가 그렇게 갑자기 그녀와 결혼하다니 놀랍다. (him, marry)

→ It is surprising ______ so suddenly.

고난도

[17~18] 다음 우리말과 일치하도록 괄호 안의 말을 바르게 배열하시오.

Point 14

17 셔츠가 그 소년에게 작은 것 같다. (seems, small, the shirt, for the boy, to be)

→ ______

Point 12

18 하품을 크게 하는 것을 보니 너는 피곤함에 틀림없다. (you, a big yawn, be tired, to give, must)

→ ______

서술형 심화 (19~23)

Point 15, 16

19 다음 우리말을 〈조건〉에 맞게 영작하시오.

(1) 그 경비원은 내가 정문을 통과하도록 허락했다.

조건
- the guard, allow, go through, the gate를 사용할 것
- 총 9단어의 완전한 문장으로 쓸 것

→ ______________________

(2) 그 기사는 내가 캠페인에 기부하게 했다.

조건
- the article, have, donate to, the campaign을 사용할 것
- 총 8단어의 완전한 문장으로 쓸 것

→ ______________________

대표 Point 12

20 다음 두 문장을 한 문장으로 바꿀 때, 빈칸에 알맞은 말을 쓰시오.

(1) He owned a home in New York. So he was happy.

→ He was happy ______________________.

(2) She ignored the warning signals. She was foolish.

→ She was foolish ______________________.

Point 13, 14

21 다음 주어진 문장을 to부정사를 이용하여 바꿔 쓰시오.

(1) It seems that Kate enjoyed her stay in Korea.

→ ______________________

(2) He is so heavy that he can't ride a horse.

→ ______________________

Point 10

22 다음 괄호 안의 말을 이용하여 대화를 완성하시오.

(1) A: ______________________ to send photos by email. (it, easy, you)
B: Really? Can you tell me how?

(2) A: ______________________ to insult me in front of people. (it, rude, you)
B: I'm sorry. I apologize if I made you feel bad.

고난도 Point 12

23 Chris는 캐나다로 여행을 갈 예정이다. 괄호 안의 말을 배열하여, 여행을 위해 준비해야 할 물건에 관해 말하는 문장을 완성하시오.

(1) I need ______________________.
(fly, into, a passport, to, Canada)

(2) I need ______________________.
(carry, a suitcase, to, all my clothes)

(3) I need ______________________.
(to, an international driver's license, drive, in, Canada)

CHAPTER 04

동명사

Point 17 동명사의 쓰임과 형태

Point 18 동명사의 의미상 주어와 수동형

Point 19 동명사와 to부정사

Point 20 동명사의 관용 표현

Chapter 04 내신 대비 실전 **TEST**

Get Ready

동명사

주어 역할	**Playing the guitar makes me feel relaxed.** 기타를 연주하는 것은 나로 하여금 편안함을 느끼게 한다.
보어 역할	**My favorite hobby is playing the guitar.** 내가 가장 좋아하는 취미는 기타를 연주하는 것이다.
목적어 역할	**I started playing the guitar when I was ten.** 나는 열 살 때 기타를 연주하기 시작했다.
관용 표현	**I suddenly felt like playing the guitar.** 나는 갑자기 기타를 연주하고 싶었다.

1. **동명사**란 「동사원형+-ing」의 형태로서, 문장에서 명사처럼 쓰여 주어, 보어, 목적어 역할을 해요.
2. 동명사는 to부정사와 마찬가지로 동사에서 비롯된 말(준동사)이므로, 동사처럼 주어, 목적어, 보어를 가질 수 있으며 부사의 수식도 받을 수 있답니다.

Point
17 동명사의 쓰임과 형태

동명사는 「동사원형+-ing」의 형태로, 문장에서 명사처럼 쓰여 주어, 보어, 목적어 역할을 한다.

주어 역할: '~하기는, ~하는 것은'

Exercising daily *is* a good habit. 매일 운동하는 것은 좋은 습관이다. >> 동명사(구)가 문장에서 주어 역할을 할 경우, 단수 취급해요.

보어 역할: '~하는 것(이다)'

His dream is **being** an astronaut. 그의 꿈은 우주 비행사가 되는 것이다.

목적어 역할: '~하기를, ~하는 것을'

Avoid **traveling** in these areas if possible. 〈동사의 목적어〉
만약 가능하다면 이 지역에서 여행하는 것을 피하세요.
I am thinking of **buying** a new computer. 〈전치사의 목적어〉 >> 전치사의 목적어로 명사나 동명사를 써야 하며, to부정사는 쓸 수 없어요.
나는 새 컴퓨터를 살까 생각 중이다.

「not/never+동명사」: '~하지 않는 것, ~하지 않기'

Forgive me for *not* **trusting** you. 당신을 신뢰하지 못한 것에 대해 용서해 주세요.

\+

동명사를 목적어로 취하는 동사	enjoy, finish, mind, stop, quit, avoid, keep, practice, imagine, consider, give up, put off, deny, admit, suggest 등
to부정사를 목적어로 취하는 동사	want, hope, wish, expect, plan, need, decide, choose, agree, promise, pretend, learn, refuse 등

문법 확인 A 문장 해석하기

▸ Answer p.12

1 My next goal is **learning** Spanish.

→ 나의 다음 목표는 ______ .

2 I just finished **submitting** the report. ★submit 제출하다

→ 나는 방금 ______ 끝냈다.

3 **Knowing** your ignorance is the first step to knowledge. ★ignorance 무지

→ ______ 지식으로 향하는 첫 단계이다.

4 I'm thinking of **not going** to the party tomorrow.

→ 나는 내일 ______ 생각 중이다.

5 He finally gave up **running** the cafeteria. ★run 운영하다 cafeteria 간이 식당

→ 그는 마침내 ______ 포기했다.

Point 18 동명사의 의미상 주어와 수동형

① 동명사의 의미상 주어란 동명사의 행위를 하는 주체를 나타내며, 동명사 바로 앞에 소유격이나 목적격으로 표시한다.

I can't understand *him* **being** late.
나는 그가 늦은 것을 이해할 수 없다.
I'm sure of *your* **getting** a driver's license.
나는 네가 운전면허를 딸 거라고 확신한다.
I wasn't aware of *this* **being** true.
나는 이것이 사실임을 알지 못했다.

≫ 의미상 주어가 무생물이거나, all, both, this, those 등의 소유격을 만들 수 없는 대명사일 경우 목적격으로 표시해요.

② 동명사의 의미상 주어가 동명사의 행위를 '당하는' 의미가 되면, 동명사의 수동형인 「being+p.p.」로 쓴다.

She is angry at **being ignored**.
그녀는 무시당한 것에 대해 화가 나 있다.
He wanted to listen to music without **being disturbed**.
그는 방해받지 않고 음악을 듣기를 원했다.

≫ 동명사 being ignored의 의미상 주어는 she로, 의미상 주어와 동명사는 수동 관계입니다.

Q 동명사의 의미상 주어는 항상 표시해야 하나요?
A 동명사의 의미상 주어가 일반인이거나, 문장의 주어 · 목적어와 같을 때는 별도로 표시하지 않아요.

문법 확인 Ⓑ 문장 해석하기

▸ Answer p.12

1 He is worried about my **getting** hurt.
→ 그는 ________ 에 대해 걱정한다.

2 What do you think of her **being** a class president? ★class president 반장
→ ________ 에 대해 너는 어떻게 생각하니?

3 **Being praised** often makes people feel good. ★praise 칭찬하다
→ ________ 종종 사람들을 기분 좋게 만든다.

4 I dream of **being selected** as a national team player. ★select 선발하다
→ 나는 국가대표팀 선수로 ________ 꿈꾼다.

5 **Being forgiven** leads the person to forgive others.
→ ________ 그 사람으로 하여금 다른 이들을 용서하도록 이끈다.

▸ Answer p.12

문법 기본 Ⓐ 밑줄 친 부분의 역할에 V 표시하기

1 Giving gifts at Christmas is the custom. □ 주어 □ 목적어 □ 보어

2 They suggested planting roses in this area. □ 주어 □ 목적어 □ 보어

3 His plan is taking her to the airport. □ 주어 □ 목적어 □ 보어

4 Speaking in public is an area that I need to learn. □ 주어 □ 목적어 □ 보어

5 Benjamin was very fond of reading mystery novels. □ 주어 □ 목적어 □ 보어

6 His mission is destroying the bridge with the bomb. □ 주어 □ 목적어 □ 보어

7 I considered not taking part in the debate. □ 주어 □ 목적어 □ 보어

문법 기본 Ⓑ 알맞은 말 고르기

1 Living in a city give / gives us convenience.
도시에서 사는 것은 우리에게 편리함을 준다.

2 I just finished to make / making a reservation for a restaurant.
나는 식당에 예약하는 것을 방금 끝마쳤다.

3 What he has to do today is attending / attended the meeting.
그가 오늘 해야 하는 것은 회의에 참석하는 것이다.

4 I am sure of his / he winning first prize.
나는 그가 1등상을 탈 것이라고 확신한다.

5 Not having / Having not time to exercise is just an excuse.
운동할 시간이 없다는 것은 그저 핑계이다.

6 It shows no signs of to be / being used.
그것이 사용된 흔적이 없다.

7 The story is worthy of being remembering / remembered .
그 이야기는 기억해 둘 만한 가치가 있다.

▸ Answer p.12

문법 쓰기 A 동명사를 활용하여 문장 바꿔 쓰기

Example I like that he loves puppies as much as I do.
→ *I like his loving puppies* as much as I do.

1 I'm proud that you do your best.

→ I'm proud of ______________________.

2 I'm not sure that he will recover from the shock.

→ I'm not sure of ______________________.

3 I can't imagine that this will end well.

→ I can't imagine ______________________.

4 I was sorry that she left us so soon.

→ I'm sorry for ______________________.

문법 쓰기 B 틀린 부분 고치기

Example Drinking coffee are not good for children. *are* → *is*
커피를 마시는 것이 아이들에게는 좋지 않다

1 They can avoid to bump into each other. ______ → ______
그들은 서로 부딪치는 것을 피할 수 있다.

2 She insisted on I seeing the doctor. ______ → ______
그녀는 내가 의사의 진찰을 받아야 한다고 주장했다.

3 I promise bringing you happiness. ______ → ______
나는 너에게 행복을 가져다 줄 것을 약속해.

4 She is ashamed of treating as a young girl. ______ → ______
그녀는 어린 여자아이로 취급받는 것을 창피해한다.

5 That's why taking care of your body are important. ______ → ______
그것이 당신의 몸을 돌보는 것이 중요한 이유이다.

6 Smoking not is one of the ways to prevent cancer. ______ → ______
담배를 피우지 않는 것이 암을 예방하는 방법 중 하나이다.

▸ Answer p.12

문법 쓰기 Ⓒ 주어진 단어와 동명사를 활용하여 문장 완성하기

Example 질문을 하는 것은 대화에서 중요하다. (questions, important, in a conversation)
→ *Asking questions is important in a conversation.*

1 리더는 결정을 내리는 것에 능숙해야 한다. (make, decisions)

→ A leader must be good at ______________________ .

2 당신의 제안을 받아주지 못해서 미안해요. (accept, suggestion)

→ I'm sorry for ______________________ .

3 나는 정의를 위해 싸우는 것을 결코 포기하지 않을 것이다. (give up, fight, for justice)

→ I will never ______________________ .

4 나는 네가 이사로 선출된 것에 대해 들었다. (elect, as a director)

→ I heard about you ______________________ .

5 뺨에 키스하는 것은 프랑스에서 관습이다. (kiss, on the cheek, a custom)

→

6 나의 목표는 직장에서 승진하는 것이다. (goal, get, a promotion, at work)

→

7 나의 어머니는 내가 늦을까봐 걱정하셨다. (mother, worried about, get late)

→

8 나는 그가 헬멧을 쓰지 않고 자전거를 타는 것이 싫다. (hate, ride, a bike, without)

→

▸ Answer p.13

서술형 예제 1

다음 우리말과 일치하도록 괄호 안의 말을 이용하여 대화를 완성하시오. Point 17

A: 나는 (1) 보드게임을 하는 것을 즐겨. (play, board games) 네 취미는 뭐니?
B: 나는 (2) 진귀한 암석을 모으는 것을 매우 좋아해. (collect, rare rocks)

A : I enjoy (1) ______________. What's your hobby?
B : I'm very fond of (2) ______________.

Teacher's guide

STEP ❶
A의 말에서 동사 enjoy는 동명사를 목적어로 취하므로, 목적어인 '보드게임을 하는 것'은 동명사구로 씁니다.

STEP ❷
B의 말에서 be fond of는 '~을 좋아하다'라는 뜻의 표현이며, 뒤에 '진귀한 암석을 모으는 것'이라는 내용이 와야 합니다. 해당 내용은 전치사 of 뒤에 이어져야 하므로, 전치사의 목적어가 될 수 있는 동명사구로 씁니다.

정답 ≫ (1) playing board games (2) collecting rare rocks

실전 연습 1

다음 우리말과 일치하도록 괄호 안의 말을 이용하여 대화를 완성하시오. Point 17

A: Tom, (1) 기말고사 공부를 끝마쳤니? (study, for the final exams)
B: 네, 엄마. 저는 (2) 시험에 통과할 것을 확신해요. (pass)

A : Tom, did you finish (1) ______________ ______________?
B : Yes, Mom. I'm sure of (2) ______________ ______________.

서술형 예제 2

다음 우리말을 〈조건〉에 맞게 영작하시오. Point 18

그는 눈에 띄는 것을 두려워하지 않는다.

조건	• be afraid of, see를 사용할 것 • 총 7단어의 완전한 문장으로 쓸 것

→ ______________________________

Teacher's guide

STEP ❶
우선 주어진 우리말 문장에서 주어와 동사인 '그는 두려워하지 않는다'를 영어로 씁니다.

STEP ❷
'눈에 띄는 것'이라는 내용을 전치사 of 뒤에 써야 합니다. '그'가 '보는' 것이 아니라 '보인다[눈에 띈다]'라는 수동의 의미이므로, <조건>에 주어진 동사 see를 수동형인 be seen으로 씁니다. 그런데 동사 be seen이 전치사 of의 목적어 역할을 해야 하므로, 이를 동명사로 바꿔 씁니다.

정답 ≫ He is not afraid of being seen.

실전 연습 2

다음 우리말을 〈조건〉에 맞게 영작하시오. Point 18

나는 네가 처벌당해서 유감스럽다.

조건	• be sorry for, punish를 사용할 것 • 총 7단어의 완전한 문장으로 쓸 것

→ ______________________________

Point
19 동명사와 to부정사

동명사와 to부정사를 모두 목적어로 취할 수 있는 동사도 있다.

❶ 동명사와 to부정사를 모두 목적어로 취할 수 있는 동사 〈의미 차이 없음〉

like, love, prefer, hate, start, begin, continue, attempt, intend 등

People will start **raising** their voices soon. 사람들은 곧 목소리를 높이기 시작할 것이다.
= People will start **to raise** their voices soon.

❷ 동명사와 to부정사를 모두 목적어로 취할 수 있는 동사 〈의미 차이 있음〉

remember+동명사: (과거에) ~한 것을 기억하다 **remember**+to부정사: (앞으로) ~할 것을 기억하다	**forget**+동명사: (과거에) ~한 것을 잊다 **forget**+to부정사: (앞으로) ~할 것을 잊다
regret+동명사: (과거에) ~한 것을 후회하다 **regret**+to부정사: (앞으로) ~하게 되어 유감이다	**try**+동명사: (시험 삼아, 한번) ~해보다 **try**+to부정사: ~하려고 노력하다

I remember **closing** the window.
나는 창문을 닫은 것을 기억한다. (이미 창문을 닫은 상황)
Let's try **dealing** with the problem ourselves.
한번 그 문제를 우리 스스로 처리해보자.

I remember **to close** the window.
나는 창문을 닫을 것을 기억한다. (아직 창문을 닫지 않은 상황)
We tried **to deal** with the problem ourselves.
우리는 그 문제를 우리 스스로 처리하려고 노력했다.

+

stop은 동명사만 목적어로 취하는 동사예요. 만약 stop 뒤에 to부정사가 올 경우, to부정사는 목적어가 아니라 목적을 나타내는 부사적 용법으로 사용된 것입니다.

「stop+동명사」	~하는 것을 멈추다	She stopped **talking** to her sister. 그녀는 여동생과 이야기하는 것을 멈췄다.
「stop+to부정사」	~하기 위해 멈추다 [멈추고 ~하다]	She stopped **to talk** to her sister. 그는 여동생과 이야기하기 위해 멈췄다.

문법 확인 Ⓐ 문장 해석하기

▸ Answer p.13

1 Tom hates **to eat** vegetables. → Tom은 ______ 싫어한다.

2 When did you begin **writing** songs? → 당신은 언제 ______ 시작했나요?

3 He forgot **paying** back $120 to me. → 그는 나에게 ______ 잊어버렸다.

4 Don't forget **to fasten** your seat belt. → ______ 잊지 마세요.
★fasten 매다, 채우다

5 She regrets **being** a lawyer. → 그녀는 ______.

6 I regret **to inform** you of bad news. → 저는 ______.
★inform A of B A에게 B를 알리다

Point
20 동명사의 관용 표현

동명사를 이용한 다양한 관용 표현이 있다.

be busy -ing	~하느라 바쁘다	She **is busy preparing** for the examination. 그녀는 시험을 준비하느라 바쁘다.
feel like -ing	~하고 싶다	Sometimes I **feel like quitting** my job. 때때로 나는 일을 그만두고 싶다.
look forward to -ing	~하기를 고대하다	We **look forward to hearing** from you. 우리는 귀하로부터 소식이 오기를 고대합니다.
be worth -ing	~할 가치가 있다	The movie *Il Postino* **is worth seeing** again. 영화 〈일 포스티노〉는 다시 볼 가치가 있다.
There is no -ing	~하는 것은 불가능하다	**There is no knowing** what may happen. 무슨 일이 일어날지 아는 것은 불가능하다.
spend+시간/돈+-ing	~하는 데 시간/돈을 쓰다	Hans **spent his vacation working** out at the gym. Hans는 체육관에서 운동을 하며 방학을 보냈다.
cannot help -ing	~하지 않을 수 없다	I **cannot help agreeing** with this author. 나는 이 작가에게 동의하지 않을 수 없다.
be used to -ing	~하는 데 익숙하다	I'**m used to writing** you letters. 나는 당신에게 편지를 쓰는 데 익숙하다.
It is no use -ing	~해도 소용없다	**It is no use apologizing** to me now. 지금 나에게 사과해도 소용없다.
on[upon] -ing	~하자마자	**Upon getting** home, I took a hot bath. 집에 도착하자마자, 나는 뜨거운 물로 목욕을 했다.
have trouble -ing	~하는 데 어려움을 겪다	I **have trouble controlling** what I eat. 나는 먹는 것을 조절하는 데 어려움을 겪는다.
prevent[keep, stop] ~ from -ing	~가 …하지 못하게 하다	Heavy rain **prevented** us **from going** out. 폭우가 우리를 외출하지 못하게 했다.

문법 확인 B 문장 해석하기

▸ Answer p.13

1 He **couldn't help laughing** at her joke.

→ 그는 그녀의 농담에 .

2 **It is no use learning** without thinking.

→ 생각하지 않으면 .

3 Though we may fail, it **is worth challenging.**

→ 비록 우리가 실패할지언정, 그것은 .

4 Her sisters **prevented** her **from concentrating** on her studies. ★concentrate on ~에 집중하다

→ 그녀의 여동생들은 그녀가 공부에 .

▸ Answer p.13

문법 기본 Ⓐ <보기>에서 알맞은 단어를 골라 형태 바꿔 쓰기 (한 번씩만 사용)

보기

spread have review note find prepare

1 Your story is worth ________. (너의 이야기는 언급할 가치가 있다.)

2 I feel like ________ a cup of coffee. (나는 커피를 한 잔 먹고 싶다.)

3 She was very busy ________ the party. (그녀는 파티를 준비하느라 매우 바빴다.)

4 On ________ out my grades, I was so disappointed. (성적을 확인하자마자, 나는 매우 실망했다.)

5 He spent too much time ________ his report. (그는 보고서를 검토하는 데 너무 많은 시간을 보냈다.)

6 Their mission is to prevent diseases from ________. (그들의 임무는 질병이 퍼지지 못하게 하는 것이다.)

문법 기본 Ⓑ 알맞은 말 고르기

1 I don't feel like to have / having lunch.

나는 점심을 먹고 싶지 않다.

2 Don't try persuading / to persuade me to do that.

내게 그렇게 하라고 설득하려고 노력하지 마라.

3 It is no use crying / to cry over spilt milk.

엎질러진 우유를 두고 울어도 소용없다.

4 You should stop eating / to eat when you are full.

당신은 배가 부르면 먹는 것을 멈춰야 한다.

5 I regret saying / to say that Kate was sick yesterday.

나는 어제 Kate가 아팠다고 말한 것을 후회한다.

6 Don't forget to sign / signing your name on the contract.

계약서에 당신의 이름을 서명할 것을 잊지 마십시오.

7 Do you remember to bring / bringing me home that night?

너는 그날 밤에 나를 집에 데려다 준 것을 기억하니?

▸ Answer p.13

문법 쓰기 A 주어진 표현을 활용하여 빈칸 완성하기

Example	lock, the door	그녀는 문을 잠갔던 것을 기억한다.	→ She remembers *locking the door*.
		그녀는 문을 잠글 것을 기억한다.	→ She remembers *to lock the door*.

1	open, the window	Jim은 시험 삼아 창문을 열어보았다.	→ Jim tried ________.
		Jim은 창문을 열려고 노력했다.	→ Jim tried ________.
2	meet, at the station	나는 그를 역에서 만났던 것을 잊었다.	→ I forgot ________.
		역에서 나를 만나기로 한 것을 잊지 마.	→ Don't forget ________.
3	say goodbye to	나는 그녀에게 작별인사를 했던 것을 후회한다.	→ I regret ________.
		나는 그녀에게 작별인사를 하게 되어 유감이다.	→ I regret ________.
4	eat, at the cafeteria	그는 식당에서 식사하는 것을 멈췄다.	→ He stopped ________.
		그는 식당에서 식사하기 위해 멈췄다.	→ He stopped ________.

문법 쓰기 B 틀린 부분 고치기

Example I look forward to meet you again. *meet* → *meeting*
나는 너를 다시 만나기를 고대한다.

1 I'm used to work with creative people. ______ → ______
나는 창의적인 사람들과 일하는 데 익숙하다.

2 My sister stopped to play the piano last year. ______ → ______
내 여동생은 작년에 피아노 연주를 그만두었다.

3 Carbon emissions in the world continue increase. ______ → ______
전 세계의 탄소 배출은 계속해서 증가한다.

4 He was very busy to prepare dinner for his guests. ______ → ______
그는 손님들을 위해 저녁 식사를 준비하느라 매우 바빴다.

5 Claire couldn't help avoid his gaze. ______ → ______
Claire는 그의 응시를 피할 수밖에 없었다.

6 Don't forget bringing your raincoat when you come. ______ → ______
올 때 네 우비를 가져올 것을 잊지 마라.

▸ Answer p.13

문법 쓰기 C 주어진 단어와 동명사 또는 to부정사를 활용하여 문장 완성하기

Example 물을 많이 마실 것을 잊지 마라. (drink, a lot of)

→ *Don't forget to drink a lot of water.*

1 나는 너의 아버지가 돌아가신 것을 너에게 알려주게 되어 유감이다. (regret, inform)

→ I ______ that your father has died.

2 당신은 무슨 일이 일어났는지 묘사하려고 노력할 수 있나요? (try, describe)

→ Can you ______ what happened?

3 그녀가 언제 도착할 것인지 말하는 것은 불가능하다. (there is no, tell)

→ ______ when she will arrive.

4 당신은 나와 함께 춤추고 싶나요? (feel, like, dance)

→ Do you ______ ?

5 나는 오늘 아침에 그녀를 대면하는 것이 싫다. (hate, face, this morning)

→

6 나는 너의 사진을 보는 것을 고대하고 있다. (look forward to, see, pictures)

→

7 나는 약간의 소음과 함께 공부하는 데 익숙하다. (be used to, study, with some noise)

→

8 개미들은 자신들의 집을 만드느라 바쁘다. (ants, busy, make, homes)

→

▸ Answer p.13

서술형 예제 1

다음 우리말과 일치하도록 괄호 안의 말을 이용하여 대화를 완성하시오. ♣ Point 19

A: 여보, 봐요. Rosie가 (1) 자려고 노력하고 있어요. (try, sleep)

B: 오... 우리 (2) 그 영화에 관해서 얘기하는 것을 멈춰요. (stop, talk about)

A : Look, honey. Rosie is (1) ________________.

B : Oh... Let's (2) ________________________.

Teacher's guide

STEP ❶

A의 말에서 '~하려고 노력하다'는 「try+to부정사」로 표현합니다.

STEP ❷

B의 말에서 '~하는 것을 멈추다'는 「stop+동명사」로 표현합니다.

정답 ›› (1) trying to sleep (2) stop talking about the movie

실전 연습 1

다음 우리말과 일치하도록 괄호 안의 말을 이용하여 대화를 완성하시오. ♣ Point 19

A: 당신은 노트북을 가지고 (1) 회의에 참석할 것을 기억하나요? (attend, the meeting)

B: 알고 있어요. 회의에 (2) 그것을 가져올 것을 절대 잊지 않을게요. (bring)

A : Do you remember (1) ________________ with your laptop?

B : I know. I'll never forget (2) ________________ for the meeting.

서술형 예제 2

다음 우리말을 〈조건〉에 맞게 영작하시오. ♣ Point 20

네 잘못을 부인해도 소용없다.

조건	• it is no use, deny, wrongdoing을 사용할 것 • 총 7단어의 완전한 문장으로 쓸 것

→ ________________________________

Teacher's guide

STEP ❶

주어진 <조건>에서 it is no use는 '~해도 소용없다'라는 뜻의 동명사를 이용한 관용 표현입니다. <주어+동사>를 포함하고 있는 이 표현으로 문장을 시작합니다.

STEP ❷

use 뒤에는 동명사가 와야 하므로, '네 잘못을 부인해도' 부분을 동명사구로 표현합니다.

정답 ›› It is no use denying your wrongdoing.

실전 연습 2

다음 우리말을 〈조건〉에 맞게 영작하시오. ♣ Point 20

그는 자신의 아들을 달래는 데 매우 많은 시간을 보냈다.

조건	• spend, so much, comfort를 사용할 것 • 총 8단어의 완전한 문장으로 쓸 것

→ ________________________________

CHAPTER 04 동명사

내신 대비 실전 TEST

▸ Answer p.13

객관식 (01~10)

Point 17

01 다음 중 밑줄 친 부분의 쓰임이 나머지 넷과 다른 것은?

① Peter is repairing my broken bike.
② He bought a new washing machine.
③ Learning from mistakes is important.
④ Her habit is acting before she thinks.
⑤ Mark is good at cooking Chinese food.

Point 20

02 다음 우리말을 영어로 바르게 옮긴 것은?

그녀는 팀과 함께 일하는 데 익숙하지 않다.

① She is not used work with a team.
② She is not used working with a team.
③ She is not used to work with a team.
④ She is not used to working with a team.
⑤ She is not using to work with a team.

대표 Point 17, 19

03 다음 빈칸에 들어갈 말로 알맞지 않은 것은?

He ________ buying goods at the flea market.

① quit ② started ③ loves
④ plans ⑤ enjoys

Point 17

04 다음 빈칸에 들어갈 말이 순서대로 짝지어진 것은?

• Her plan was ________ the course.
• She was angry at her husband for ________ her at home.

① complete – helping not
② complete – not helping
③ completing – helping not
④ completing – not helping
⑤ to complete – not to help

고난도 Point 17, 18

05 다음 중 어법상 틀린 것은?

① I am proud of promoting to a director.
② She's worried about my getting sick.
③ I was not aware of this being very dirty.
④ Do you practice playing the guitar often?
⑤ Speaking is a means to achieve objectives.

Point 20

06 다음 빈칸에 공통으로 들어갈 말로 알맞은 것은?

• I feel like ________ a pet in my house.
• These stamps are worth ________ for a long time.

① keep ② kept ③ to keep
④ keeping ⑤ to keeping

Point 19

07 다음 우리말과 일치하도록 할 때, 빈칸에 들어갈 말로 알맞은 것은?

당신은 정크 푸드를 너무 자주 먹는 것을 멈추어야 한다.
→ You should stop ________ junk food so often.

① eat ② to eat ③ eating
④ to eating ⑤ being eaten

Point 17, 19

08 다음 대화의 빈칸에 들어갈 말이 순서대로 짝지어진 것은?

A: I remember our ________ outside until dusk when we were kids.
B: Yeah, that was a long time ago. I wish ________ the memory forever.

① to play – to keep ② to play – keeping
③ playing – to keep ④ playing – keeping
⑤ playing – to keeping

[09~10] 다음 두 문장의 의미가 같을 때, 빈칸에 들어갈 말로 알맞은 것을 고르시오.

Point 19

09

I am sorry that I didn't say he was innocent.
= I regret ________ he was innocent.

① to say ② saying ③ not say
④ not to say ⑤ not saying

Point 18

10

She insisted that I should pay the bill.
= She insisted on ________ the bill.

① me to pay ② I paying ③ my paying
④ her paying ⑤ her to pay

서술형 기본 (11~19)

대표

[11~12] 다음 문장에서 어법상 틀린 부분을 찾아 바르게 고쳐 쓰시오.

Point 17

11

Shaking hands are a gesture of politeness and trust.

________ → ________

Point 18

12

Please let Mary know how much we appreciated she being there.

________ → ________

Point 20

13 다음 우리말과 일치하도록 괄호 안의 말을 바르게 배열하시오.

나의 오빠가 언제 집에 올지를 말하는 것은 불가능하다.
(telling, no, when, there, is)

→ ________________________
my brother will come home.

[14~15] 다음 밑줄 친 부분을 바르게 고쳐 쓰시오.

Point 18

14

Arisa complained about punishing for her behavior.

→ ________________

Point 19

15

Nine months later in Seattle, Lenna began feel homesick.

→ ________________

[16~17] 다음 밑줄 친 절을 구로 바꿔 쓸 때, 빈칸에 알맞은 말을 쓰시오.

Point 17, 18

16

Do you mind if I ask you a question?

→ Do you mind ________________?

Point 18, 19

17

I remember that this issue was mentioned.

→ I remember ________________
________________.

고난도

[18~19] 다음 우리말과 일치하도록 괄호 안의 말을 이용하여 빈칸에 알맞은 말을 쓰시오.

Point 20

18

도쿄에 도착하자마자, 그는 곧장 호텔로 걸어갔다.
(on, arrive, Tokyo)

→ ________________, he walked straight to the hotel.

Point 20

19

우리는 당신으로부터 구체적인 제안을 받는 것을 고대합니다. (look forward to, receive)

→ We ________________
the concrete proposals from you.

서술형 심화 (20~25)

Point 20

20 다음 우리말을 〈조건〉에 맞게 영작하시오.

(1) 치료가 암이 진행되는 것을 막을 것이다.

조건
- treatment, prevent, cancer, develop를 사용할 것
- 총 6단어의 완전한 문장으로 쓸 것

→ ________________

(2) 나는 외국어를 학습하면서 나의 여름날을 보냈다.

조건
- spend, summer days, learn, foreign languages를 사용할 것
- 총 8단어의 완전한 문장으로 쓸 것

→ ________________
____

Point 19

21 다음 두 문장을 한 문장으로 바꿀 때, 빈칸에 알맞은 말을 쓰시오.

(1) I had to bring my cellphone. I forgot about it.

→ I forgot ________________.

(2) I put my wallet on the desk. I remember that.

→ I remember ________________.

Point 17

22 다음 우리말과 일치하도록 괄호 안의 말을 바르게 배열하시오.

그는 자기 반 앞에서 말하는 것에 대해 걱정한다.
(front, his, of, speaking, class, in)

→ He is nervous about ________________
________________.

Point 18

23 다음 두 문장의 의미가 같도록 빈칸에 알맞은 말을 쓰시오.

(1) I am called a crybaby, but I don't care about it.

= I don't care about ________________.

(2) I am afraid that she will find out the truth.

= I am afraid of ________________
________________.

대표 Point 17, 20

24 다음 괄호 안의 말을 이용하여 대화를 완성하시오.

(1) A: Honey, ________________?
(how about, buy, a new car)
B: Yes. I think it's time for a new car.

(2) A: Peter, I was ________________ there on time. (sorry, for, get)
B: It's okay. I understand it was because of heavy traffic.

고난도 Point 17, 19

25 다음 우리말과 일치하도록 (A)와 (B)에서 알맞은 말을 하나씩 골라 빈칸에 알맞은 말을 쓰시오.

(A)	(B)
regret complain of	have fight

(1) 나는 오늘 가장 친한 친구와 싸운 것을 후회한다.

→ I ________________ with my best friend today.

(2) 그는 읽을 시간을 충분히 갖지 못한 것에 대해 불평했다.

→ He ________________ enough time to read.

CHAPTER 05

분사구문

Point 21 분사구문의 개념과 형태

Point 22 분사구문의 의미

Point 23 분사구문의 부정과 완료형

Point 24 분사구문의 태와 생략

Point 25 독립 분사구문

Point 26 with+(대)명사+분사

Chapter 05 내신 대비 실전 TEST

Get Ready

분사구문

때	Talking with him, **I felt much better.** 그와 이야기한 후에, 나는 기분이 훨씬 더 나아졌다.
이유	Feeling hungry, **the poor cat cried.** 배가 고파서, 그 불쌍한 고양이는 울었다.
조건	Taking this chance, **you won't regret it.** 이 기회를 잡는다면, 당신은 후회하지 않을 겁니다.
동시동작	Watching the comedy show, **we laughed.** 그 코미디 쇼를 보면서, 우리는 웃었다.
연속동작	**A man came up to me** asking the way to the bus terminal. 한 남자가 내게 다가와서, 버스 터미널로 가는 길을 물었다.

분사구문은 「접속사+주어+동사~」 형태의 '부사절'을 분사가 이끄는 '부사구'로 줄여 쓴 구문을 말해요. 문장의 앞, 중간, 뒤에서 때, 이유, 조건, 동시동작, 연속동작 등의 의미를 나타내요.

Point

21 분사구문의 개념과 형태

❶ 분사구문이란 「접속사+주어+동사 ~」 형태의 부사절을 분사가 이끄는 부사구(v-ing~)로 줄여 쓴 구문으로, 주로 때나 이유를 나타낸다.

분사구문 만드는 법	
When he woke up (부사절), he looked at the clock (주절). 그가 잠에서 깼을 때, 그는 시계를 보았다.	
→ ~~When~~ he woke up, he looked at the clock.	① 부사절의 접속사를 생략한다. (단, 명확한 의미 전달이 필요한 경우에는 남겨둔다.)
→ ~~he~~ woke up, he looked at the clock.	② 부사절의 주어와 주절의 주어가 같은 경우, 부사절의 주어를 생략한다.
→ **Waking** up, he looked at the clock.	③ 부사절과 주절의 시제가 같은 경우, 부사절의 동사를 현재분사(v-ing)로 바꾼다.

❷ 분사구문은 문장의 앞, 중간, 또는 뒤에 올 수 있다.

Surfing the Internet, he found a new fact. 인터넷 서핑을 하다가, 그는 새로운 사실을 발견했다.

I fell asleep, **watching a movie on TV**. 나는 TV로 영화를 보는 동안 잠이 들었다.

The man, **sitting at his desk**, was reading a book. 그 남자는 자신의 책상에 앉아서 책을 읽고 있었다.

문법 확인 Ⓐ 밑줄 친 부분을 분사구문으로 바꿔 쓰기

▸ Answer p.15

1 Because she was hungry, she ate all of the cake.

→ __________, she ate all of the cake.

2 If you go upstairs, you will find an extra room.

→ __________, you will find an extra room.

3 After I heard the news, I sat down and wept.

→ __________, I sat down and wept.

4 He picked up the ball, and he threw it at me.

→ He picked up the ball, __________.

5 My father, as he smiled brightly, was standing beside me.

→ My father, __________, was standing beside me.

Point
22 분사구문의 의미

분사구문은 시간, 이유, 조건, 동시동작, 연속동작 등의 여러 가지 의미를 나타낸다.

시간	~할 때(when) ~후에(after)	**Getting home**, I went straight to bed. 집에 도착했을 때, 나는 곧장 침대로 갔다. **Entering my room**, I opened the curtains. 내 방에 들어간 후에, 나는 커튼을 젖혔다.
이유	~ 때문에, ~하므로 (because, as, since)	**Having too much coffee**, I couldn't sleep well last night. 커피를 너무 많이 마셨기 때문에, 나는 어젯밤에 잠을 잘 잘 수 없었다.
조건	~라면(if)	**Opening the toolbox**, you will see a hammer. 공구 상자를 열면, 망치가 보일 것이다. » 분사구문이 조건을 의미할 때는 보통 주절에 조동사 will, can, may 등이 있어요.
동시동작	~하면서(as, while) ~하는 동안(while)	He was reading the newspaper, **eating breakfast**. 그는 아침을 먹으면서 신문을 읽고 있었다.
연속동작	~하고 나서 …하다(and)	She left Berlin in the morning, **reaching Prague in the afternoon**. 그녀는 오전에 베를린을 출발하고 나서, 오후에 프라하에 도착했다.

문법 확인 B 문장 해석하기

▸ Answer p.15

1 **Sleeping at night**, she talked in her sleep. ★분사구문이 두 가지 의미로 해석될 수도 있으므로, 주절과의 의미 관계에 따라 더 자연스러운 의미로 해석해요.

→ __________, 그녀는 잠꼬대를 했다.

2 **Using your hands**, you can move it easily.

→ __________, 너는 그것을 쉽게 옮길 수 있다.

3 **Switching off the lights**, they went to bed. ★switch off (스위치 등을 눌러서) 끄다

→ __________, 그들은 잠자리에 들었다.

4 **Needing money**, he had to sell his house.

→ __________, 그는 자신의 집을 팔아야 했다.

5 We ran together, **holding each other's hand**.

→ __________, 우리는 함께 뛰었다.

▸ Answer p.15

문법 기본 Ⓐ <보기>에서 빈칸에 들어갈 접속사 고르기 (한 번씩만 쓸 것)

보기

because when and while if

1 Having the flu, he took a week off work.

→ __________ he had the flu, he took a week off work.

2 Wanting to consult a doctor, write your name here.

→ __________ you want to consult a doctor, write your name here.

3 Being a student, I really hated PE classes.

→ __________ I was a student, I really hated PE classes.

4 I read the book, changing my mind about the war.

→ I read the book, __________ I changed my mind about the war.

5 Seeing a movie at the theater, we ate nachos and hot dogs.

→ __________ we saw a movie at the theater, we ate nachos and hot dogs.

문법 기본 Ⓑ 밑줄 친 분사구문의 의미에 V 표시하기

1 Taking a rest for a while, he drank coffee. □ 동시동작 □ 이유 □ 조건

2 Training hard, he won the championship. □ 연속동작 □ 동시동작 □ 이유

3 Walking away now, you will regret it. □ 동시동작 □ 이유 □ 조건

4 Typing on the keyboard, she is eating a sandwich. □ 동시동작 □ 이유 □ 조건

5 She opened the box, pulling out the fruit. □ 연속동작 □ 이유 □ 조건

6 Getting off the train, watch your step. □ 시간 □ 이유 □ 조건

7 Wanting the job, Ann must speak to Ms. Smith. □ 동시동작 □ 연속동작 □ 조건

8 She got up from her seat, asking me a question. □ 연속동작 □ 이유 □ 조건

▸ Answer p.15

문법 쓰기 A 부사절을 분사구문으로 바꿔 쓰기

Example	When I heard their complaints, I was very angry.
	→ *Hearing their complaints*, I was very angry.

1 If you lend money, you are likely to lose it.

→ ________________, you are likely to lose it.

2 Because I missed the subway, I couldn't arrive on time.

→ ________________, I couldn't arrive on time.

3 When she crossed the road, she looked in both directions.

→ ________________, she looked in both directions.

4 He was looking in his bag while he was talking on the phone.

→ He was looking in his bag ________________.

★분사구문에서 현재분사 앞의 being은 생략할 수 있어요.

문법 쓰기 B 틀린 부분 고치기

Example	Be young, he was very poor. 어렸을 때, 그는 매우 가난했다.	*Be* → *Being*

1 Been angry, she didn't say much. →
화가 났기 때문에, 그녀는 말을 많이 하지 않았다.

2 Ride a bike, he looks like a child. →
자전거를 탈 때, 그는 아이처럼 보인다.

3 Turns to the right, you will see the gas station. →
오른쪽으로 돌면, 주유소가 보일 겁니다.

4 He stood there, breathe deeply and evenly. →
그는 숨을 깊고 고르게 쉬면서 거기에 서 있었다.

5 Knew what to do, I went to my parents for help. →
무엇을 해야 할지 알고서, 나는 도움을 청하기 위해 부모님에게 갔다.

6 Felt guilty, I apologized for causing her trouble. →
죄책감을 느껴서, 나는 그녀에게 폐를 끼친 것에 대해 사과했다.

▸ Answer p.15

문법 쓰기 Ⓒ 주어진 단어와 분사구문을 활용하여 문장 완성하기

Example 아파서, 그는 하루 종일 집에 머물렀다. (ill, stay, all day long)
→ *Being ill, he stayed home all day long.*

1 작별인사를 하면서, 그는 집을 나섰다. (say, good-bye)

→ He went out of the house, .

2 자신의 드레스를 입고 나서, 그녀는 거울을 보았다. (put on, dress)

→ , she looked in the mirror.

3 너무 무리하게 운동해서, 내 남동생은 어깨를 다쳤다. (exercise, too hard)

→ , my brother hurt his shoulder.

4 나의 제안을 거절한다면, 너는 내 도움을 받을 수 없다. (refuse, suggestions)

→ , you can't get my help.

5 행복하게 웃으면서, 그녀는 자신의 아들을 껴안았다. (smile, happily, hug, son)

→

6 내 점수를 확인했을 때, 나는 무척 놀랐다. (check, scores, so, shocked)

→

7 채식주의자이기 때문에, 나는 고기를 먹을 수 없다. (a vegetarian, can, eat)

→

8 진공청소기를 사용하여, 그는 자신의 방을 청소했다. (use, a vacuum cleaner, clean)

→

▸ Answer p.15

서술형 예제 1

다음 대화를 읽고, 밑줄 친 우리말을 괄호 안의 말을 이용하여 분사구문으로 영작하시오. Point 21, 22

A: Jake, what did you do last weekend? (1) <u>시험이 있어서</u>, I studied at the library. (have, an exam)

B: Well, (2) <u>속이 안 좋아서</u>, I went to the doctor. (feel, sick)

(1) ______________________

(2) ______________________

Teacher's guide

STEP ❶

(1)과 (2) 모두 이유를 나타내는 분사구문으로 표현해야 합니다.

STEP ❷

밑줄 친 우리말의 주어가 주절의 주어(I)와 같고, 시제 또한 주절과 같습니다. 따라서 (1)은 현재분사 Having으로, (2)는 현재분사 Feeling으로 시작해야 합니다.

정답 ›› (1) Having an exam (2) feeling sick

실전 연습 1

다음 대화를 읽고, 밑줄 친 우리말을 괄호 안의 말을 이용하여 분사구문으로 영작하시오. Point 21, 22

A: (1) <u>팝콘을 먹으면서</u>, I watched a movie yesterday. (eat, popcorn)

B: That sounds great. (2) <u>일이 많아서</u>, I just stayed at home. (have, lots of work)

(1) ______________________

(2) ______________________

서술형 예제 2

다음 우리말을 〈조건〉에 맞게 영작하시오. Point 21, 22

새로운 사업을 시작했을 때, 그는 스트레스를 받았다.

조건	• 분사구문으로 시작할 것 • start, a new business, feel stressed를 사용할 것 • 총 7단어의 완전한 문장으로 쓸 것

→ ______________________

Teacher's guide

STEP ❶

주어진 우리말은 때를 나타내는 분사구문을 포함한 문장으로 영작해야 합니다. 콤마(,) 앞이 시간을 나타내는 부사절이므로, 이 부분을 분사구문으로 표현하도록 합니다.

STEP ❷

부사절의 주어가 주절의 주어(he)와 같고, 시제 또한 주절과 같습니다. 따라서 현재분사 Starting으로 시작하는 문장을 씁니다.

정답 ›› Starting a new business, he felt stressed.

실전 연습 2

다음 우리말을 〈조건〉에 맞게 영작하시오. Point 21, 22

구명조끼를 입은 후, 그들은 그 배에 탔다.

조건	• 분사구문으로 시작할 것 • put on, life vests, get on, the ship을 사용할 것 • 총 9단어의 완전한 문장으로 쓸 것

→ ______________________

Point

23 분사구문의 부정과 완료형

❶ 분사구문의 부정은 분사 앞에 not이나 never를 써서 나타낸다.

「not[never]+분사~」: 분사구문의 의미에 부정의 의미를 부가하여 해석

Not having any homework, I played outside with my friends.
숙제가 하나도 없어서, 나는 친구들과 나가 놀았다.

Not being tired, I could keep on exercising.
피곤하지 않아서, 나는 계속 운동할 수 있었다.

❷ 완료 분사구문은 부사절의 시제가 주절의 시제보다 앞서는 경우에 쓴다.

「having+과거분사(p.p.)」: 분사구문의 의미에 따라, 주절보다 앞선 시제로 해석

As I traveled (과거시제) to Hong Kong last year, I want (현재시제) to go somewhere else.
→ **Having traveled** to Hong Kong last year, I want to go somewhere else.
작년에 홍콩으로 여행 가서, 나는 다른 곳에 가고 싶다.

After he (had) prepared (과거(완료)시제) the food, he waited (과거시제) for his guests.
→ **Having prepared** the food, he waited for his guests.
음식을 준비한 후에 그는 손님들을 기다렸다.

문법 확인 Ⓐ 문장 해석하기

▸ Answer p.16

1 **Not wanting to talk with them**, I was silent.
→ ________________, 나는 잠자코 있었다.

2 **Not walking quickly**, he couldn't get on the bus.
→ ________________, 그는 버스를 탈 수 없었다.

3 **Having lost my wallet**, I borrowed some money.
→ ________________, 나는 약간의 돈을 빌렸다.

4 **Having quit smoking**, he recovered his health. ★quit 그만두다
→ ________________, 그는 건강을 회복했다.

5 **Not having eaten anything**, she's hungry now. ★완료 분사구문의 부정은 「not having p.p.」임에 유의합니다.
→ ________________, 그녀는 지금 배고프다.

Point
24 분사구문의 태와 생략

❶ 수동형 분사구문은 수동태인 부사절을 분사구문으로 바꿔 쓴 것이다.

부사절이 주절의 시제와 같으면 → 「being+p.p.」

As she was left alone, she had to do everything by herself. 혼자 남겨져 있어서, 그녀는 모든 일을 혼자 해내야 했다.
(was left: 과거시제 수동태 / had to do: 과거시제)

→ **Being left** alone, she had to do everything by herself.

부사절이 주절의 시제보다 앞서면 → 「having been+p.p.」

Since he was injured in the accident, he can't work now. 그 사고에서 부상을 입었기 때문에, 그는 지금 일할 수가 없다.
(was injured: 과거시제 수동태 / can't work: 현재시제)

→ **Having been injured** in the accident, he can't work now.

❷ 수동형 분사구문에서 being 또는 having been은 생략할 수 있다. 생략된 부분 뒤에는 과거분사가 남는다.

「p.p. ~, S+V …」: 분사구문은 'S가 ~되다[당하다]'로 해석

(Being) Surprised by the noise, she looked around.
그 소리에 놀라서, 그녀는 주위를 둘러보았다.

(Having been) Born in France, he knows French geography very well.
프랑스에서 태어났기 때문에, 그는 프랑스 지리를 매우 잘 안다.

(Being) Unhappy with the service, I talked to the restaurant manager.
서비스에 실망해서, 나는 그 식당 점장에게 말했다.

>> 분사구문에서 형용사 앞에 오는 being이나 having been이 생략되기도 해요.

문법 확인 B 문장 해석하기

▸ Answer p.16

1 **Being hospitalized**, she watched American dramas. ★hospitalize 입원시키다

→ ______________________, 그녀는 미국 드라마를 보았다.

2 **Being interested in Latin dance**, they joined a club.

→ ______________________, 그들은 동호회에 가입했다.

3 **Having been washed well**, it looks new.

→ ______________________, 그것은 새것처럼 보인다.

4 **Having been bitten by a dog**, he is afraid of dogs.

→ ______________________, 그는 개를 무서워한다.

5 **Praised by her teacher**, she feels great now.

→ ______________________, 그녀는 지금 기분이 매우 좋다.

▸ Answer p.16

문법 기본 Ⓐ 빈칸에 들어갈 말에 V 표시하기

1 __________ to do it, you don't have to. ☐ Not wanting ☐ Wanting not
(네가 그것을 하기 원하지 않는다면, 너는 할 필요가 없다.)

2 __________ my car, I went to her house to pick her up. ☐ Washing ☐ Having washed
(내 자동차를 세차한 후, 나는 그녀를 태우러 그녀의 집으로 갔다.)

3 __________ on a hill, the house overlooks the whole city. ☐ Building ☐ Being built
(언덕 위에 지어져서, 그 집에서는 도시 전체가 내려다보인다.)

4 __________ published long ago, the book is hard to get. ☐ Having ☐ Having been
(오래 전에 출간되어서, 그 책은 구하기가 어렵다.)

5 __________ by some friends, I came here. ☐ Recommending ☐ Recommended
(몇몇 친구들의 추천을 받고, 나는 여기에 왔다.)

문법 기본 Ⓑ 알맞은 말 고르기

1 Not studying / Studying not much, he was very worried.
공부를 많이 하지 못해서, 그는 매우 걱정했다.

2 Having eaten / Being eaten lunch, they climbed the mountain.
점심을 먹은 후에, 그들은 산에 올랐다.

3 Failing / Having failed in his business twice, he doesn't want to try again.
사업에 두 번이나 실패해서, 그는 다시 해보기를 원하지 않는다.

4 Surrounding / Surrounded by people, she couldn't find her father.
사람들에게 둘러싸여 있어서, 그녀는 아버지를 찾을 수 없었다.

5 Delighting / Being delighted beyond words, we hugged each other.
말할 수 없을 정도로 기뻐서, 우리는 서로를 껴안았다.

6 Been / Having been built a long time ago, the building needs repairing.
오래 전에 건설되어서, 그 건물은 수리가 필요하다.

▸ Answer p.16

문법 쓰기 Ⓐ 밑줄 친 부분을 분사구문으로 바꿔 쓰기

Example She arrived late because she had locked her car key in her car.
→ She arrived late *having locked her car key in her car*.

1 We had to keep waiting because we didn't take any orders.

→ We had to keep waiting ________________.

2 I came back home after I had spent my vacation in Guam.

→ I came back home ________________.

3 As it is located next to the lake, the shop is always crowded.

→ ________________, the shop is always crowded.

4 Since they were bought ten years ago, the jeans are out of fashion now.

→ ________________, the jeans are out of fashion now.

문법 쓰기 Ⓑ 틀린 부분 고치기

Example Having getting a job finally, I am so happy. *Having getting* → *Having gotten*
마침내 일자리를 얻어서, 나는 매우 기쁘다.

1 Knowing to people, he didn't go out very often. →
사람들에게 알려져 있어서, 그는 그다지 자주 외출하지 않았다.

2 Never being abroad before, I prepared a lot for the trip. →
전에 해외에 가본 적이 한 번도 없어서, 나는 여행을 위해 준비를 많이 했다.

3 Knowing not his phone number, I waited for his call. →
그의 전화번호를 몰라서, 나는 그의 전화를 기다렸다.

4 Writing in Russian, the book is difficult to read. →
러시아어로 쓰여져서, 그 책은 읽기가 어렵다.

5 Having not heard the bell, she kept teaching the class. →
종소리를 듣지 못해서, 그녀는 수업을 계속했다.

6 Hiding in a large building, his house was hard to find. →
큰 건물에 가려져서, 그의 집은 찾기가 어려웠다.

▸ Answer p.16

문법 쓰기 Ⓒ 주어진 단어를 활용하여 분사구문으로 시작하는 문장 완성하기

Example 빠른우편으로 보내졌기 때문에, 그것은 제때에 도착했다. (send, by express mail, on time)
→ *(Being) Sent by express mail, it arrived on time.*

1 자동차가 없었기 때문에, 그녀는 지하철을 이용해야 했다. (have, a car)
→ ______________________, she had to use the subway.

2 수업을 끝내고 나서, 선생님은 우리에게 과제를 내주셨다. (finish, the class)
→ ______________________, the teacher gave us an assignment.

3 혼자 남겨졌을 때, 그녀는 어머니가 보고 싶었다. (leave, alone)
→ ______________________, she wanted to see her mother.

4 비평가들에 의해 칭찬을 받았기 때문에, 그의 소설은 인기가 있다. (praise, critics)
→ ______________________, his novel is popular.

5 독일어를 몰라서, 나는 그를 도울 수 없었다. (know, German, can, help)
→ ______________________

6 그를 만난 적이 있어서, 나는 먼저 그에게 말을 걸었다. (meet, talk to, first)
→ ______________________

7 미술에 흥미가 있어서, 그녀는 그것을 전공했다. (interest, art, major in)
→ ______________________

8 그 음식을 먹어보지 않아서, 나는 그것을 먹어보길 원한다. (eat, the food, want, try)
→ ______________________

▸ Answer p.16

서술형 예제 1

다음 우리말을 〈조건〉에 맞게 영작하시오. Point 23

채소를 전혀 먹지 않아서, Linda는 건강이 좋지 않다.

조건
- 분사구문으로 시작할 것
- eat, vegetables, be in poor health를 사용할 것
- 총 8단어의 완전한 문장으로 쓸 것

→ ______________________________

Teacher's guide

STEP ❶
콤마(,) 앞은 의미상 이유를 나타내는 부사절이므로, 이를 분사구문으로 표현합니다.

STEP ❷
분사구문의 부정은 분사 앞에 not 또는 never를 써서 나타냅니다.

정답 ›› Never eating vegetables, Linda is in poor health.

실전 연습 1

다음 우리말을 〈조건〉에 맞게 영작하시오. Point 23

사실을 말하지 않았기 때문에, 그녀는 죄책감을 느낀다.

조건
- 분사구문으로 시작할 것
- tell, the truth, feel, guilty를 사용할 것
- 총 8단어의 완전한 문장으로 쓸 것

→ ______________________________

서술형 예제 2

다음 대화를 읽고, 밑줄 친 우리말을 괄호 안의 말을 이용하여 분사구문으로 영작하시오. Point 24

A: <u>장학금을 받아서</u>, I was so happy. (award, a scholarship)
B: I'm glad to hear that. Congratulations!

→ ______________________________

Teacher's guide

STEP ❶
괄호 안에 주어진 동사 award는 '(상을) 주다'라는 뜻입니다. 그런데 밑줄 친 우리말은 '장학금을 받다'라는 뜻이므로, 동사 award를 수동태인 「be p.p.」 형태로 써야 합니다.

STEP ❷
수동태 Be awarded ~에서 동사 Be를 현재분사 Being으로 바꿔 분사구문으로 쓰세요.

정답 ›› (Being) Awarded a scholarship

실전 연습 2

다음 대화를 읽고, 밑줄 친 우리말을 괄호 안의 말을 이용하여 분사구문으로 영작하시오. Point 24

A: <u>나의 부모님께 칭찬을 받아서</u>, I felt so good yesterday. (praise, parents)
B: Oh, did you do anything special for them?

→ ______________________________

Point

25 독립 분사구문

❶ 독립 분사구문은 부사절의 주어가 주절의 주어와 달라서 생략되지 않고 만들어진 분사구문이다.

「S'+분사 ~, S+V …」

The weather being clear, we'll go camping. 날씨가 맑다면 우리는 캠핑하러 갈 것이다.

The baby being so cute, I smiled at her. 아기가 매우 귀여워서, 나는 그 아기에게 미소 지었다.

❷ 비인칭 독립 분사구문은 부사절의 주어가 막연한 일반인일 때 주절의 주어와 다르더라도 생략하고 만든 분사구문이다.

분사구문	의미	분사구문	의미
frankly speaking	솔직히 말해서	compared to[with]	~와 비교하면
generally speaking	일반적으로 말해서	judging from[by]	~으로 판단하건대
briefly speaking	간단히 말해서	considering (that)	~을 고려하면
strictly speaking	엄격히 말해서	speaking of	~에 대해 말하자면, ~에 관한 얘기가 나와서 말인데

Frankly speaking, I couldn't remember his name.
솔직히 말해서, 나는 그의 이름이 생각나지 않았다.

>> 비인칭 독립 분사구문은 관용어처럼 쓰여요.

Generally speaking, women live longer than men.
일반적으로 말해서, 여자가 남자보다 더 오래 산다.

문법 확인 Ⓐ 문장 해석하기

▸ Answer p.16

1 **Carol looking at me**, my face turned red.

→ ______, 내 얼굴은 빨개졌다.

2 **It snowing a lot**, we cancelled our trip.

→ ______, 우리는 여행을 취소했다.

3 **Jane being sick**, he cared for her day and night.

→ ______, 그는 그녀를 밤낮으로 보살폈다.

4 **Judging from his voice**, he is a young student.

→ ______, 그는 어린 학생이다.

5 **Speaking of our meeting**, it has been changed to Monday.

→ ______, 그것은 월요일로 변경되었다.

Point 26 with+(대)명사+분사

❶ 「with+(대)명사+분사」는 주절의 일과 동시에 일어나는 상황을 나타낸다. (대)명사와 분사의 관계가 능동이면 현재분사, 수동이면 과거분사를 쓴다.

「with+(대)명사+현재분사(v-ing)」: ~가 …한 채로, ~를 …하며, ~가 …해서

The air was cold, **with the wind blowing** hard. (능동 관계)
바람이 심하게 불면서, 공기가 차가웠다.

» (대)명사를 마치 분사의 주어처럼 생각하고 능동과 수동의 관계를 파악합니다.

「with+(대)명사+과거분사(p.p.)」: ~이 …된 채

My mother sat **with her legs crossed.** (수동 관계) 나의 어머니는 다리를 꼰 채로 앉아 있었다.

❷ 「with+(대)명사+형용사/부사/전치사구」는 (대)명사 뒤에 being이 생략된 구문으로, 역시 주절의 일과 동시에 일어나는 상황을 나타낸다.

「with+(대)명사+형용사/부사/전치사구」: ~가 …한 채로, ~를 …하며, ~가 …해서

Don't speak **with your mouth full.** 입에 음식을 가득 문 채로 말하지 마라.

I cooked **with my glasses on.** 나는 안경을 쓴 채로 요리했다.

With some money in her pocket, she walked towards the main street.
주머니 속에 약간의 돈을 넣어둔 채로, 그녀는 시내 중심가를 향해 걸어갔다.

문법 확인 Ⓑ 문장 해석하기

▸ Answer p.16

1 He fell asleep **with his clothes on.**

→ 그는 ______ 잠이 들었다.

2 She cleaned her room **with the door open.**

→ ______ 그녀는 자신의 방을 청소했다.

3 **With his hands at his sides**, he gave a lecture. ★side 옆구리

→ ______ 그는 강의를 했다.

4 I leaned against the wall **with my arms folded.**

→ 나는 ______ 벽에 기대어 있었다.

5 They tried to score 3 points **with 10 seconds remaining.** ★remain 남아 있다

→ ______ 그들은 3점을 얻기 위해 노력했다.

▸ Answer p.16

문법 기본 Ⓐ 비인칭 독립 분사구문과 의미 연결하기

1	considering that	솔직히 말해서
2	frankly speaking	일반적으로 말해서
3	speaking of	엄격히 말해서
4	briefly speaking	간단히 말해서
5	generally speaking	~와 비교하면
6	judging from	~에 대해 말하자면
7	compared to	~으로 판단하건대
8	strictly speaking	~을 고려하면

문법 기본 Ⓑ 알맞은 말 고르기

1 My father calling / called me, I ran to him.
아버지가 나를 불러서, 나는 그에게 달려갔다.

2 The sky was / being dark, she saw the stars outside.
하늘이 어두워졌을 때, 그녀는 밖에서 별을 보았다.

3 Frankly spoken / speaking , I don't like your rude behavior.
솔직히 말해서, 나는 네 무례한 행동이 마음에 들지 않는다.

4 Considering / Speaking of his age, he looks very young.
그의 나이를 고려하면, 그는 매우 어려 보인다.

5 She started washing the dishes with / in rubber gloves on.
그녀는 고무장갑을 낀 채로 설거지를 시작했다.

6 He sat quietly with the lights turning / turned off.
그는 불을 끈 채로 조용히 앉아 있었다.

▸ Answer p.16

문법 쓰기 A 밑줄 친 부분을 분사구문으로 바꿔 쓰기

Example Because it was the weekend, I watered the garden.
→ *It being the weekend*, I watered the garden.

1 When everyone enjoyed the festival, he felt lonely alone.
→ ______, he felt lonely alone.

2 When the sun set, we gathered around the campfire.
→ ______, we gathered around the campfire.

3 The baby was crying, and his face was buried in the pillow.
→ The baby was crying with ______.

4 When we speak generally, many people go to the beach in summer.
→ ______, many people go to the beach in summer.

문법 쓰기 B 틀린 부분 고치기

Example Today is Sunday, I can sleep late. *is* → *being*
오늘은 일요일이라서, 나는 늦게까지 잘 수 있다.

1 Strictly spoken, he is not a gentleman. →
엄격히 말해서, 그는 신사가 아니다.

2 Time permitted, we will go to the ballpark. →
시간이 허락한다면, 우리는 야구장에 갈 것이다.

3 With both arms lifting up, Kevin prayed to God. →
양팔을 들어 올린 채, Kevin은 신께 기도했다.

4 Considered his growth status, he is very healthy. →
그의 발육 상태를 고려하면, 그는 매우 건강하다.

5 She looked at me with tears run down her face. →
눈물이 그녀의 얼굴에 흘러내리는 채로 그녀는 나를 보았다.

6 The musical was over, the actors waved on stage. →
뮤지컬이 끝났을 때, 배우들은 무대 위에서 손을 흔들었다.

▸ Answer p.17

문법 쓰기 Ⓒ 주어진 단어를 활용하여 분사구문으로 시작하는 문장 완성하기

Example 솔직히 말해서, 나는 이전 모델이 더 좋다. (frankly, like, old, better)
→ *Frankly speaking, I like the old model better.*

1 그가 나의 제안을 받아들였기 때문에, 나는 논쟁을 중단했다. (accept, proposal)

→ , I stopped arguing.

2 엄격히 말해서, 그녀는 자기 자신을 통제할 필요가 있다. (strictly)

→ , she needs to control herself.

3 한 쪽 눈을 가린 채로, 그는 시력 검사를 했다. (one, cover)

→ , he had an eyesight exam.

★one eye와 cover는 수동 관계이므로, cover의 과거분사를 써야 해요.

4 그의 억양으로 판단하건대, 그는 외국인이다. (judge from, accent)

→ , he is a foreigner.

5 날씨가 뜨거워서, 나는 에어컨을 틀었다. (it, hot, turn on, the air conditioner)

→

6 간단히 말해서, 우리는 그 프로젝트를 중단할 예정이다. (briefly, be going to, stop)

→

7 취미에 대해 말하자면, 나는 곤충을 키우는 것을 좋아한다. (speak of, hobbies, like, raising insects)

→

8 선글라스를 쓴 채로, 그녀는 해변을 걸었다. (sunglasses, on, walk down, the beach)

→

▸ Answer p.17

서술형 예제 1

다음 대화를 읽고, 괄호 안의 말을 이용하여 밑줄 친 우리말을 영작하시오. Point 25

A: (1) 솔직히 말해서, I can't believe him. (frankly)
B: Neither can I. (2) 간단히 말해서, he is not a man of his word. (briefly)

(1) ______________________

(2) ______________________

Teacher's guide

STEP ❶
'솔직히 말해서'라는 뜻의 비인칭 독립 분사구문 Frankly speaking으로 쓰세요.

STEP ❷
'간단히 말해서'라는 뜻의 비인칭 독립 분사구문 Briefly speaking으로 쓰세요.

정답 ›› (1) Frankly speaking (2) Briefly speaking

실전 연습 1

다음 대화를 읽고, 괄호 안의 말을 이용하여 밑줄 친 우리말을 영작하시오. Point 25

A: (1) 일반적으로 말해서, young children like to play. (generally)
B: I agree. (2) 놀이에 대해 말하자면, building blocks is very popular with young kids. (speak of, play)

(1) ______________________

(2) ______________________

서술형 예제 2

다음 우리말을 〈조건〉에 맞게 영작하시오. Point 26

문을 잠근 채로, 그는 자신의 방 안에 있었다.

조건	• With로 시작할 것 • the door, lock, stay, room을 사용할 것 • 총 9단어의 완전한 문장으로 쓸 것

→ ______________________

Teacher's guide

STEP ❶
'~을 …한 채로'라는 의미는 「with + (대)명사 + 분사」 구문을 사용해 나타냅니다.

STEP ❷
명사(the door)와 lock의 관계가 수동이므로, lock을 과거분사형 locked로 써야 합니다.

정답 ›› With the door locked, he stayed in his room.

실전 연습 2

다음 우리말을 〈조건〉에 맞게 영작하시오. Point 26

자신의 눈을 감은 채로, 그녀는 그 소리를 들었다.

조건	• With로 시작할 것 • eyes, close, listen to, the sound를 사용할 것 • 총 9단어의 완전한 문장으로 쓸 것

→ ______________________

CHAPTER 05 분사구문

내신 대비 실전 TEST

▸ Answer p.17

객관식 (01~10)

대표

[01~02] 다음 빈칸에 들어갈 말로 알맞은 것을 고르시오.

Point 26

01 She is sitting in the driver's seat with all the doors ___________.

① shut ② shuts ③ shutting
④ to shut ⑤ to shutting

Point 26

02 You must enter the temple ___________ your shoes off.

① by ② of ③ from
④ with ⑤ for

[03~04] 다음 두 문장의 의미가 같을 때, 빈칸에 들어갈 말로 알맞은 것을 고르시오.

Point 21, 22

03 If you want to see, you can look around.
= ________________, you can look around.

① If want to see ② Wanting to see
③ Being want to see ④ You wanting to see
⑤ Having wanted to see

Point 21, 22

04 Moving into a new house, I had a housewarming party.
= ___________ I moved into a new house, I had a housewarming party.

① If ② And ③ After
④ Unless ⑤ Though

Point 23

05 다음 밑줄 친 부분을 분사구문으로 바르게 바꾼 것은?

<u>When he had finished the race</u>, he fell to the ground.

① Finishing the race, he fell to the ground.
② Had finished the race, he fell to the ground.
③ Have finishing the race, he fell to the ground.
④ Having finished the race, he fell to the ground.
⑤ Having finishing the race, he fell to the ground.

Point 25

06 다음 중 어법상 옳은 것은?

① Compared other regions, this one is old.
② Comparing other regions, this one is old.
③ Compared to other regions, this one is old.
④ Comparing to other regions, this one is old.
⑤ Be compared to other regions, this one is old.

Point 25

07 다음 우리말을 영어로 바르게 옮긴 것은?

태풍이 불었기 때문에, 우리는 보트를 이용하지 않았다.

① The typhoon blew, we didn't use the boat.
② The typhoon blows, we didn't use the boat.
③ The typhoon blowing, we didn't use the boat.
④ The typhoon was blown, we didn't use the boat.
⑤ The typhoon being blown, we didn't use the boat.

Point 24

08 다음 빈칸에 생략된 말로 알맞은 것은?

___________ written by a good novelist, the book was highly anticipated.

① Be ② Been ③ Having
④ Having been ⑤ Having being

Point 23

09 다음 우리말과 일치하도록 할 때, 빈칸에 들어갈 말로 알맞은 것은?

> 음악적 재능이 없어서, 나는 오디션에 나가는 것을 거절했다.
> → __________ musical talent, I refused to go to the audition.

① Having ② No having
③ Not having ④ Having not
⑤ I had no

고난도 Point 21, 22, 23, 24

10 다음 중 어법상 틀린 것은?

① Failing the test, he was frustrated.
② Not knowing the road, I lost my way.
③ Being injured, I couldn't keep training.
④ Needing my help, you can always tell me.
⑤ Having being bitten by a snake, I cried out.

서술형 기본 (11~18)

[11~12] 다음 문장에서 어법상 틀린 부분을 찾아 바르게 고쳐 쓰시오.

Point 24

11

> Having born in the country, she doesn't know much about city life.

__________ → __________

Point 26

12

> He entered the gate with his friends followed him.

__________ → __________

[13~14] 다음 우리말과 일치하도록 괄호 안의 말을 바르게 배열하시오.

Point 21, 22

13

> 내가 그의 사고에 대해 들었을 때, 나는 얼어서 움직일 수 없었다. (his, hearing, accident, of)

→ ______________________________, I froze up and couldn't move.

Point 23

14

> 어떤 연락도 받지 못해서, 나는 그저 계속해서 그녀를 기다려야만 했다. (any, not, getting, contact)

→ ______________________________, I just had to keep waiting for her.

대표 Point 24

15 다음 두 문장의 의미가 같도록 빈칸에 알맞은 말을 쓰시오.

> As he was stuck in a traffic jam, he couldn't get there on time.

= __________ __________ in a traffic jam, he couldn't get there on time.

Point 25

16 다음 빈칸에 공통으로 알맞은 말을 쓰시오.

> • Strictly __________, that is not correct.
> • Generally __________, scholars are highly intelligent.

→ __________

고난도

[17~18] 다음 대화를 읽고, 밑줄 친 우리말을 분사구문으로 영작하시오.

Point 21, 22

17

> A: Why didn't Jack come to the meeting yesterday?
> B: I heard that he was ill.
> → 아팠기 때문에, Jack didn't come to the meeting yesterday.

→ ______________________________

Point 26

18

> A: Mom, I'm home.
> B: Come on in, John. But why are your shoes covered with mud?
> → John came home 신발이 진흙으로 뒤덮인 채로.

→ ______________________________

서술형 심화 (19~24)

Point 21, 22, 23

19 다음 우리말을 〈조건〉에 맞게 영작하시오.

(1) 방에 들어왔을 때, 그는 자신의 고양이가 누워 있는 것을 보았다.

조건
- 분사구문으로 시작할 것
- enter, room, see, lying을 사용할 것
- 총 8단어의 완전한 문장으로 쓸 것

→ ______________________________

(2) 그녀의 주소를 몰랐기 때문에, 나는 편지를 부칠 수 없었다.

조건
- 분사구문으로 시작할 것
- know, address, can, post를 사용할 것
- 총 10단어의 완전한 문장으로 쓸 것

→ ______________________________

대표 Point 24, 25

20 다음 주어진 문장을 분사구문을 포함한 문장으로 바꿔 쓰시오.

(1) As he was surrounded by people, he couldn't find me.

→ ______________________________

(2) After the sun set, the street became empty.

→ ______________________________

Point 23

21 다음 우리말과 일치하도록 괄호 안의 말을 바르게 배열하시오.

학창시절에 충분한 돈이 없었기 때문에, 나는 그 앨범을 살 수 없었다. (my school days, not, enough, having, money, during)

→ ______________________________
______________, I couldn't buy the album.

Point 26

22 다음 두 문장의 의미가 같도록 with를 이용하여 빈칸에 알맞은 말을 쓰시오.

(1) He was playing the piano, and his eyes were closed.

= He was playing the piano ______________
______________.

(2) Jane walked around the street, and she had her hat on.

= Jane walked around the street ______________
______________.

고난도 Point 21, 22

23 다음 글을 읽고 아래 질문에 답하시오.

I was waiting for the bus to go home. Finally the bus arrived and I got on it. ⓐ Passed by me, someone stepped on my foot. I looked up. It was Martin, who lived next door. ⓑ 나를 향해 미소 지으면서, 그는 내게 미안하다고 말했다. (smile at, say sorry to)

(1) 밑줄 친 ⓐ에서 어법상 틀린 부분을 찾아 바르게 고쳐 쓰시오.

______________ → ______________

(2) 밑줄 친 ⓑ를 괄호 안의 말과 분사구문을 이용하여 영작하시오.

→ ______________________________

Point 21, 24

24 다음 ①~⑤ 중 어법상 틀린 것을 골라 바르게 고쳐 쓰시오.

① Had been born into a poor family, I ② had to work at a young age. It was sad at first, but I started ③ to accept the situation. I got to know many good people while ④ working. And now I am ⑤ satisfied with my life.

(   ) ______________

CHAPTER 06

수동태

Point 27 수동태의 개념과 형태

Point 28 수동태의 시제

Point 29 4형식 문장의 수동태

Point 30 5형식 문장의 수동태

Chapter 06 내신 대비 실전 TEST

Get Ready

태

능동태	**The police officer** caught **the thief.** (S(동작의 주체))	경찰관이 도둑을 잡았다.
수동태	**The thief** was caught by **the police officer.** (S(동작의 대상))	도둑이 경찰관에 의해 잡혔다.

- **A new airport** will be built **by 2025.** 2025년까지 새 공항이 지어질 것이다.
- **An overcoat** was bought for **me by my dad.** 외투가 아빠에 의해 나를 위해 구입되었다.
- **She** was seen to drive **off in a hurry.** 그녀가 차를 타고 급히 떠나는 모습이 목격되었다.

1. **태**란 주어가 동작을 행하는지, 아니면 당하는지에 대한 정보를 동사를 통해 나타내는 것을 말해요.
2. **능동태**는 동작을 직접 하는 주체를 주어로 두는 동사 형태이고, **수동태**는 동작의 영향을 받는 대상을 주어로 두는 동사 형태입니다.

Point

27 수동태의 개념과 형태

수동태는 동작의 대상을 주어로 두는 동사 형태이다.

수동태의 기본형: 「be동사+과거분사(p.p.)~ (by+행위자)」 '(…에 의해) ~되다, ~당하다, ~받다'

능동태: S + V + O — She **delivered** the letter. 그녀가 그 편지를 전달했다.
수동태: S + be p.p. ~ (by+행위자) — The letter **was delivered** by her. 그 편지가 그녀에 의해 전달되었다.

≫ 보통 동작의 주체보다 동작의 대상이 더 중요한 관심사이거나, 어떤 동작을 누가 했는지 모르거나 중요하지 않을 때 수동태로 표현합니다.
≫ 행위자가 일반인이거나 불분명할 때는 'by+행위자'를 생략할 수 있어요.

동사구의 수동태: '동사+전치사/부사' 형태의 동사구를 하나의 동사처럼 취급 → 「be동사+p.p.+전치사/부사」

Louis **was laughed at** by his audience. Louis는 청중에 의해 비웃음거리가 되었다.

조동사의 수동태: 「조동사+be동사+p.p.」

Robots **can be used** in various fields. 로봇은 다양한 분야에서 사용될 수 있다.

+

by 이외의 전치사를 쓰는 수동태

be worried about	~을 걱정하다	be covered with	~로 덮여 있다
be surprised at	~에 놀라다	be pleased with	~에 기뻐하다
be satisfied with	~에 만족하다	be interested in	~에 관심이 있다
be known to	~에게 알려지다	be filled with	~로 가득 차다
be disappointed in[with]	~에 실망하다	be scared of	~를 두려워하다
be surrounded with	~에 둘러싸여 있다	be amused at	~에 즐거워하다

문법 확인 Ⓐ 문장 해석하기

▸ Answer p.19

1 The elephants **are fed by** the animal keeper. → 코끼리들이 ____________.
★feed 먹이다, 먹이를 주다 animal keeper 사육사

2 The signs **are written** in Chinese. → 표지판들은 중국어로 ____________.

3 The stray cat **is taken care of** by me. → 길 잃은 고양이가 ____________.

4 David **was brought up** in France. → David는 프랑스에서 ____________.
★bring up ~를 기르다

5 The tax **should be paid** by the due date. → 세금은 만기일까지 ____________.

6 This **has to be discussed by** the board. → 이것은 위원회에 의해 ____________.
★discuss 논의하다

7 I **am interested in** renting this place. → 나는 이 장소를 ____________.

8 She **was surprised at** the urgency in his voice. → 그녀는 그의 목소리의 ____________.
★urgency 긴급함

Point

28 수동태의 시제

수동태의 시제는 be동사의 형태 변화로 나타낸다.

현재시제 수동태: 「am/are/is+p.p.」	The carpet **is cleaned** by my mother. 카펫은 엄마에 의해 청소된다.
과거시제 수동태: 「was/were+p.p.」	The carpet **was cleaned** by my mother. 카펫은 엄마에 의해 청소되었다.
미래시제 수동태: 「will be+p.p.」	The carpet **will be cleaned** by my mother. 카펫은 엄마에 의해 청소될 것이다.
진행 수동태: 「be동사+being+p.p.」	The carpet **is being cleaned** by my mother. 카펫은 엄마에 의해 청소되고 있다. The carpet **was being cleaned** by my mother. 카펫은 엄마에 의해 청소되고 있었다.
완료 수동태: 「have/has/had+been+p.p.」	The carpet **has been cleaned** by my mother. 카펫은 엄마에 의해 청소되었다. The carpet **had been cleaned** by my mother. 카펫은 엄마에 의해 청소되었다.

문법 확인 Ⓑ 문장 해석하기

▸ Answer p.19

1 His illness **was caused by** overwork. → 그의 질병은 과로에 의해 ________.

2 Much effort **was being done by** villagers. → 많은 노력이 마을 사람들에 의해 ________.

3 The funeral **will be carried out** this afternoon. → 장례식은 오늘 오후에 ________.
★carry out ~을 이행하다

4 The package **is being delivered** to me. → 그 소포가 내게 ________.

5 The plants **have been managed** well. → 그 공장들은 잘 ________.

6 They **had been taught by** the same teacher. → 그들은 같은 선생님에 의해 ________.

7 The cause of the fire **has not been confirmed**. → 화재의 원인은 ________.
★confirm 확인하다

8 The opening ceremony **had been held** a day before the first game. → 개막식은 첫 경기 하루 전날 ________.

▸ Answer p.19

문법 기본 Ⓐ <보기>에서 빈칸에 들어갈 전치사 고르기 (한 번씩만 사용)

보기

about with at to in of

1 Many children are scared __________ getting a shot.

2 I'm interested __________ going to Sweden.

3 People are worried __________ air pollution.

4 I was surprised __________ the number of people.

5 The books were covered __________ dust.

6 He was known __________ his friends as a troubleshooter.
★troubleshooter 해결사

문법 기본 Ⓑ 알맞은 말 고르기

1 This furniture was made / making out of oak trees.
이 가구는 참나무로 만들어졌다.

2 My heart is filled of / with thankfulness.
내 마음은 감사함으로 가득 차 있다.

3 He was run over in the driveway / in the driveway over .
그는 차도에서 치였다.

4 Any type of bean may is used / be used in this recipe.
어떤 종류의 콩이라도 이 요리법에 사용될 수 있다.

5 They are been / being told what to teach.
그들은 무엇을 가르쳐야 하는지를 듣고 있다.

6 He will catch / be caught by the police soon.
그는 곧 경찰에 의해 붙잡힐 것이다.

7 She has be called / has been called the greatest pianist.
그녀는 최고의 피아니스트로 불려왔다.

문법 쓰기 A 수동태 문장으로 바꿔 쓰기

▸ Answer p.19

Example She locked her passport in the safe.
→ Her passport *was locked* in the safe by her.

1 A sudden blackout turned off all the lights.

→ All the lights ______ a sudden blackout.

2 You must finish the report by tomorrow.

→ The report ______ you by tomorrow.

3 Someone has taken my watch.

→ My watch ______ someone.

4 The police were following the suspect's vehicle.

→ The suspect's vehicle ______ the police.

문법 쓰기 B 틀린 부분 고치기

Example The broken window repaired by them. *repaired* → *was repaired*
깨진 창문은 그들에 의해 수리되었다.

1 History is writing by the winners. ______ → ______
역사는 승자에 의해 쓰인다.

2 A vote may be conduct by a show of hands. ______ → ______
투표는 아마도 거수로 행해질 것이다.

3 Sample goods were sent by out the company. ______ → ______
샘플 상품은 그 회사에 의해 보내졌다.

4 I'm not so satisfied for the test results. ______ → ______
나는 시험 결과에 그렇게 만족하지는 않는다.

5 She is been called the queen of skating. ______ → ______
그녀는 스케이팅의 여왕으로 불려왔다.

6 The old church is been visited by countless tourists. ______ → ______
그 오래된 교회는 무수한 관광객들에 의해 방문되고 있다.

▸ Answer p.19

문법 쓰기 © 주어진 단어를 활용하여 수동태 문장 완성하기

Example 이 스웨터는 손으로 만들어졌다. (sweater, make, by hand)
→ *This sweater was made by hand.*

1 그 욕실은 나에 의해 일주일에 두 번씩 청소된다. (the bathroom, clean)

→ twice a week.

2 모두들 그의 예기치 않은 방문에 놀랐다. (everybody, surprised)

→ his unexpected visit.

3 젊은 사람들이 심각한 부상으로 치료받고 있었다. (young people, treat)

→ for serious injuries.

4 과일과 채소는 깨끗한 물에 세척되어야 한다. (should, wash)

→ in clean water.

5 그 고양이가 노부인에 의해 돌보아졌다. (look after, the old lady)

→

6 그 주유소는 한국 여성에 의해 운영될 것이다. (the gas station, run, Korean)

→

7 다큐멘터리가 텔레비전에서 방영되고 있다. (the documentary, show, on television)

→

8 이 벌들은 과학자들에 의해 연구되어 왔다. (bees, study, scientists)

→

▸ Answer p.19

서술형 예제 1

다음 우리말과 일치하도록 괄호 안의 말을 이용하여 대화를 완성하시오. Point 27

A: Robert, (1) David가 결승전에서 패배 당했어.
(defeat, in the final match)
B: 나도 알아. (2) 나는 결과에 실망했어.
(disappoint, the result)

A: Robert, (1) ____________________
B: I know. (2) ____________________

Teacher's guide

STEP ❶
(1)의 주어인 David는 동작의 대상이므로, 동사 형태는 수동태로 씁니다. 과거의 일을 나타내는 문장이므로, 과거시제 수동태로 표현하도록 합니다.

STEP ❷
(2)의 주어인 I는 동작의 대상이므로 수동태로 표현합니다. by 대신 in이나 with와 같은 전치사를 써야 함에 유의하세요.

정답 ›› (1) David was defeated in the final match.
(2) I was disappointed in[with] the result.

실전 연습 1

다음 우리말과 일치하도록 괄호 안의 말을 이용하여 대화를 완성하시오. Point 27

A: Jane, (1) 회의가 취소되었어요.
(the meeting, call off)
B: 알고 있어요. (2) 취소 메시지가 전달되었어요.
(the cancellation message, deliver)

A: Jane, (1) ____________________
B: I know. (2) ____________________

서술형 예제 2

다음 우리말을 〈조건〉에 맞게 영작하시오. Point 28

다양한 동물들이 연구에 이용되고 있다.

조건	• various, use, in research를 사용할 것 • 총 7단어의 완전한 문장으로 쓸 것

→ ____________________

Teacher's guide

STEP ❶
<조건>에 주어진 동사 use는 '이용하다'라는 뜻으로, 주어인 Various animals는 해당 동사가 나타내는 동작의 대상입니다. 따라서 동사 형태는 수동태로 씁니다.

STEP ❷
'~되고 있다'라는 뜻으로, 동작의 진행을 나타내며 현재의 일을 가리키고 있으므로, 현재진행 수동태로 표현하도록 합니다.

정답 ›› Various animals are being used in research.

실전 연습 2

다음 우리말을 〈조건〉에 맞게 영작하시오. Point 28

두 대의 엘리베이터가 수리공에 의해 수리되고 있다.

조건	• elevator, repair, the engineer를 사용할 것 • 총 9단어의 완전한 문장으로 쓸 것

→ ____________________

Point

29 4형식 문장의 수동태

4형식 문장의 수동태는 간접목적어(O_1)나 직접목적어(O_2)를 주어로 하는 두 가지 방식으로 쓸 수 있다.

간접목적어를 주어로 하는 수동태: 「주어(O_1)+be동사+p.p.+O_2~ (by+행위자)」

능동태: S + V + O_1 + O_2 John **gave** me a bunch of flowers. John은 나에게 꽃다발을 주었다.
수동태: S + be p.p. + O ~ (by+행위자) I **was given** a bunch of flowers by John. 나는 John에게 꽃다발을 받았다.

직접목적어를 주어로 하는 수동태: 「주어(O_2)+be동사+p.p.+전치사+O_1~ (by+행위자)」

능동태: S + V + O_1 + O_2 She **bought** her son a bike. 그녀는 아들에게 자전거를 사주었다.
수동태: S + be p.p. + 전치사 + O ~ (by+행위자) A bike **was bought for** her son by her. 자전거가 아들을 위해 그녀에 의해 구입되었다.

» 4형식 문장의 동사가 buy, write, bring, get, cook, make, choose, find 등이면, 직접목적어를 주어로 하는 수동태로만 바꿔 쓸 수 있어요.

+

〈4형식 문장 → 직접목적어를 주어로 하는 수동태 문장〉 전환 시 사용하는 전치사

to를 쓰는 동사	give, teach, send, show, tell, lend, sell, offer, hand 등
for를 쓰는 동사	buy, make, get, bring, cook, choose, find 등
of를 쓰는 동사	ask, request 등

문법 확인 Ⓐ 문장 해석하기

▸ Answer p.19

1 All guests **are offered** free Wi-Fi. → 모든 손님들은 무료 와이파이를 ______.

2 Cathy **was given** a new camera by Jack. → Cathy는 Jack에게 새 카메라를 ______.

3 The table **was made for** my son by me. → 그 탁자는 나에 의해 아들을 위해 ______.

4 The fish **was cooked for** me by my grandma. → 그 생선은 할머니에 의해 나를 위해 ______.

5 The guitar **was bought for** him by Julia. → 그 기타는 Julia에 의해 그를 위해 ______.

6 More blankets **were sent to** the refugees. → 더 많은 담요가 난민들에게 ______.

7 The note **was handed to** me by her. → 쪽지가 그녀에 의해 내게 ______.

8 A personal question **was asked of** him by me. → 개인적인 질문이 나에 의해 그에게 ______.

Point

30 5형식 문장의 수동태

5형식 문장의 수동태도 크게 두 가지 방식으로 쓸 수 있다.

5형식 문장의 수동태: 「주어+be동사+p.p.+보어~ (by+행위자)」

능동태: S + V + O + C	The news **made** me **sad**.	그 소식은 나를 슬프게 만들었다.
수동태: S + be p.p. + C ~ (by+행위자)	I **was made sad** by the news.	나는 그 소식에 의해 슬퍼졌다.

사역동사 · 지각동사의 수동태: 「주어+be동사+p.p.+to부정사~ (by+행위자)」

능동태: S + V + O + 동사원형	My sister **made** me **fix** her car.	내 여동생은 나에게 그녀의 차를 수리하게 했다.
수동태: S + be p.p. + to부정사 ~ (by+행위자)	I **was made to fix** her car by my sister.	나는 내 여동생에 의해 그녀의 차를 수리하도록 강요받았다.

사역동사(let, have, make) 중 make만 수동태로 쓸 수 있어요.

I **saw** her **walk** into the classroom.
나는 그녀가 교실에 걸어 들어가는 것을 보았다.

She **was seen to walk** into the classroom by me.
그녀가 나에 의해 교실에 걸어 들어가는 것이 목격되었다.

» 지각동사가 사용된 5형식 문장에서 목적보어가 현재분사이면, 수동태 문장으로 바꿀 때 현재분사를 과거분사 뒤에 그대로 씁니다.

문법 확인 B 문장 해석하기

▸ Answer p.19

1 He **was elected** chairperson by us. → 그는 우리에 의해 의장으로 ________.
★elect 뽑다, 선출하다

2 The streets **are kept** clean by a street cleaner. → 거리가 미화원에 의해 깨끗하게 ________.

3 The soldier **was found** seriously wounded. → 그 군인은 중상을 입은 것으로 ________.

4 You **are not allowed** to sell food here. → 당신은 여기에서 음식을 팔도록 ________.

5 David **was advised** to control himself. → David는 스스로를 통제하라는 ________.

6 She **was watched** to jump around. → 그녀가 뛰어 다니는 모습이 ________.
★watch 관찰[구경]하다

7 He **was heard** calling me. → 그가 나를 부르고 있는 소리가 ________.

8 He **was made** to do his laundry by his mother. → 그는 엄마에 의해 세탁을 하도록 ________.

▸ Answer p.19

문법 기본 Ⓐ 빈칸에 들어갈 말에 V 표시하기

1 Some famous paintings were shown __________ us by our teacher. □ to □ for

2 This new suit was bought __________ him by us. □ to □ for

3 This question was asked __________ all respondents. □ for □ of

4 My feet were kept __________ warm by these socks. □ to □ 없음

5 I was made __________ clean the toilet by my homeroom teacher. □ to □ 없음

6 Something was felt __________ crawl up my arm. □ to □ 없음

7 He was seen __________ crossing the road toward the gas station. □ to □ 없음

문법 기본 Ⓑ 알맞은 말 고르기

1 She made / was made popular by her sense of humor.
그녀는 유머 감각으로 유명해졌다.

2 His ID card was shown to / for the guard.
그의 신분증이 경비 요원에게 제시되었다.

3 She was watched to get / get hurt on the road by me.
그녀가 길에서 다치는 것이 나에 의해 목격되었다.

4 He was made to tell / tell me where Cathy was.
그는 Cathy가 어디에 있는지 나에게 말하도록 강요받았다.

5 She was asked to / of sing a song by me.
그녀는 나에 의해 노래를 부르도록 요청받았다.

6 Healthy food was cooked to / for the elderly by the chef.
몸에 좋은 음식이 그 요리사에 의해 노인들을 위해 요리되었다.

7 He was not allowed go / to go out more than 2 hours.
그는 2시간 넘게 외출하는 것이 허락되지 않았다.

▸ Answer p.19

문법 쓰기 Ⓐ 수동태 문장으로 바꿔 쓰기

Example	My grandmother gave me her ring. → I *was given her ring* by my grandmother.

1 I brought the camels straw and feed.

→ Straw and feed ______________________ by me.

2 Raising animals teaches us responsibility.

→ Responsibility ______________________ by raising animals.

3 I made him sign the contract.

→ He ______________________ by me.

4 He felt something crawl up his leg.

→ Something ______________________ by him.

문법 쓰기 Ⓑ 틀린 부분 고치기

Example	I was persuaded join the project by him. *join* → *to join* 나는 그에 의해 그 프로젝트에 참여하도록 설득되었다.

1 The man was believed die by his enemies. ________ → ________
그 남자는 그의 적들에 의해 사망한 것으로 믿어졌다.

2 He was told go outside for a smoke. ________ → ________
그는 담배를 피우려면 밖에 나가라는 말을 들었다.

3 Coffee was made to all of us by Sally. ________ → ________
커피가 Sally에 의해 우리 모두를 위해 만들어졌다.

4 She was heard cry in grief by me. ________ → ________
그녀가 슬픔에 잠겨 우는 소리가 내게 들렸다.

5 She named the best player of the year. ________ → ________
그녀는 그 해의 최고의 선수로 지명되었다.

6 Gifts were sent for me for my birthday by my friends. ________ → ________
내 생일 선물이 친구들에 의해 나에게 보내졌다.

▸ Answer p.19

문법 쓰기 Ⓒ 주어진 단어를 활용하여 수동태 문장 완성하기

Example 이 노트북은 나의 아버지에 의해 나를 위해 구입되었다. (laptop, buy)
→ *This laptop was bought for me by my father.*

1 그녀는 신문 편집자의 자리를 제의받았다. (offer)

→ the position of news editor.

2 도서관에 있는 책들은 누구에게나 대출된다. (lend out, anybody)

→ Books in the library .

3 아마존은 지구의 허파라고 불린다. (call, the Lungs of the Earth)

→ The Amazon .

4 나는 더 적은 칼로리를 섭취하라는 말을 들었다. (tell, eat)

→ I fewer calories.

★수동태 문장의 본동사는 be동사이므로, 'be+p.p.'의 바로 뒤에는 동사가 올 수 없어요.

5 이 쿠션은 나의 언니에 의해 나를 위해 만들어졌다. (cushion, make)

→ by my sister.

6 그 연설가는 영어가 유창한 것으로 판단되었다. (the speaker, think, fluent)

→ in English.

7 양측은 똑같은 의견을 공유한 것으로 보인다. (both sides, see, share)

→ the same opinion.

8 그는 그녀에 의해 오랫동안 기다리게 되었다. (make, wait)

→ for a long time by her.

▸ Answer p.19

서술형 예제 1

다음 문장을 주어진 단어로 시작하는 수동태 문장으로 바꿔 쓰시오. Point 29

I showed Kevin the pictures.

(1) Kevin ______________________.

(2) The pictures ______________________.

Teacher's guide

STEP ❶

주어진 문장은 4형식으로, (1)은 간접목적어를 주어로 하는 수동태 문장으로 써야 합니다. 「주어(O_1) + be동사 + 과거분사(p.p.) + O_2~ (by + 행위자)」의 어순으로 문장을 씁니다.

STEP ❷

(2)는 직접목적어를 주어로 하는 수동태 문장으로 써야 합니다. 「주어(O_2) + be동사 + 과거분사(p.p.) + 전치사 + O_1~ (by + 행위자)」의 어순으로 문장을 씁니다. 이때 4형식 문장에 사용된 동사는 showed이므로, 수동태 문장으로 전환할 때 전치사 to를 사용합니다.

정답 >> (1) was shown the pictures by me
(2) were shown to Kevin by me

실전 연습 1

다음 문장을 주어진 단어로 시작하는 수동태 문장으로 바꿔 쓰시오. Point 29

I will send you a copy of the contract.

(1) You ______________________
______________________.

(2) A copy of the contract ______________________
______________.

서술형 예제 2

다음 우리말을 〈조건〉에 맞게 영작하시오. Point 30

내 남동생은 그 책을 반납하도록 시켜졌다.

조건	• 주어가 My brother인 수동태 문장으로 쓸 것 • make, return, the book을 사용할 것 • 총 8단어의 완전한 문장으로 쓸 것

→ ______________________

Teacher's guide

STEP ❶

사역동사 make를 사용하여 수동태 문장을 써야 합니다. 우선 수동태의 기본형인 「주어 + be동사 + 과거분사(p.p.)」 부분까지 문장을 쓰세요.

STEP ❷

우리말 문장에서 '그 책을 반납하도록'에 해당하는 영어 표현을 과거분사 뒤에 써야 합니다. 사역동사를 사용한 수동태 문장에서 과거분사 뒤에는 to부정사구가 와야 합니다.

정답 >> My brother was made to return the book.

실전 연습 2

다음 우리말을 〈조건〉에 맞게 영작하시오. Point 30

그들은 꽃을 심도록 시켜졌다.

조건	• 주어가 They인 수동태 문장으로 쓸 것 • make, plant, the flowers를 사용할 것 • 총 7단어의 완전한 문장으로 쓸 것

→ ______________________

CHAPTER 06 수동태

내신 대비 실전 TEST

▸ Answer p.20

객관식 (01~10)

Point 27

01 다음 빈칸에 들어갈 말이 나머지 넷과 다른 것은?

① I'm satisfied ______ my company.
② I am pleased ______ the outcome.
③ His shoes are covered ______ mud.
④ The truth became known ______ us.
⑤ I am filled ______ pain and anguish.

Point 28

02 다음 우리말을 영어로 바르게 옮긴 것은?

음식이 주방에서 준비되고 있다.

① The food is been prepared in the kitchen.
② The food is being prepared in the kitchen.
③ The food is been preparing in the kitchen.
④ The food was been prepared in the kitchen.
⑤ The food was being prepared in the kitchen.

대표 Point 30

03 다음 빈칸에 들어갈 말로 알맞은 것은?

My father was seen __________ the newspaper.

① read ② to read ③ to reading
④ to be read ⑤ being read

Point 29, 30

04 다음 중 밑줄 친 부분을 주어로 하는 수동태 문장으로 바꿔 쓸 수 없는 것은?

① My aunt cooked us chicken soup.
② She handed him a cheering flag.
③ The host gave us a hearty welcome.
④ His supporters elected him governor.
⑤ Failure teaches us many valuable lessons.

고난도 Point 27

05 다음 중 어법상 틀린 것은?

① Honey is made by worker bees.
② Too much stress caused my headache.
③ Robots can be used in various industries.
④ All data should be erased from the system.
⑤ Helmets must wear at the construction site.

Point 29

06 다음 빈칸에 들어갈 말이 순서대로 짝지어진 것은?

• Gifts were sent ______ me by the fans.
• An urgent favor was asked ______ him by me.

① of – to ② to – for ③ for – of
④ for – to ⑤ to – of

[07~08] 다음 우리말과 일치하도록 할 때, 빈칸에 들어갈 말로 알맞은 것을 고르시오.

Point 27

07

이 증거는 먼저 안전하게 보관되어야 한다.
→ This evidence __________ safe first.

① must keep ② must been kept
③ must be kept ④ must being kept
⑤ must be keeping

Point 27, 28

08

큰 저택이 그녀에 의해 관리되었다.
→ The big house __________ her.

① took care of by
② is taken care by
③ is taken care of by
④ was taken care by
⑤ was taken care of by

[09~10] 다음 두 문장의 의미가 같을 때, 빈칸에 들어갈 말로 알맞은 것을 고르시오.

Point 29

09

His mother bought him a miniature cello.
= A miniature cello __________ by his mother.

① bought to him ② is bought to him
③ is bought for him ④ was bought to him
⑤ was bought for him

Point 28, 30

10

People have called English an international language.
= English __________ an international language by people.

① is been called ② has been called
③ has being called ④ have been called
⑤ have being called

서술형 기본 (11~19)

[11~12] 다음 문장에서 어법상 틀린 부분을 찾아 바르게 고쳐 쓰시오.

Point 27, 28

11

Mr. Son was choosing as the best Asian player.

__________ → __________

Point 27

12

He was laughed by at many girls.

__________ → __________

[13~14] 다음 우리말과 일치하도록 괄호 안의 말을 바르게 배열하시오.

Point 30

13

누군가가 밖에서 문을 두드리는 소리가 들렸다.
(to, was, heard, knock)

→ Someone ______________________ on the door outside.

Point 30

14

그는 나에 의해 우산을 가져오도록 시켜졌다.
(was, bring, made, to)

→ He ______________________ an umbrella by me.

Point 29

15 다음 대화의 흐름에 맞도록 빈칸에 알맞은 말을 쓰시오.

A: What does Mr. Baker teach his students?
B: Writing and literature __________ them by him.

Point 30

16 다음 빈칸에 공통으로 알맞은 말을 쓰시오.

• She was asked __________ write a recommendation.
• He was encouraged __________ continue his research.

→ __________

대표 Point 29

17 다음 주어진 문장을 수동태로 바꿀 때, 빈칸에 알맞은 말을 쓰시오.

His uncle bought him a new camera.

→ A new camera ______________________ by his uncle.

고난도

[18~19] 다음 우리말과 일치하도록 괄호 안의 말을 이용하여 빈칸에 알맞은 말을 쓰시오.

Point 28

18

사전이 그에 의해 사용되고 있다. (use)

→ The dictionary ______________ by him.

Point 28

19

충분한 음식이 창고에 보관되어 왔다. (store)

→ Enough food ______________ in the warehouse.

서술형 심화 (20~25)

Point 28

20 다음 대화를 읽고, 괄호 안의 말을 이용하여 밑줄 친 우리말을 영작하시오.

A: Who are you waiting for, Jane?
B: I'm waiting for the service technician.
<u>에어컨이 그에 의해 수리될 거야.</u>
(the air conditioner, repair)

→ ______________________________
____

대표 Point 27

21 다음 주어진 문장을 수동태로 바꿀 때, 빈칸에 알맞은 말을 쓰시오.

(1) The manager may accept my proposal.

→ My proposal ______________________________
______________.

(2) Most people in this town look up to him.

→ He ______________________________
______________.

Point 28

22 다음 우리말과 일치하도록 괄호 안의 말을 바르게 배열하시오.

(1) 난민 캠프가 주변국들에서 마련되고 있다.
(are, refugee, prepared, being, camps)

→ ______________________________
in surrounding countries.

(2) 이 헤드폰은 일주일 동안 사용되지 않았다.
(have, used, not, a week, been, for)

→ These headphones ______________________________
______________.

Point 29

23 다음 문장을 주어진 단어로 시작하는 수동태 문장으로 바꿔 쓰시오.

I sent her the wrong text message.

(1) She ______________________________
______________.

(2) The wrong text message ______________________________
______________.

Point 30

24 다음 우리말을 〈조건〉에 맞게 영작하시오.

(1) 바람이 내 머리카락을 쓰다듬는 것이 느껴졌다.

조건
- 주어를 The wind로 쓸 것
- feel, stroke를 사용할 것
- 총 8단어의 완전한 문장으로 쓸 것

→ ______________________________

(2) 그는 나에 의해 잔디를 깎도록 시켜졌다.

조건
- 주어를 He로 쓸 것
- make, mow, the lawn을 사용할 것
- 총 9단어의 완전한 문장으로 쓸 것

→ ______________________________

고난도 Point 27, 28, 29, 30

25 다음 ①~④ 중 어법상 <u>틀린</u> 문장 2개를 골라 바르게 고쳐 쓰시오.

① This mountain is visited by many people.
② She has just taken to the emergency room.
③ The air cleaners were bought for the employees.
④ The boy was made write an apology letter by his teacher.

(   ) ______________________________
(   ) ______________________________

CHAPTER 07

관계사

Point 31 주격 관계대명사

Point 32 소유격 · 목적격 관계대명사

Point 33 관계대명사 that / what

Point 34 관계부사

Point 35 복합관계대명사

Point 36 복합관계부사

Chapter 07 내신 대비 실전 TEST

Get Ready

관계사

관계대명사

I saw a girl. + She wore a white dress.

→ I saw a girl [who wore a white dress].

선행사 / 관계대명사절(a girl을 수식하는 형용사절)

나는 흰색 드레스를 입은 소녀를 보았다.

관계부사

I can't forget the day. + I met her on the day.

→ I can't forget the day [when I met her].

선행사 / 관계부사절(the day를 수식하는 형용사절)

나는 그녀를 만난 날을 잊을 수가 없다.

1. **관계사**란 서로 공통되는 부분이 있는 두 문장을 하나로 합하여 문장을 간결하게 만들기 위해 사용되는 말로, 관계대명사와 관계부사가 있습니다. 관계사가 이끄는 절[관계사절]은 형용사처럼 앞에 나온 명사[선행사]를 수식합니다.
2. **관계대명사**는 「접속사+대명사」 역할을 하는 말이고, **관계부사**는 「접속사+부사」 역할을 하는 말이에요.

Point

31 주격 관계대명사

❶ 주격 관계대명사는 관계대명사절 안에서 주어 역할을 하며, 선행사에 따라 who, which, that 중에서 골라 쓴다.

선행사가 '사람'일 때	**who / that**	I know the lady. + She owns this house. 나는 숙녀를 안다. + 그녀는 이 집을 소유하고 있다. → I know the lady [**who** owns this house]. 나는 이 집을 소유하고 있는 숙녀를 안다. 선행사(사람) 관계대명사절에서 주어 역할
선행사가 '사물/동물'일 때	**which / that**	It is an ice cream. + It tastes like melon. 그것은 아이스크림이다. + 그것은 멜론 맛이 난다. → It is an ice cream [**which** tastes like melon]. 그것은 멜론 맛이 나는 아이스크림이다. 선행사(사물) 관계대명사절에서 주어 역할

❷ 「주격 관계대명사+be동사+분사/형용사」에서 〈주격 관계대명사+be동사〉는 생략할 수 있다.

The baby (**who is**) smiling at me is my son. 나에게 미소 짓고 있는 아기가 내 아들이다.
This is something (**that is**) very important. 이것은 매우 중요한 일이다.

주격 관계대명사절 내의 동사는 선행사의 인칭과 수에 일치시켜요.

He has a dog **that** has long hair. 그에게는 털이 긴 개 한 마리가 있다.
He has two dogs **that** have long hair. 그에게는 털이 긴 개 두 마리가 있다.

문법 확인 Ⓐ 문장 해석하기

▸ Answer p.22

1 I have many friends **who** help me. → 내게는 ______ 많은 친구들이 있다.

2 She is reading a book **which** is about human rights. → 그녀는 ______ 책을 읽고 있다.

3 I interviewed the director **that** won the Jury Prize. → 나는 ______ 감독을 인터뷰했다.
★jury 심사위원

4 He is an architect **who** designs buildings. → 그는 ______ 건축가이다.

5 Look at the elephant **which** is eating leaves. → ______ 코끼리를 봐요.

6 The car **that** was parked on the road was damaged. → ______ 차가 파손되었다.

7 Do you know the man **who** is picking up trash? → ______ 남자를 너는 아니?

Point

32 소유격 · 목적격 관계대명사

❶ 소유격 관계대명사는 관계대명사절 안에서 명사의 소유격 역할을 하며, 선행사와 상관없이 whose를 쓴다.

선행사가 '사람/사물/동물'일 때 모두 가능	whose	I bought the wallet. + Its color is black. 나는 지갑을 샀다. + 그것의 색깔은 검정색이다. → I bought the wallet [**whose** color is black]. 나는 색깔이 검정색인 지갑을 샀다. 선행사(사물) 관계대명사절에서 소유격 역할

❷ 목적격 관계대명사는 관계대명사절 안에서 목적어 역할을 하며, 선행사에 따라 who(m), which, that 중에서 골라 쓴다.

선행사가 '사람'일 때	who(m) / that	My uncle is the person. + I admire him. 나의 삼촌은 사람이다. + 나는 그를 존경한다. → My uncle is the person [**who(m)** I admire]. 나의 삼촌은 내가 존경하는 사람이다. 선행사(사람) 관계대명사절에서 목적어 역할
선행사가 '사물/동물'일 때	which / that	I lost the doll. + My father bought it for me. 나는 인형을 잃어버렸다. + 나의 아버지는 그것을 나에게 사주었다. → I lost the doll [**which** my father bought for me]. 선행사(사물) 관계대명사절에서 목적어 역할 나는 아버지가 나에게 사준 인형을 잃어버렸다.

❸ 목적격 관계대명사는 생략할 수 있다. 단, 「전치사+목적격 관계대명사」의 어순일 때는 목적격 관계대명사를 생략할 수 없다.

This is the book (**which**) you are looking *for*. (○)
이것이 당신이 찾고 있는 책입니다.

This is the book *for* you are looking. (×)

» 관계대명사가 전치사의 목적어인 경우에는 「전치사+관계대명사」의 어순으로 쓰거나 전치사를 관계대명사절의 끝에 씁니다.

+

관계대명사 who**와** that**은 「전치사+관계대명사」의 어순으로는 쓸 수 없어요.**

This is the man *about* **who[that]** I told you. (×) 이분이 내가 당신에게 말했던 사람이에요.

문법 확인 B 문장 해석하기

▸ Answer p.22

1 I saw many houses **whose** roofs were red. → 나는 ______ 많은 집들을 보았다.
★소유격 관계대명사절은 〈whose+명사〉로 시작해요.

2 A man **whose** name is Jack lives next door. → ______ 남자가 옆집에 산다.

3 That is the policy **which** I cannot support. → 그것은 ______ 정책이다.
★support 지지하다

4 He had a dream in **which** he fell off a cliff. → 그는 ______ 꿈을 꾸었다.
★cliff 절벽

5 I need someone **whom** I can rely on. → 나는 ______ 누군가가 필요하다.
★rely on ~에게 의지하다

6 I mentioned the things **that** I witnessed. → 나는 ______ 것들을 언급했다.
★witness 목격하다

▸ Answer p.22

문법 기본 Ⓐ 빈칸에 들어갈 말에 V 표시하기 (중복 표시 가능)

1 She is the woman __________ saved a family from a fire. □ who □ whose □ that

2 I like pizza __________ has potato wedges on it. □ who □ whose □ which

3 He was a mailman __________ hair was red. □ who □ whose □ whom

4 Look at the tower __________ top was made of metal. □ who □ whose □ which

5 I will not change the decision __________ I have made. □ who □ which □ that

6 She has a daughter __________ she always praises. □ who □ whose □ whom

7 He was the only man with __________ I worked. □ who □ whose □ whom

문법 기본 Ⓑ 알맞은 말 고르기

1 Seoul is a city which is / are full of excitement.
서울은 신나는 일이 가득한 도시이다.

2 I have a friend which / whose nickname is koala.
내게는 별명이 코알라인 친구가 있다.

3 He is a football player whom / which every Korean knows.
그는 모든 한국 사람들이 아는 축구 선수이다.

4 There is a matter to which / that I must attend.
내가 주의를 기울여야 하는 문제가 있다.

5 The man who is / is singing with a microphone is my son.
마이크로 노래를 부르고 있는 남자가 내 아들이다.

6 The pet that I want to have is / are a turtle.
내가 기르고 싶은 반려동물은 거북이다.

7 She smiled at the children who / whom were talking in class.
그녀는 교실에서 이야기하고 있는 아이들에게 미소지었다.

▸ Answer p.22

문법 쓰기 Ⓐ 관계대명사를 활용하여 한 문장으로 바꿔 쓰기

Example	The boy is skating. + He is my little brother. → *The boy who[that] is skating is my little brother.*

1 I bought a book. + It is written in French.

→

2 I have a friend. + Her mother is a PE teacher.

→

3 Hemingway was the writer. + He wrote *The Old Man and the Sea*.

→

4 The judges selected one winner. + They would give the award to him[her].

→

문법 쓰기 Ⓑ 틀린 부분 고치기

Example	There are many people whom have survived. 살아남은 많은 사람들이 있다.	*whom*	→	*who[that]*

1 Do you see the boy which is holding the trophy? →
당신은 트로피를 들고 있는 소년이 보이나요?

2 Jack is a football player whom position is a goalkeeper. →
Jack은 포지션이 골키퍼인 축구 선수이다.

3 Amy is the girl with who I went to the library yesterday. →
Amy는 내가 어제 도서관에 함께 갔던 여자아이이다.

4 The fruit of which you sent me was very delicious. →
당신이 나에게 보낸 과일은 매우 맛있었다.

5 The house in that Mike lives is really clean. →
Mike가 사는 집은 매우 깨끗하다.

6 The weather is a factor which are generally unpredictable. →
날씨는 일반적으로 예측할 수 없는 요소이다.

▸ Answer p.22

문법 쓰기 Ⓒ 주어진 단어와 관계대명사를 활용하여 문장 완성하기

Example 당신이 초대한 사람들이 오고 있습니다. (invite, come)

→ *The people (who(m)) you invited are coming.*

1 이것은 한국 전쟁에 관한 영화이다. (be, about, the Korean War)

→ This is a movie ______________________.

2 나는 얼굴이 창백한 그 남자가 걱정스러웠다. (face, pale)

→ I was worried about the man ______________________.

3 그 학생들은 손수레를 끌고 있는 노인을 도와드렸다. (pull, a handcart)

→ The students helped an old man ______________________.

4 그는 내가 동의할 수 있는 제안을 했다. (could, agree with)

→ He made an offer ______________________.

5 우리는 수학을 전공한 사람이 필요하다. (need, someone, major in)

→ ______________________

6 나에게는 마음이 상한 친구가 있다. (have, a friend, heart, be broken)

→ ______________________

7 그가 내게 사주었던 꽃들은 좋은 향이 난다. (the flowers, buy, smell, good)

→ ______________________

8 네가 말한 모바일 게임은 놀라웠다. (the mobile game, talk about, amazing)

→ ______________________

▸ Answer p.22

서술형 예제 1

다음 대화를 읽고, 관계대명사와 괄호 안의 말을 이용하여 밑줄 친 우리말을 영작하시오. ♣ Point 31

A: Did you see the movie which I recommended to you?
B: Yes. 그것은 내 마음을 무겁게 만든 영화였어.
(a movie, make, heart, heavy)

→ ______________________________

Teacher's guide

STEP ❶
밑줄 친 우리말 문장에서 '내 마음을 무겁게 만든'은 의미상 형용사절에 해당합니다. 이 부분을 관계대명사절로 씁니다.

STEP ❷
선행사는 the movie이므로, 선행사가 사물일 때 쓰는 주격 관계대명사 which[that]를 사용하여 관계대명사절을 만듭니다.

정답 » It was a movie which[that] made my heart heavy.

실전 연습 1

다음 대화를 읽고, 관계대명사와 괄호 안의 말을 이용하여 밑줄 친 우리말을 영작하시오. ♣ Point 31

A: Did you meet the man whom I introduced to you?
B: Yes. 그는 모든 사람들의 마음을 끄는 성격을 갖고 있더라. (have, a personality, attract, everyone)

→ ______________________________

서술형 예제 2

다음 우리말을 〈조건〉에 맞게 영작하시오. ♣ Point 32

이것은 내가 쓸 수 있는 에세이 주제이다.

조건
- 관계대명사를 사용할 것
- this, an essay topic, can, write about을 사용할 것
- 총 10단어의 완전한 문장으로 쓸 것

→ ______________________________

Teacher's guide

STEP ❶
주어진 우리말 문장에서 '내가 쓸 수 있는'은 의미상 형용사절에 해당합니다. 이 부분을 관계대명사절로 씁니다.

STEP ❷
선행사는 an essay topic이므로, 선행사가 사물일 때 쓰는 관계대명사 which[that]를 사용하여 관계대명사절을 만듭니다. 이때 관계대명사가 전치사 about의 목적어 역할을 하므로, 「전치사+관계대명사」의 어순으로도 쓸 수 있습니다.

정답 » This is an essay topic which[that] I can write about.
[This is an essay topic about which I can write.]

실전 연습 2

다음 우리말을 〈조건〉에 맞게 영작하시오. ♣ Point 32

그녀는 자신이 참가할 공연을 위해 연습했다.

조건
- 관계대명사를 사용할 것
- practice, the performance, would, participate in을 사용할 것
- 총 10단어의 완전한 문장으로 쓸 것

→ ______________________________

Point

33 관계대명사 that / what

❶ 주로 관계대명사 that을 쓰는 경우

1) 선행사가 「사람+사물[동물]」인 경우
2) 선행사가 -thing으로 끝나는 부정대명사인 경우
3) 선행사가 최상급, 서수, every, all, any, no, the only, the very, the same, the last 등의 수식을 받는 경우

This is *the longest* bridge **that** I've ever seen. 이것은 내가 지금까지 본 것 중 가장 긴 다리이다.
Look at *the boy and the dog* **that** are swimming. 수영하고 있는 소년과 개를 봐.

❷ 관계대명사 what

1) what은 선행사를 포함하는 관계대명사로, '~하는 것'의 의미이다.
2) what은 the thing which[that]로 바꿔 쓸 수 있다.
3) what이 이끄는 명사절은 문장에서 주어, 목적어, 보어 역할을 한다.

Sushi is the thing. + I want to eat it for lunch. 스시는 음식이다. + 나는 점심으로 그것을 먹고 싶다.
→ Sushi is [**what** I want to eat for lunch]. 스시는 내가 점심으로 먹고 싶은 음식이다.
= Sushi is the thing [**which** I want to eat for lunch].
선행사

+

관계대명사 that vs. **접속사** that

	기능	뒤에 이어지는 절의 형태
관계대명사 that	선행사를 수식하는 형용사절	불완전한 절(필수 요소 부족)
접속사 that	주어, 목적어, 보어 역할을 하는 명사절	완전한 절(필수 요소 충분)

This is the very wallet **that** I lost. 〈관계대명사 that〉 이것은 내가 잃어버렸던 바로 그 지갑이다.
I know **that** I lost my wallet on the train. 〈접속사 that〉 나는 내 지갑을 열차에서 잃어버렸다는 것을 알고 있다.

문법 확인 Ⓐ 문장 해석하기

▸ Answer p.22

1 The only one **that** matters is present. → ____ 유일한 것은 현재이다.

2 Is there anything **that** you didn't understand? → ____ 것이 있나요?

3 All **that** children want is to be loved. → ____ 전부는 사랑받는 것이다.

4 Soaking in a tub is **what** I want. → 욕조에 몸을 담그는 것이 ____.

5 You must remember **what** we discussed. → 너는 ____ 기억해야 한다.
★discuss 논의하다

6 **What** made me happy was my mother's smile. → ____ 내 어머니의 미소였다.

Point
34 관계부사

❶ 관계부사는 「접속사+부사」 역할을 하는 말로, 관계부사가 이끄는 절은 선행사를 수식한다. 관계부사는 「전치사+관계대명사」로 바꿔 쓸 수 있다.

선행사	관계부사	전치사+관계대명사
시간 · 때(the time, the day, the week, the year 등)	when	at/on/in+which
장소(the place, the city, the town, the house 등)	where	at/on/in/to+which
이유(the reason)	why	for+which
방법 · 방식(the way)	how	in+which

2018 was the year. + The Olympics were held in Korea in that year. 2018년은 해였다. + 그해에 올림픽은 한국에서 열렸다.
→ 2018 was the year [**when** the Olympics were held in Korea]. 2018년은 올림픽이 한국에서 열린 해였다.
선행사(때)
= 2018 was the year [**in which** the Olympics were held in Korea].

❷ 관계부사와 선행사의 생략

1) 선행사가 the time, the place, the reason일 때, 선행사나 관계부사가 생략될 수 있다.
2) 관계부사 how와 선행사 the way는 함께 쓰지 않으며, 둘 중 하나만 써야 한다.

Do you know **when** the magic show begins? 〈선행사 the time의 생략〉 너는 마술쇼가 시작하는 시간을 아니?
I visited *the place* she had worked. 〈관계부사 where의 생략〉 나는 그녀가 일했던 곳을 가보았다.
This is **how** he studies English. = This is *the way* he studies English. 이것이 그가 영어를 공부하는 방법이다.

문법 확인 Ⓑ 문장 해석하기

▸ Answer p.22

1 This is **how** the machine was created.
→ 이것이 __________ .

2 This is **the way** we can get to the top.
→ 이것이 __________ 방법이다.

3 The reason **why** he acted like that was very simple.
→ __________ 이유는 매우 단순했다.

4 Don't live in a town **where** there are no doctors.
→ __________ 마을에는 살지 마라.

5 March is the month **when** flowers begin blooming. ★bloom (꽃이) 피다
→ 3월은 __________ 달이다.

▸ Answer p.22

문법 기본 Ⓐ 빈칸에 들어갈 말에 V 표시하기 (중복 표시 가능)

1 This is the time ________ you should take action. □ when □ where □ what

2 There is no reason ________ I should apologize to you. □ why □ how □ what

3 I remember the house ________ I was born. □ who □ where □ what

4 They don't sell ________ I really need. □ which □ what □ that

5 He doesn't do anything ________ would harm others. □ which □ whose □ that

6 This is ________ the Red Cross started. □ where □ how □ who

7 I couldn't understand ________ he said. □ whom □ what □ that

문법 기본 Ⓑ 알맞은 말 고르기

1 This is the way / the way how people act in relationships.
이것은 사람들이 관계에서 행동하는 방식이다.

2 It is the reason why / what I broke up with her.
그것이 내가 그녀와 헤어진 이유이다.

3 The time how / when he is most busy is Monday morning.
그가 가장 바쁜 때는 월요일 오전이다.

4 That / What is important is how to deal with these feelings.
중요한 것은 이 감정을 다루는 방법이다.

5 This is the best experience which / that I have had in recent years.
이것은 내가 최근 몇 년간 해본 것 중 최고의 경험이다.

6 London is the city when / where I spent most of my life.
런던은 내가 삶의 대부분을 보낸 도시이다.

7 Romeo believed that / what love would conquer all.
Romeo는 사랑이 모든 것을 정복할 거라고 믿었다.

▸ Answer p.22

문법 쓰기 A 관계사를 활용하여 한 문장으로 바꿔 쓰기

Example This is the only book. + I borrowed the book from the library.
→ This is the only book *that* *I* *borrowed* from the library.

1 He is the very person. + I sang with the person.

→ He is the very person ____ ____ ____ ____ .

2 You must not forget the thing. + I told you the thing.

→ You must not forget ____ ____ ____ ____ .

3 I visited the house. + My parents lived in the house.

→ I visited the house ____ ____ ____ ____ .

4 I don't know the way. + He handled the problem in the way.

→ I don't know ____ ____ ____ ____ ____ .

문법 쓰기 B 틀린 부분 고치기 (단, 한 단어로 고칠 것)

Example The house why you stayed was my uncle's. *why* → *where*
당신이 머물렀던 그 집은 나의 삼촌의 집이었다.

1 The safety of the students is that matters to me. ____ → ____
학생들의 안전이 나에게는 중요한 것이다.

2 I want to buy something which I can buy only here. ____ → ____
나는 이곳에서만 살 수 있는 것을 사고 싶다.

3 Technology changes the way how people shop. ____ → ____
기술은 사람들이 쇼핑하는 방식을 바꾼다.

4 I don't know the reason where she isn't coming. ____ → ____
나는 그녀가 오지 않는 이유를 모르겠다.

5 This is the place what the last battle was fought. ____ → ____
이곳은 마지막 전투가 있었던 장소이다.

6 The truth is what you lied to me. ____ → ____
진실은 네가 나에게 거짓말을 했다는 것이다.

문법 쓰기 Ⓒ 주어진 단어와 관계사를 활용하여 문장 완성하기

▸ Answer p.23

Example 그것이 내가 말하기를 원했던 것이다. (that, what, want, say)
→ *That is what I wanted to say.*

1 우리는 생존을 위해 필수적인 것을 할 것이다. (what, necessary)

→ We will do ______ for our survival.

2 그 영화는 여행을 떠났던 한 소녀와 그녀의 개에 관한 것이다. (go on a journey)

→ The movie is about a girl and her dog ______.

3 당신이 한국을 방문해야 하는 또 하나의 이유는 그것의 문화이다. (should, visit)

→ Another reason ______ is its culture.

4 달리기는 내가 스트레스를 해소하는 방법이다. (release, stress)

→ Running is ______.

5 그녀는 자신이 가진 돈 전부를 내게 주었다. (give, all the money, have)

→ ______

6 내가 원하는 것은 너의 진심어린 사과이다. (what, want, sincere apology)

→ ______

7 그 식당은 그가 내게 청혼한 장소였다. (the restaurant, the place, propose to)

→ ______

8 3월은 우리가 함께 모이는 달이다. (get together)

→ ______

▸ Answer p.23

서술형 예제 1

다음 우리말을 〈조건〉에 맞게 영작하시오. Point 33

나는 그녀가 나에게 요청하는 어떤 것도 할 것이다.

조건	• 관계대명사를 사용할 것 • will, do, anything, ask를 사용할 것 • 총 8단어의 완전한 문장으로 쓸 것

→ ______________________________

Teacher's guide

STEP ❶

주어진 우리말 문장에서 '그녀가 나에게 요청하는'은 의미상 형용사절에 해당합니다. 이 부분을 관계대명사절로 씁니다.

STEP ❷

선행사가 -thing으로 끝나는 부정대명사인 경우, 관계대명사 that을 사용합니다. 주어진 문장에서 선행사가 anything이므로, 관계대명사 that을 써서 관계대명사절을 만듭니다.

정답 >> I will do anything that she asks me.

실전 연습 1

다음 우리말을 〈조건〉에 맞게 영작하시오. Point 33

나는 잘못된 어떤 것도 말하지 않았다.

조건	• 관계대명사를 사용할 것 • say, anything, false를 사용할 것 • 총 8단어의 완전한 문장으로 쓸 것

→ ______________________________

서술형 예제 2

다음 대화를 읽고, 관계부사와 괄호 안의 말을 이용하여 밑줄 친 우리말을 영작하시오. Point 34

A: I like summer most. What is your favorite season?

B: It's spring. 봄은 많은 꽃들이 피어나는 계절이야. (the season, many flowers, blossom)

→ ______________________________

Teacher's guide

STEP ❶

밑줄 친 우리말 문장에서 '많은 꽃들이 피어나는'은 의미상 형용사절에 해당합니다. 이 부분을 관계부사절로 씁니다.

STEP ❷

선행사는 the season이므로, 선행사가 시간 · 때를 나타낼 때 쓰는 관계부사 when을 사용하여 관계부사절을 만듭니다.

정답 >> Spring is the season when many flowers blossom.

실전 연습 2

다음 대화를 읽고, 관계부사와 괄호 안의 말을 이용하여 밑줄 친 우리말을 영작하시오. Point 34

A: Tommy, look at this picture. 이곳이 피카소가 태어났던 장소야. (this, the place, Picasso, be born)

B: Oh, I'd like to visit the place in person.

→ ______________________________

Point

35 복합관계대명사

복합관계대명사란 「관계대명사+-ever」의 형태로 그 자체에 선행사가 포함된 말이다. 명사절이나 양보의 부사절을 이끈다.

복합관계대명사	whoever	whichever	whatever
명사절	anyone who (~하는 사람은 누구든지)	anything which (~하는 어느 것이든지)	anything that (~하는 무엇이든지)
양보의 부사절	no matter who (누가 ~하더라도)	no matter which (어느 것이[을] ~하더라도)	no matter what (무엇이[을] ~하더라도)

Whoever wants the book may have it.
= Anyone who
그 책을 원하는 사람은 누구든지 그것을 가져도 좋다.

Whoever talks to them, they will never listen.
= No matter who
누가 그들에게 말을 한다 하더라도, 그들은 결코 듣지 않을 것이다.

Whomever you want, I don't care.
= No matter whom
네가 누구를 원하든, 나는 상관하지 않는다.

>> 사람인 선행사를 포함하는 복합관계대명사 whoever가 목적어 역할을 할 때는 whomever를 씁니다.

Whichever it is, we will learn it.
= No matter which
그것이 어떤 것이라 하더라도, 우리는 그것을 배울 것이다.

You can eat **whatever** you want here.
= anything that
여기에서는 당신이 원하는 무엇이든지 먹을 수 있다.

문법 확인 Ⓐ 문장 해석하기

▸ Answer p.23

1 **Whoever** breaks this rule shall be punished.

→ ______ 처벌받을 것이다.

2 You can bring **whichever** you want to share with us.

→ 당신은 ______ 가져올 수 있어요.

3 I will follow **whatever** you suggest. ★suggest 제안하다

→ 나는 ______ 따를 것이다.

4 I sent invitations to **whomever** I knew.

→ 나는 ______ 초대장을 보냈다.

5 **Whatever** people say, it's their opinions and not mine.

→ ______, 그것은 그들의 의견이지 내 의견은 아니다.

Point

36 복합관계부사

복합관계부사란 「관계부사+-ever」의 형태로 그 자체에 선행사가 포함된 말이다. 시간 · 장소의 부사절이나 양보의 부사절을 이끈다.

복합관계부사	whenever	wherever	however
시간 · 장소의 부사절	at any time when (~할 때마다, ~할 때 언제든지)	at any place where (~한 곳 어디에나)	–
양보의 부사절	no matter when (언제 ~하더라도)	no matter where (어디에서 ~하더라도)	no matter how (아무리 ~하더라도)

You can come to me **whenever** you want.
= at any time when
네가 원할 때는 언제든지 나에게 올 수 있다.

» 복합관계부사절은 복합관계대명사절과는 달리 부사절로만 쓰이고 명사절로는 쓰이지 않아요.

Whenever he calls me, I always answer the phone.
= No matter when
그가 내게 언제 전화하더라도, 나는 항상 전화를 받는다.

Some people enjoy themselves **wherever** they are.
= no matter where
어떤 사람들은 그들이 어느 곳에 있든지 즐거운 시간을 보낸다.

However rich he is, he is not a happy person.
= No matter how
그가 아무리 부자이더라도, 그는 행복한 사람이 아니다.

» 복합관계부사 however가 이끄는 절의 어순은 「however+형용사[부사]+주어+동사~」입니다.

However badly they are behaving, they can change.
= No matter how
그들이 아무리 나쁘게 행동하고 있더라도, 그들은 변할 수 있다.

» 복합관계부사 however는 양보의 부사절만 이끌어요.

문법 확인 B 문장 해석하기

▸ Answer p.23

1 Jack helps Carol **whenever** she is in trouble.

→ Jack은 ________________ 그녀를 돕는다.

2 **Wherever** she may be, I always think of her.

→ ________________, 나는 항상 그녀를 생각한다.

3 Cherish the moment, **however** small it is.

→ ________________ 그 순간을 소중히 하라.

4 **Whenever** you visit him, he won't meet you.

→ ________________, 그는 당신을 만나지 않을 것이다.

5 **Wherever** she goes, many people want to see her.

→ ________________, 많은 사람들이 그녀를 보기를 원한다.

▸ Answer p.23

문법 기본 Ⓐ <보기>에서 알맞은 복합관계사를 골라 쓰기

보기

whomever whichever whatever whenever wherever however

1 ________ hard I tried, I could not persuade her. (내가 아무리 열심히 노력해도 그녀를 설득할 수 없었다.)

2 I will work with ________ you recommend. (나는 네가 추천하는 사람이면 누구나 함께 일할 것이다.)

3 Tom is prepared for ________ may happen. (Tom은 무슨 일이 일어나든지 대비가 되어 있다.)

4 ________ it rains, the inside of the house gets wet. (비가 올 때마다 집의 내부가 젖는다.)

5 You may choose ________ you want of the four. (당신은 넷 중에 원하는 어느 것이든지 선택할 수 있다.)

6 ________ Mary may go, she is loved. (Mary는 어느 곳을 가더라도 사랑받는다.)

문법 기본 Ⓑ 알맞은 말 고르기

1 She looks pretty in what / whatever she wears.

그녀는 무엇을 입더라도 예뻐 보인다.

2 People can vote for whom / whomever they want.

사람들은 자신들이 원하는 사람 누구에게나 투표할 수 있다.

3 I'll buy the model figure, however it much / however much it costs.

그것이 아무리 비싸더라도 나는 그 모형 피규어를 살 것이다.

4 Wherever / Whatever he goes, he always takes his handkerchief.

그는 어느 곳을 가더라도 항상 손수건을 가져간다.

5 No matter how / what you say, I will reject your offer.

네가 무슨 말을 하든지, 나는 네 제안을 거절할 것이다.

6 No matter / Anyone who cares to learn will always find a teacher.

배우려고 노력하는 사람은 누구든지 항상 스승을 찾을 것이다.

▸ Answer p.23

문법 쓰기 A 복합관계사를 활용하여 문장 바꿔 쓰기

Example No matter what happens, I'll always be here for you.
→ *Whatever happens*, I'll always be here for you.

1 Anyone who broke the window will have to pay for it.

→ ______________ will have to pay for it.

2 No matter what you do, don't give up halfway.

→ ______________, don't give up halfway.

3 No matter how tired you may be, you should still stick to the job.

→ ______________, you should still stick to the job.

4 At any place where he goes, he always wears a cap.

→ ______________, he always wears a cap.

문법 쓰기 B 틀린 부분 고치기

Example Let me know whoever you need me. *whoever* → *whenever*
네가 나를 필요로 할 때는 언제든지 내게 알려줘.

1 He was angry with who opposed him. ______ → ______
그는 자신에게 반대하는 사람 누구에게나 화를 냈다.

2 No which matter he decides, I'll wish him the best. ______ → ______
그가 어느 것을 결정하더라도, 나는 그에게 행운을 빌어줄 것이다.

3 You may leave whichever you are ready. ______ → ______
네가 준비되었을 때는 언제든지 출발해도 좋다.

4 Anyone whom visits him is welcomed. ______ → ______
그를 방문한 사람은 누구나 환영받는다.

5 Whatever I go to the library, I meet her. ______ → ______
내가 도서관에 갈 때마다 나는 그녀를 만난다.

6 However I carefully explained, he didn't understand it. ______ → ______
내가 아무리 정성 들여 설명했을지라도, 그는 그것을 이해하지 못했다.

▸ Answer p.23

문법 쓰기 Ⓒ 주어진 단어와 복합관계사를 활용하여 문장 완성하기

Example 네가 원하는 곳 어디에나 앉아라. (sit, like)
→ *Sit wherever you like.*

1 네가 어디에 있든지 나는 너와 함께 있기를 원해. (be)

→ I want to be with you ________________ .

2 당신이 어느 것을 사더라도, 당신은 10퍼센트의 할인을 받을 것입니다. (buy)

→ ________________ , you will get a 10% discount.

3 그는 자신이 만난 사람은 누구든지 자신의 식당에 초대했다. (meet)

→ He invited ________________ to his restaurant.

4 그것이 아무리 작다하더라도, 우리는 모든 기부에 감사한다. (small)

→ We appreciate every donation, ________________ .

5 누가 나의 상대이든지, 나는 상관없다. (opponent, care)

→

6 내가 할아버지를 방문했을 때마다, 나는 편안함을 느꼈다. (visit, grandpa, feel, comfortable)

→

7 그녀가 너에게 무엇을 말했을지라도, 너는 그것을 믿으면 안 된다. (tell, should, believe)

→

8 그가 아무리 부자였을지라도, 그는 계속 일했다. (rich, continue, working)

→

▸ Answer p.23

서술형 예제 1

다음 우리말을 〈조건〉에 맞게 영작하시오. Point 35

그들이 제안하는 무엇이든지 재미있지 않다.

조건
- 복합관계사를 사용할 것
- suggest, interesting을 사용할 것
- 총 6단어의 완전한 문장으로 쓸 것

→ ______________________________

Teacher's guide

STEP ❶
주어진 우리말 문장에서 주어는 '그들이 제안하는 무엇이든지'입니다. '~하는 무엇이든지'라는 뜻의 복합관계대명사 whatever가 이끄는 절을 쓰세요.

STEP ❷
주어로 쓰인 절은 단수 취급하여, 뒤에 단수 동사가 이어진다는 것에 유의하세요.

정답 ≫ Whatever they suggest is not interesting.

실전 연습 1

다음 우리말을 〈조건〉에 맞게 영작하시오. Point 35

나의 부모님은 내가 결혼할 사람은 누구든지 좋아하실 것이다.

조건
- 복합관계사를 사용할 것
- will, love, marry를 사용할 것
- 총 8단어의 완전한 문장으로 쓸 것

→ ______________________________

서술형 예제 2

다음 주어진 문장을 복합관계사를 이용하여 바꿔 쓰시오. Point 36

At any time when he sees injustice, he's always the first to come forward.

→ __________ __________ __________ __________, he's always the first to come forward.

Teacher's guide

STEP ❶
At any time when은 '~할 때마다'라는 뜻으로, 선행사와 관계부사가 포함된 표현입니다. 이 표현은 복합관계부사 Whenever로 대체할 수 있어요.

STEP ❷
Whenever를 제외한 나머지 부분은 그대로 옮겨 씁니다.

정답 ≫ Whenever he sees injustice

실전 연습 2

다음 주어진 문장을 복합관계사를 이용하여 바꿔 쓰시오. Point 36

I will not give up no matter how tired I become.

→ I will not give up, __________ __________ __________ __________.

CHAPTER 07 관계사

내신 대비 실전 TEST

▸ Answer p.23

객관식 (01~10)

대표 Point 34

01 다음 빈칸에 공통으로 들어갈 말로 알맞은 것은?

• He was the reason ________ I left Amsterdam.
• That was ________ I sold my house.

① who ② what ③ which
④ why ⑤ how

Point 32, 33

02 다음 빈칸에 들어갈 말이 순서대로 짝지어진 것은?

• Did you like ________ you ordered from the menu?
• I don't know the person about ________ you're speaking.

① what – whom ② what – who
③ what – which ④ that – who
⑤ that – whom

Point 31, 32

03 다음 밑줄 친 부분 중 생략할 수 없는 것은?

① He is the singer that I like most.
② I know the man whom she mentioned.
③ This is the flower which is called Lily.
④ There was no one who was talking against her.
⑤ This is the work for which I need your help.

고난도 Point 31, 32, 33

04 다음 중 어법상 틀린 것은?

① I know a man whose hobby is flying a drone.
② Don't do anything that upsets your parents.
③ There are many children who needs our care.
④ What disappointed me is that it was not clean.
⑤ This is the ballpoint pen which I've been looking for.

Point 35

05 다음 우리말을 영어로 바르게 옮긴 것은?

먼저 끝내는 사람 누구에게든 보상이 있다.

① There is a reward for who finishes first.
② There is a reward for whom finishes first.
③ There is a reward for whoever finishes first.
④ There is a reward for whatever finishes first.
⑤ There is a reward for no matter who finishes first.

Point 33

06 다음 빈칸에 들어갈 말로 알맞은 것은?

He gave her the same answer ________ I did.

① who ② which ③ whose
④ that ⑤ what

Point 36

07 다음 우리말과 일치하도록 할 때, 빈칸에 들어갈 말로 알맞은 것은?

그들이 돈을 아무리 많이 벌지라도, 그들은 결코 만족하지 않을 것이다.
→ ________, they will never be satisfied.

① How they much earn
② How much they earn
③ However much they earn
④ However they much earn
⑤ No matter they much earn

Point 36

08 다음 밑줄 친 부분과 바꿔 쓸 수 있는 것은?

He will be there at any time when I call on him.

① who ② when ③ what
④ whenever ⑤ whatever

Point 32

09 다음 두 문장을 한 문장으로 알맞게 바꾼 것은?

- There is the dentist.
- I told you about the dentist.

① There is the dentist that I told you.
② There is the dentist about that I told you.
③ There is the dentist about who I told you.
④ There is the dentist what I told you about.
⑤ There is the dentist who I told you about.

Point 34

10 다음 중 〈보기〉와 의미가 같은 것은?

• 보기 •
I don't like how he speaks to me.

① I don't like what he speaks to me.
② I don't like when he speaks to me.
③ I don't like which he speaks to me.
④ I don't like the way he speaks to me.
⑤ I don't like the reason he speaks to me.

서술형 기본 (11~18)

[11~12] 다음 문장에서 어법상 틀린 부분을 찾아 바르게 고쳐 쓰시오.

Point 35

11 However wants to join us is welcome.

________ → ________

Point 36

12 Whatever much I respect her, I can't agree with her opinion.

________ → ________

Point 33

13 다음 우리말과 일치하도록 괄호 안의 말을 바르게 배열하시오.

이것이 내가 찾고 있던 바로 그 사전이다.
(the, dictionary, this, very, is, that)

→ ________ I have been looking for.

Point 32

14 다음 밑줄 친 부분을 바르게 고쳐 쓰시오.

This is the national park at that people can enjoy nature.

→ ________

대표

[15~16] 다음 두 문장을 관계사를 이용하여 한 문장으로 바꿔 쓰시오.

Point 32

15
- I lost the book.
- I had borrowed the book from the library.

→ I lost ________ from the library.

Point 34

16
- This is the gym.
- I learned fencing at the gym.

→ This is ________ fencing.

고난도

[17~18] 다음 우리말과 일치하도록 괄호 안의 말을 이용하여 빈칸에 알맞은 말을 쓰시오.

Point 31

17 Jack이 그 실험에 대해 설명할 사람이다.
(the one, will, explain / 5단어로 쓸 것)

→ Jack is ________ about the experiment.

Point 36

18 네가 어디에서 일하더라도, 항상 최선을 다해라.
(work / 3단어로 쓸 것)

→ ________, always try your best.

서술형 심화 (19~24)

Point 33

19 다음 우리말을 〈조건〉에 맞게 영작하시오.

내가 너에게 듣고 싶은 것은 사과이다.

조건
• 관계대명사를 사용할 것
• want, hear from, an apology를 사용할 것
• 총 10단어의 완전한 문장으로 쓸 것

→ ______________________

Point 34

20 다음 두 문장을 관계부사를 이용하여 한 문장으로 바꿀 때, 빈칸에 알맞은 말을 쓰시오.

(1) He explained the reason. He was late for the appointment for the reason.

→ He explained ______________________
______________________.

(2) I will never forget the moment. I saw Cathy at the moment for the first time.

→ I will never forget ______________________
______________________.

Point 35

21 다음 우리말과 일치하도록 괄호 안의 말을 바르게 배열하시오.

(1) 교실을 마지막으로 나가는 사람이 누구든지 교실 문을 잠가야 한다. (leaves, whoever, last, the classroom)

→ ______________________
has to lock the classroom door.

(2) 네가 상점에서 무엇을 구입하더라도, 너는 그것을 좋아할 것이다. (you, whatever, buy, at the store)

→ ______________________,
you will like it.

대표 Point 31, 32, 33

22 다음 문장을 생략된 부분을 채워서 다시 쓰시오.

(1) Only the people invited could take part in the wedding.

= ______________________

(2) I met the man we saw on TV last night.

= ______________________

Point 35, 36

23 다음 괄호 안의 말을 이용하여 대화를 완성하시오.

(1) A: ______________________,
you can own it completely. (matter, what, choose)
B: Oh, really? Thanks a million!

(2) A: ______________________,
you should spend some time with your family. (however, busy)
B: All right. Thanks for your advice.

고난도 Point 32, 34

24 다음 두 문장을 〈조건〉에 맞게 한 문장으로 바꿔 쓰시오.

• The hotel is remodeling.
• You stayed at the hotel last year.

조건
• (1)은 관계부사를 사용할 것
• (2)는 관계대명사를 사용할 것

(1) ______________________

(2) ______________________

CHAPTER 08

접속사

Point 37 부사절 접속사

Point 38 상관접속사

Point 39 접속사 that

Point 40 간접의문문

Chapter 08 내신 대비 실전 TEST

Get Ready

접속사

부사절 접속사	**As Kate wanted to lose weight, she started to exercise.** Kate가 살을 빼기를 원했기 때문에, 그녀는 운동을 시작했다.
상관접속사	**Exercise is good for both the body and mind.** 운동은 신체와 정신 모두에 좋다.
접속사 that	**I know that exercise is effective in losing weight.** 나는 운동이 살을 빼는 데 효과적이라는 것을 안다.
간접의문문	**I don't know if Kate is losing weight.** 나는 Kate가 살을 빼고 있는지 아닌지 모르겠다.

1. **접속사**는 단어와 단어, 구와 구, 절과 절을 서로 연결해주는 말이에요. 접속사에는 서로 대등한 단어 · 구 · 절 을 연결해주는 **등위접속사**, 두 개 이상의 단어가 짝을 이뤄 쓰이는 **상관접속사**, 시간 · 이유 · 조건 · 양보 등의 의미를 나타내는 부사절을 주절에 연결해주는 **부사절 접속사**, 명사절을 주절에 연결해주는 **명사절 접속사**가 있어요.
2. **간접의문문**은 의문문이 다른 문장의 일부가 된 것을 말해요.

Point

37 부사절 접속사

부사절은 「접속사+주어+동사~」의 형태로, 주절의 앞이나 뒤에 붙어 시간 · 이유 · 조건 · 양보 · 결과 · 목적 등의 의미를 나타낸다. 이러한 부사절을 이끄는 접속사를 부사절 접속사라고 한다.

시간을 나타내는 접속사: when(~할 때), while(~하는 동안), as(~하면서), before(~하기 전에), after(~한 후에), until(~할 때까지), since(~ 이후로), as soon as(~하자마자)

When I have a cold, I stay in bed. 감기에 걸릴 때, 나는 침대에 머물러요. » 부사절이 주절의 앞에 올 때에는 절의 끝에 콤마(,)를 붙여요.

이유를 나타내는 접속사: because, as, since(~때문에)

I was late for school **because** I missed the bus.
나는 버스를 놓쳤기 때문에 학교에 늦었다.
» because는 뒤에 '주어+동사'가 오고, because of 뒤에는 '명사(구)'가 옵니다.

조건을 나타내는 접속사: if(만일 ~라면[한다면]), unless(= if ~ not / 만일 ~하지 않으면)

If you need any help, just let me know. 만약 당신이 도움이 필요하면, 제게 알려주세요.

양보를 나타내는 접속사: though, although, even though(비록 ~할지라도, ~이지만)

Though he is young, he is able. 비록 그는 어리지만 유능하다.

결과 · 목적을 나타내는 접속사: 「so+형용사/부사+that…」(너무 ~해서 …하다)/「so that+주어+조동사+동사원형~」(~하기 위해서)

The soup was **so spicy that** I couldn't eat it. 국이 너무 매워서 나는 그것을 먹을 수가 없었다.
I'm saving money **so that I can buy** the bike. 나는 그 자전거를 사기 위해서 돈을 모으고 있다.

+

시간이나 조건을 나타내는 부사절에서는 미래를 표현하기 위해 현재시제를 써요.

If the price **goes** down later, I will buy it then. 〈조건〉 만약 나중에 가격이 내려가면, 나는 그때 그것을 살 것이다.

문법 확인 Ⓐ 문장 해석하기

▸ Answer p.26

1 I couldn't get her idea **since** she didn't talk much.

→ ______ 나는 그녀의 생각을 알 수 없었다.

2 Nothing good happens **unless** you have a challenge. ★have a challenge 도전하다

→ ______ 어떠한 좋은 일도 일어나지 않는다.

3 **Even though** we fail, we will never stop trying.

→ ______ 우리는 결코 시도를 멈추지 않을 것이다.

4 It was **so** hot **that** I didn't go out.

→ ______ 나는 밖에 나가지 않았다.

5 Please close the curtains **so that** I can sleep.

→ ______ 커튼을 쳐주세요.

Point

38 상관접속사

상관접속사란 둘 이상의 단어가 짝을 이뤄 함께 쓰이는 접속사이다.

「both A and B」: 'A와 B 둘 다'의 뜻으로, 주어로 쓰일 경우 복수 동사를 쓴다.

Both Jane **and** her sister are librarians. Jane과 그녀의 언니 둘 다 사서이다.

「not only A but (also) B」: 'A뿐만 아니라 B도'의 뜻으로, 「B as well as A」로 바꿔 쓸 수 있다. 주어로 쓰일 경우 B에 동사의 수를 일치시킨다.

The story is **not only** *entertaining* **but also** *educational.*
그 이야기는 즐거울 뿐만 아니라 교육적이다.

» 상관접속사로 연결되는 어구는 동일한 품사이거나 문법적으로 성격이 같은 것이어야 합니다.

「not A but B」: 'A가 아니라 B'의 뜻으로, 주어로 쓰일 경우 B에 동사의 수를 일치시킨다.

Not I **but** she is good at English. 내가 아니라 그녀가 영어를 잘한다.

「either A or B」: 'A나 B 둘 중 하나[A이거나 B]'의 뜻으로, 주어로 쓰일 경우 B에 동사의 수를 일치시킨다.

Either you **or** I should participate in the meeting. 당신이나 내가 그 회의에 참석해야 합니다.

「neither A nor B」: 'A와 B 둘 다 아닌'의 뜻으로, 주어로 쓰일 경우 B에 동사의 수를 일치시킨다.

Neither Alex **nor** his brothers are going to the party. Alex와 그의 형제들 모두 파티에 가지 않을 예정이다.

문법 확인 B 문장 해석하기

▸ Answer p.26

1 **Both** men **and** women need to have equal opportunities.

→ ______ 동등한 기회를 가질 필요가 있다.

2 **Not only** I **but also** you are responsible for this accident.

→ ______ 이 사고에 책임이 있다.

3 **Not** I **but** my brother lives in Seattle.

→ ______ 시애틀에 산다.

4 People can use it **either** alone **or** with others.

→ 사람들은 ______ 그것을 이용할 수 있다.

5 **Neither** Chris **nor** Christine could answer the question.

→ ______ 그 질문에 대답할 수 없었다.

▸ Answer p.26

문법 기본 Ⓐ 빈칸에 들어갈 말에 V 표시하기

1 They couldn't swim __________ the weather was so bad. □ though □ because

(날씨가 매우 안 좋았기 때문에 그들은 수영할 수 없었다.)

2 He grew up in Sweden __________ he was 16. □ as □ until

(그는 16세까지 스웨덴에서 자랐다.)

3 __________ he was shy, he expressed his opinion clearly. □ Although □ Unless

(비록 그는 수줍어했지만, 자신의 의견은 분명하게 표현했다.)

4 What happens __________ I press this button? □ if □ before

(만일 제가 이 버튼을 누르면 무슨 일이 일어나나요?)

5 The price fell __________ quickly that sellers could not keep up. □ so □ such

(가격이 너무 빨리 떨어져서 판매자들은 따라갈 수 없었다.)

문법 기본 Ⓑ 알맞은 말 고르기

1 Peter is neither tall or / nor short.

Peter는 키가 크지도 작지도 않다.

2 It has been five years if / since I met you.

내가 너를 만난 이후로 5년이 되었다.

3 Not only I but also he has / have to do homework.

나뿐만 아니라 그도 숙제를 해야 한다.

4 This sport is very popular in Canada as good / well as in America.

이 스포츠는 미국뿐만 아니라 캐나다에서도 매우 인기가 있다.

5 I couldn't answer your call because / until I lost my cell phone.

나는 휴대전화를 잃어버렸기 때문에 네 전화를 받을 수가 없었어.

6 Either Ethan or Cathy are / is going to deliver it to you.

Ethan이나 Cathy 둘 중 한 명이 그것을 너에게 전달해줄 것이다.

▸ **Answer** p.26

문법 쓰기 Ⓐ 상관접속사를 활용하여 한 문장으로 바꿔 쓰기

Example	Tom will go to the market. Or Mary will go to the market. (either A or B)
	→ *Either Tom or Mary* will go to the market.

1 He understands French. And he understands English. (both A and B)

→ He understands ____________.

2 Peter is wise. He is also kind. (not only A but also B)

→ Peter is ____________.

3 I am not a big fan of the player. Brian is a big fan of the player. (not A but B)

→ ____________ is a big fan of the player.

4 Amy doesn't enjoy reading. Martin doesn't enjoy reading, either. (neither A nor B)

→ ____________ enjoys reading.

문법 쓰기 Ⓑ 틀린 부분 고치기

Example	I couldn't go to school because of I was ill. 나는 아팠기 때문에 학교에 갈 수 없었다.	*because of*	→	*because*

1 The weather was such nice that we could go to the zoo. ____ → ____
날씨가 너무 좋아서 우리는 동물원에 갈 수 있었다.

2 Unless you read the manual, you'll find a solution. ____ → ____
만일 당신이 설명서를 읽는다면, 해결책을 찾을 것입니다.

3 The sandwich was not either tasty but easy to make. ____ → ____
그 샌드위치는 맛있을 뿐만 아니라 만들기도 쉬웠다.

4 She could neither see or hear any of them. ____ → ____
그녀는 그것들 중 어떤 것도 보거나 들을 수가 없었다.

5 He was happy because of he had new opportunities. ____ → ____
그는 새로운 기회를 갖게 되어서 행복했다.

6 His parents, as well as he, was very kind to me. ____ → ____
그뿐만 아니라 그의 부모님도 나에게 매우 친절했다.

문법 쓰기 Ⓒ 주어진 단어와 접속사를 활용하여 문장 완성하기

▸ Answer p.26

Example 그는 더 많은 정보를 얻을 때까지 기다렸다. (wait, have, more information)
→ *He waited until he had more information.*

1 비록 그 다이아몬드가 진짜처럼 보일지라도, 그것은 가짜다. (the diamond, look, real)

→ , it is fake.

2 만일 당신이 그 종이에 서명하면, 당신은 그 차를 소유할 수 있습니다. (sign, the paper)

→ , you can own the car.

3 당신은 후식으로 케이크나 아이스크림 둘 중 하나를 먹을 수 있어요. (either)

→ You can have for dessert.

4 슬픔과 우울함 둘 다 극복하는 데는 시간이 걸린다. (both, sadness, depression)

→ It takes time to overcome .

5 나의 부모님은 내가 다섯 살이 되기 전에 돌아가셨다. (be, old)

→ My parents died .

6 당신이 나를 돌봐주었기 때문에, 나는 당신을 신뢰해요. (take care of, trust)

→ Since .

7 그는 잘생겼을 뿐만 아니라 지적이기도 하다. (not, good-looking, intelligent)

→ He is .

8 Andy가 아니라 Lucy가 그 노부부를 도왔다. (help, the old couple)

→ Not .

▸ Answer p.26

서술형 예제 1

다음 대화를 읽고, 괄호 안의 말을 이용하여 밑줄 친 우리말을 영작하시오. Point 37

A: Tom, 만일 네가 네 숙제를 끝내지 않으면, I can't allow you to play with your friend. (finish, homework)
B: Yes, Mom. I'll call my friend after I finish it.

→ ______________________________

Teacher's guide

STEP 1
밑줄 친 우리말은 의미상 주절 앞에 위치한 부사절임을 파악합니다.

STEP 2
'만일 ~하지 않는다면'이라는 뜻을 가진 부사절 접속사 unless나 if ~ not을 사용하여 우리말을 영어로 씁니다.

정답 >> unless you finish your homework[if you don't finish your homework]

실전 연습 1

다음 대화를 읽고, 괄호 안의 말을 이용하여 밑줄 친 우리말을 영작하시오. Point 37

A: I am 너무 바빠서 당신의 보고서를 검토해줄 수 없어요. (so, busy, review, report)
B: Oh, that's right. I'll wait until you are free.

→ ______________________________

서술형 예제 2

다음 우리말을 〈조건〉에 맞게 영작하시오. Point 38

그는 창문을 깼을 뿐만 아니라 거짓말도 했다.

조건	• not only, break, the window, lie를 사용할 것 • 총 9단어의 완전한 문장으로 쓸 것

→ ______________________________

Teacher's guide

STEP 1
주어진 우리말 문장은 'A뿐만 아니라 B도'의 의미 구조를 가지고 있음을 파악합니다.

STEP 2
<조건>에 not only라는 표현이 제시되어 있으므로, 상관 접속사 「not only A but also B」를 활용하여 우리말을 영어로 씁니다.

정답 >> He not only broke the window but also lied.

실전 연습 2

다음 우리말을 〈조건〉에 맞게 영작하시오. Point 38

과일과 채소 둘 다 섬유질을 포함하고 있다.

조건	• both, contain, fiber를 사용할 것 • 총 6단어의 완전한 문장으로 쓸 것

→ ______________________________

Point 39 접속사 that

❶ 접속사 that은 문장에서 주어 · 보어 · 목적어 역할을 하는 명사절을 이끈다.

접속사 that: ~하다는[라는] 것, ~라고

It is true **that** he was arrested.
그가 체포되었다는 것은 사실이다.

>> that절이 주어일 때, 일반적으로 「It(가주어) ~ that절(진주어)」 형태로 씁니다.

Her idea is **that** we should travel on foot.
그녀의 아이디어는 우리가 걸어서 여행해야 한다는 것이다.

The professor said **(that)** there were some errors in his essay.
그 교수는 그의 논문에 몇 가지의 오류가 있다고 말했다.

>> 목적절을 이끄는 접속사 that은 say와 know처럼 일상적으로 흔히 쓰이는 동사 뒤에 올 경우 생략될 수 있어요.

❷ 접속사 that은 앞에 나온 명사(idea, thought, opinion, question, fact, truth, news, rumor 등)를 설명하는 동격절을 이끌기도 한다.

동격의 that: ~하다는[라는]

There is *a rumor* **that** the director is producing a new film. 그 감독이 새 영화를 제작 중이라는 소문이 있다.

Q 관계대명사 that과 접속사 that은 어떤 차이가 있나요?

A 관계대명사 that은 '접속사+대명사' 역할을 하므로, that 뒤에는 반드시 주어나 목적어가 하나 빠져 있어요. 한편 접속사 that은 접속사 역할만 하므로, that 뒤에는 문장 성분을 빠짐없이 갖춘 절이 와요.
Jack is a musician **that** plays the cello. 〈관계대명사 that〉 Jack은 첼로를 연주하는 음악가이다.
Your problem is **that** you are always complaining. 〈접속사 that〉 네 문제는 네가 항상 불평한다는 것이다.

문법 확인 Ⓐ 문장 해석하기

▸ Answer p.26

1 **That** he escaped safely is amazing. ★escape 탈출하다

→ ______ 놀랍다.

2 It is disappointing **that** I cannot see you.

→ ______ 실망스럽다.

3 I hoped **that** he would overcome his illness. ★overcome 이겨내다, 극복하다

→ 나는 ______ 희망했다.

4 The fact is **that** the issues remain unresolved. ★remain ~인 채로 남아 있다 unresolved 해결되지 않은

→ 사실은 ______.

5 The news **that** they will get married is surprising.

→ ______ 소식은 놀랍다.

Point

40 간접의문문

간접의문문은 의문문이 다른 문장의 일부(주로 목적어)로 쓰이는 것을 말한다.

❶ 의문사가 있는 의문문을 다른 문장의 일부로 쓰면, 「의문사+주어+동사…」의 어순이 된다.

Do you know? + When(의문사) is(동사) Teacher's Day(주어)? 너는 아니? + 스승의 날은 언제니?

→ Do you know **when**(의문사) **Teacher's Day**(주어) **is**(동사)? 너는 스승의 날이 언제인지 아니?

What(의문사) do you *think* **he**(주어) **wants**(동사)? 너는 그가 무엇을 원한다고 생각하니?

» 주절의 동사가 think, believe, guess, imagine, suppose, say 등일 경우, 간접의문문의 의문사가 문장 맨 앞에 옵니다.

❷ 의문사가 없는 의문문을 다른 문장의 일부로 쓰면, 「whether/if+주어+동사…」의 어순이 된다. 접속사 whether/if는 '~인지 아닌지, ~인지의 여부'의 뜻으로, 명사절을 이끈다.

I don't know. + Are(동사) his words(주어) true? 나는 모른다. + 그의 말이 사실이니?

→ I don't know **whether[if]**(접속사) **his words**(주어) **are**(동사) true. 나는 그의 말이 사실인지 아닌지 모른다.

The issue is **whether this is** necessary *or not*.
쟁점은 이것이 필요한지 아닌지이다.

» whether절 뒤에는 or not을 붙이기도 하고 생략할 수도 있어요.

We wonder **if she could join** us. (○)
우리는 그녀가 우리와 함께할 수 있을지 궁금하다.

If she could join us is our main focus. (×)
그녀가 우리와 함께할 수 있을지가 우리의 주된 초점이다.

» whether는 주어절, 보어절, 목적절을 모두 이끌지만, if는 목적절만 이끌 수 있어요.

문법 확인 Ⓑ 문장 해석하기

▸ Answer p.26

1 I don't know **what time the movie starts.**

→ 나는 ________ 모른다.

2 Can you tell me **how much a ticket is**?

→ ________ 내게 알려줄 수 있니?

3 **Who** do you guess **will win** this game?

→ 너는 ________ 생각하니?

4 My concern is **whether they are** alive or not.

→ 나의 걱정은 ________ 이다.

5 I can predict **whether it will float** or **sink.** ★float 뜨다 sink 가라앉다

→ 나는 ________ 예측할 수 있다.

▸ Answer p.26

문법 기본 Ⓐ 빈칸에 들어갈 말에 V 표시하기

1 My only concern is __________ he will fight or not. □ whether □ that

(나의 유일한 관심은 그가 싸울지 말지의 여부이다.)

2 I don't know __________ I should try first. □ whether □ what

(내가 무엇을 먼저 시도해야 하는지 모르겠다.)

3 __________ we hurt each other was surprising. □ That □ What

(우리가 서로에게 상처를 준 것은 놀라운 일이었다.)

4 The fact is __________ she didn't show up. □ as □ that

(사실은 그녀가 나타나지 않았다는 것이다.)

5 He rejects the idea __________ technology can replace humans. □ which □ that

(그는 기술이 인간을 대체할 수 있다는 생각을 거부한다.)

문법 기본 Ⓑ 알맞은 말 고르기

1 I heard that / what you were looking for me.

나는 네가 나를 찾고 있었다고 들었어.

2 It is not surprising which / that people are confused.

사람들이 혼란스러워하는 것은 놀랄 일이 아니다.

3 What did you say / Did you say what your name was?

당신의 이름이 무엇이라고 말하셨죠?

4 I doubt because / whether he is worthy of the award.

나는 그가 그 상을 받을 가치가 있는지 의심스럽다.

5 The fact is that / if we don't have enough time.

사실은 우리가 충분한 시간이 없다는 것이다.

6 The news which / that the mayor is corrupt is not true.

그 시장이 부패했다는 소식은 사실이 아니다.

▸ Answer p.26

문법 쓰기 Ⓐ 두 문장을 한 문장으로 바꿔 쓰기

Example She is the best teacher. + That is true.
→ *It is true that* she is the best teacher. (그녀가 최고의 스승이라는 것은 사실이다.)

1 He is only eighteen. + I can't believe it.
→ I can't believe ______. (나는 그가 열여덟 살밖에 안 됐다는 것을 믿을 수가 없다.)

2 I'm not sure. + Does she go swimming?
→ I'm not sure ______. (나는 그녀가 수영하러 가는지 아닌지 잘 모른다.)

3 You don't know. + How much do your parents love you?
→ You don't know ______. (너희 부모님이 너를 얼마나 많이 사랑하는지 너는 모른다.)

4 Do you think? + Where can I find light bulbs?
→ ______ find light bulbs? (당신은 제가 어디에서 전구를 찾을 수 있다고 생각하세요?)

문법 쓰기 Ⓑ 틀린 부분 고치기

Example I'm sure whether he will take part in the contest. *whether* → *that*
나는 그가 그 대회에 참가할 것을 확신한다.

1 It is a pity which I did not win the prize. ______ → ______
내가 상을 타지 못한 것이 유감스럽다.

2 I have an idea what she will be late. ______ → ______
나는 그녀가 늦을 것이라는 생각이 든다.

3 I can't decide what I should cancel my trip. ______ → ______
나는 여행을 취소해야 할지 말아야 할지를 결정할 수 없다.

4 You first must know who is your enemy. ______ → ______
당신은 먼저 적이 누구인지를 알아야 한다.

5 The big question is that this is cost-effective or not. ______ → ______
큰 문제는 이것이 비용 효율이 높은지 아닌지의 여부이다.

6 As they got on the plane, he asked her if she was feeling. ______ → ______
비행기에 탑승하면서, 그는 그녀에게 기분이 어떤지 물어보았다.

▸ Answer p.26

문법 쓰기 C 주어진 단어를 활용하여 문장 완성하기

Example　나는 그 이야기가 사실이 아니라는 것을 알았다. (know, the story, true)

→ *I knew that the story was not true.*

1 그렇게 적은 사람들이 세미나에 온 것은 실망스러웠다. (disappointing)

→ ______ so few people came to the seminar.

2 그 최고 경영자가 입원 중이라는 소문이 있다. (there, a rumor)

→ ______ the CEO is in the hospital.

3 그녀가 무엇을 찾고 있는지 그녀에게 물어보아라. (look for)

→ Ask her ______.

4 나는 우리가 예약이 필요한지 아닌지가 궁금하다. (need, a reservation)

→ I'm wondering ______.

5 문제는 네가 준비가 안 되어 있다는 것이다. (the problem, ready)

→

6 나는 그가 웨이터로 일하고 있다는 것을 알고 있다. (know, work, as a waiter)

→

7 네가 왜 화가 났는지 내게 말해줘. (tell, upset)

→

8 나는 그가 동의하는지 아닌지를 그에게 물어보았다. (ask, agree)

→

▸ Answer p.27

서술형 예제 1

다음 우리말과 일치하도록 괄호 안의 말을 이용하여 대화를 완성하시오. Point 39

A: Malcolm. 나는 (1) 네가 계단에서 넘어졌다고 들었어. (fall down, the stairs)
B: 맞아. 나는 (2) 내 다리가 낫기를 바라. (leg, get better)

A : Malcolm. I heard (1) ________________.
B : That's right. I hope (2) ________________.

Teacher's guide

STEP ❶
A의 말에서 빈칸에 들어갈 내용은 '네가 계단에서 넘어졌다고'입니다. '~라고, ~하다는[라는] 것'이라는 뜻의 절이므로, 「that + 주어 + 동사~」의 형태로 씁니다.

STEP ❷
B의 말에서 빈칸에 들어갈 내용은 '내 다리가 낫기를'입니다. 이것 역시 '~라고, ~하다는[라는] 것'이라는 뜻의 절이므로, 「that + 주어 + 동사~」의 형태로 씁니다.

정답 >> (1) (that) you fell down the stairs (2) (that) my leg will get better

실전 연습 1

다음 우리말과 일치하도록 괄호 안의 말을 이용하여 대화를 완성하시오. Point 39

A: Jane, 나는 (1) 네가 일자리를 구했다고 들었어. (get, a job) 축하해.
B: 고마워. 나는 (2) 너도 좋은 소식을 듣기를 바라. (hear, good news)

A : Jane, I heard (1) ________________.
Congratulations.
B : Thank you. I hope (2) ________________
________, too.

서술형 예제 2

다음 우리말을 〈조건〉에 맞게 영작하시오. Point 40

당신이 자기 자신에게 자신감을 가지고 있는지 아닌지는 중요하다.

조건
• have confidence in, important를 사용할 것
• 총 8단어의 완전한 문장으로 쓸 것

→ ________________________________

Teacher's guide

STEP ❶
주부에 해당하는 내용은 '당신이 자기 자신에게 자신감을 가지고 있는지 아닌지는'입니다. '~인지 아닌지'라는 뜻의 절이 주어이므로, 「Whether + 주어 + 동사~」의 형태로 씁니다.

STEP ❷
술부에 해당하는 내용은 '중요하다'입니다. 시제가 현재이며, 주어 역할을 하는 절은 단수로 취급하므로, be동사를 3인칭 단수 현재형인 is로 씁니다.

정답 >> Whether you have confidence in yourself is important.

실전 연습 2

다음 우리말을 〈조건〉에 맞게 영작하시오. Point 40

나는 Matthew가 농담을 하고 있는지 아닌지 잘 모르겠다.

조건
• be sure, joke를 사용할 것
• 총 8단어의 완전한 문장으로 쓸 것

→ ________________________________

CHAPTER 08 접속사

내신 대비 실전 TEST

▸ Answer p.27

객관식 (01~09)

Point 39

01 다음 중 밑줄 친 부분의 쓰임이 나머지 넷과 다른 것은?

① I heard that you had surgery.
② I am sure that he will come in time.
③ The fact is that we don't have any choice.
④ You need to eat foods that are rich in protein.
⑤ It is true that the Internet has changed everything.

Point 37

02 다음 우리말과 일치하도록 할 때, 빈칸에 들어갈 말로 알맞은 것은?

> 도서관이 너무 시끄러워서 나는 공부를 할 수 없었다.
> → The library was ________ I couldn't study.

① noisy so that ② so noisy that
③ too noisy that ④ so noisy which
⑤ noisy so which

Point 39

03 다음 문장에서 접속사 that이 들어갈 위치로 알맞은 곳은?

> It was once (①) a common (②) belief (③) the earth (④) was (⑤) flat.

Point 37

04 다음 빈칸에 들어갈 말이 순서대로 짝지어진 것은?

> • ________ the building was destroyed, no one was hurt.
> • He will not attend the party ________ he is invited.

① If – unless ② If – while
③ Although – unless ④ Although – while
⑤ Because – unless

Point 40

05 다음 우리말을 영어로 바르게 옮긴 것은?

> 문제는 우리가 그러한 결과를 원하는가 아닌가이다.

① The question is we want such a result.
② The question is that we want such a result.
③ The question is what we want such a result.
④ The question is which we want such a result.
⑤ The question is whether we want such a result.

[06~07] 다음 빈칸에 들어갈 말로 알맞은 것을 고르시오.

Point 37

06

> I'm proud of our team ________ we lost the game.

① because ② until ③ if
④ though ⑤ while

Point 38

07

> Neither she nor I ________ able to read Spanish.

① be ② are ③ am ④ is ⑤ were

고난도 Point 38

08 다음 중 어법상 틀린 것은?

① Not I but my father is a doctor.
② Either you or I have to do the job.
③ The book is both practical and funny.
④ Neither his offer nor mine was accepted.
⑤ His sisters, as well as he, is living in Vancouver.

대표 Point 40

09 다음 빈칸에 들어갈 말로 알맞지 <u>않은</u> 것은?

Do you know ______________?

① where the Statue of Liberty is
② who will run for president
③ when the local festival begins
④ how far is it to the beach
⑤ what dishes we should prepare

서술형 기본 (10~18)

대표

[10~11] 다음 문장에서 어법상 <u>틀린</u> 부분을 찾아 바르게 고쳐 쓰시오.

Point 40

10 It doesn't matter which you will accept the request or not.

______________ → ______________

Point 40

11 We don't know how many guests did we invite.

______________ → ______________

[12~13] 다음 우리말과 일치하도록 괄호 안의 말을 바르게 배열하시오.

Point 38

12 나뿐만 아니라 그도 파리에 갈 예정이다.
(not, I, but, is, also, he, only)

→ ______________________________ going to Paris.

Point 38

13 그와 그녀 둘 다 그 문제를 해결하는 법을 알지 못한다.
(nor, knows, neither, he, she)

→ ______________________________ how to solve the problem.

[14~15] 다음 밑줄 친 부분을 바르게 고쳐 쓰시오.

Point 39

14 The lecturer said <u>what</u> we should adapt ourselves to the rapid change.

→ ______________

Point 39

15 I agree with the opinion <u>whether</u> everybody's life has the same value.

→ ______________

고난도 Point 40

16 다음 두 문장을 한 문장으로 바꿔 쓰시오.

Do you know? Is she interested in space science?

→ Do you know ______________________________
______________________________?

[17~18] 다음 우리말과 일치하도록 빈칸에 알맞은 말을 쓰시오.

Point 37

17 만일 네가 지도를 사용하지 않는다면, 매장된 보물을 찾기는 어렵다.

→ It's hard to find the buried treasure ______________ you use a map.

Point 37

18 그 책은 너무 흥미로워서 나는 읽는 것을 중단할 수 없었다.

→ The book was ______________ interesting ______________ I couldn't stop reading it.

서술형 심화 (19~23)

Point 37, 39

19 다음 우리말을 〈조건〉에 맞게 영작하시오.

(1) 그녀가 떠난 이후로 3년이 지났다.

조건
- 현재완료형으로 쓸 것
- pass, leave를 사용할 것
- 총 7단어의 완전한 문장으로 쓸 것

→ ______________________

(2) 나의 부모님은 홈스쿨링이 효과적이라고 믿는다.

조건
- believe, homeschooling, effective를 사용할 것
- 총 7단어의 완전한 문장으로 쓸 것

→ ______________________
____

Point 38, 39

20 다음 두 문장의 의미가 같도록 빈칸에 알맞은 말을 쓰시오.

(1) He will take care of Ben. Or his wife will take care of Ben.

= ______________________ will take care of Ben.

(2) Nobody can predict the future. That's the point.

= The point is ______________________
______________.

대표 Point 37

21 다음 두 문장을 한 문장으로 바꿀 때, 괄호 안의 말을 이용하여 빈칸에 알맞은 말을 쓰시오.

The weather was bad. So the baseball game was called off.

(1) The baseball game was called off __________
______________________. (because)

(2) The baseball game was called off __________
______________________. (because of)

Point 40

22 다음 괄호 안의 말을 이용하여 대화를 완성하시오.

(1) A: Let me know ______________________ the next week's meeting. (can, attend)
B: Yes. I'll let you know after I check my schedule.

(2) A: Can you tell me ______________________
__________? (quit, the company)
B: Because I wanted to work in a new field.

고난도 Point 38

23 다음 표를 보고 아래 질문에 답하시오.

	Personality	Favorite Sport
Jim	quiet, thoughtful	football
Kevin	quiet, thoughtful	baseball

(1) Jim과 Kevin의 성격에 대해 서술하시오.

조건
- both A and B를 사용하여 Jim부터 언급할 것
- 총 8단어의 완전한 문장으로 쓸 것

→ ______________________

(2) Jim이 가장 좋아하는 스포츠에 대해 서술하시오.

조건
- not A but B를 사용하여 주격 보어를 쓸 것
- 총 8단어의 완전한 문장으로 쓸 것

→ ______________________

CHAPTER 09

가정법

Point 41 가정법 과거와 과거완료

Point 42 혼합 가정법

Point 43 I wish+가정법

Point 44 as if+가정법

Chapter 09 내신 대비 실전 TEST

Get Ready

가정법 과거
If I knew his address, I would visit him.
만약 내가 그의 주소를 안다면, 나는 그를 방문할 텐데.

가정법 과거완료
If I had known his address, I would have visited him.
만약 내가 그의 주소를 알았다면, 나는 그를 방문했을 텐데.

I wish+가정법
I wish I knew his address.
내가 그의 주소를 안다면 좋을 텐데.

as if+가정법
She talks as if she knew his address.
그녀는 마치 자신이 그의 주소를 아는 것처럼 말한다.

1. **가정법**이란 '사실을 반대로' 가정하거나 '실현 가능성이 거의 없는 일'을 가정하는 것입니다.
2. **가정법 과거**는 현재의 사실과 반대로 가정할 때 쓰이며, **가정법 과거완료**는 과거의 사실과 반대로 가정할 때 쓰입니다. **I wish+가정법**은 이룰 수 없는 소망을 나타내며, **as if+가정법**은 사실과 반대되는 상황을 나타냅니다.

Point

41 가정법 과거와 과거완료

❶ 가정법 과거

용법	현재 사실과 반대되거나 실현 가능성이 희박한 일을 가정 · 상상 · 소망할 때 쓴다.
형태 및 의미	「If+주어+동사의 과거형~, 주어+조동사 과거형(would/could/might 등)+동사원형…」: 만약 ~라면 …할 텐데[것이다]

If he had more time, **he could finish** the project.
만약 그에게 더 많은 시간이 있다면, 그는 그 프로젝트를 끝낼 수 있을 텐데.
(→ As he doesn't have more time, he can't finish the project.)

» 가정법 과거 문장은 직설법 현재 문장으로 바꿔 쓸 수 있어요.

If I were not sick, **I could go** on a picnic.
만약 내가 아프지 않다면, 나는 소풍을 갈 수 있을 텐데.

» 가정법 과거 문장에서 if절의 be동사는 주어의 인칭과 수에 관계없이 were를 씁니다.

❷ 가정법 과거완료

용법	과거 사실과 반대되는 일을 가정 · 상상 · 소망할 때 쓴다.
형태 및 의미	「If+주어+had p.p.~, 주어+조동사 과거형(would/could/might 등)+have p.p.…」: 만약 ~했다면[였다면] …했을 텐데[것이다]

If I had got up earlier, **I wouldn't have been** late.
만약 내가 더 일찍 일어났다면, 나는 늦지 않았을 텐데.
(→ As I didn't get up earlier, I was late.)

» 가정법 과거완료 문장은 직설법 과거 문장으로 바꿔 쓸 수 있어요.

If she had hurried, **she would have been** on time.
만약 그녀가 서둘렀다면, 그녀는 시간을 어기지 않았을 텐데.

문법 확인 Ⓐ 문장 해석하기

▸ Answer p.29

1 **If it were** not raining, **I would go** fishing.

→ ______, 나는 낚시를 하러 갈 텐데.

2 **If I had** the chance, **I would move** to another city.

→ 만약 내게 기회가 있다면, ______.

3 **If I had known** the fact, **I wouldn't have done** it.

→ ______, 나는 그것을 하지 않았을 텐데.

4 **It would have been** nice **if they had invited** me to the wedding.

→ ______, 좋았을 텐데.

5 **If he had worn** a helmet, **he would have been** fine.

→ 만약 그가 헬멧을 썼다면, ______.

Point
42 혼합 가정법

혼합 가정법이란 if절은 가정법 과거완료, 주절은 가정법 과거인 경우로, if절과 주절이 가리키는 때가 서로 다르다.

용법	과거에 실현되지 못한 일이 현재까지 영향을 미칠 때 쓴다.
형태 및 의미	「If+주어+had p.p.~, 주어+조동사 과거형(would/could/might 등)+동사원형…」: 만약 (과거에) ~했다면[였다면], (지금) …할 텐데

If I had taken Japanese classes in high school, **I could read** Japanese.
만약 내가 고등학교 때 일본어 수업을 들었다면, 나는 일본어를 읽을 수 있을 텐데.
(→ As I didn't take Japanese classes in high school, I can't read Japanese.)
She would still **be** alive **if she had worn** her seat belt.
만약 그녀가 안전벨트를 착용했다면, 그녀는 아직 살아 있을 텐데.
If he hadn't gone camping *yesterday*, **he wouldn't be** tired *today*.
만약 그가 어제 캠핑을 가지 않았다면, 그는 오늘 피곤하지 않을 텐데.

» 혼합 가정법의 if절에는 과거를 나타내는 부사(구)가, 주절에는 현재를 나타내는 부사(구)가 자주 쓰여요.

Q 가정법 문장에서도 생략할 수 있는 특정 어구가 있나요?

A if절의 (조)동사가 were나 had일 때 if를 생략할 수 있는데, 이때 주어와 동사의 위치가 서로 바뀌어요.
If I were rich, I could buy the sports car. → **Were I** rich, I could buy the sports car.
만약 내가 부유하다면, 나는 그 스포츠카를 살 수 있을 텐데.

문법 확인 B 문장 해석하기

▸ Answer p.29

1 **If she had married** him then, **she would live** in France now.

→ ______________, 그녀는 지금 프랑스에 살 텐데.

2 **If he had gone** to war, **he would not be** alive now.

→ ______________, 그는 지금 살아 있지 못할 것이다.

3 **If it had not snowed** yesterday, **we would go** on a trip today.

→ 만약 어제 눈이 오지 않았다면, ______________.

4 **Were I** here with my kids, **I'd be** happier.

→ ______________, 나는 더 행복할 텐데.

5 **Had you come** to the party, **you would have seen** Peter.

→ ______________, 너는 Peter를 봤을 텐데.

▸ Answer p.29

문법 기본 Ⓐ 주어진 단어를 활용하여 빈칸 완성하기

1 **be** If it ____________ a little cheaper, I might consider buying it.
(만약 그것이 좀 더 싸다면, 나는 그것을 사는 것을 고려할 수도 있을 텐데.)

2 **can** If he had already finished his work, he ____________ help me now.
(만약 그가 이미 일을 끝냈다면, 그는 지금 나를 도와줄 수 있을 텐데.)

3 **have** If I ____________ a watch, I would have answered the questions in time.
(만약 내가 시계를 갖고 있었다면, 내가 시간 안에 그 질문들에 답했을 텐데.)

4 **will** If people didn't donate to charities, many children ____________ go hungry.
(만약 사람들이 자선 단체에 기부하지 않는다면, 많은 아이들이 굶주릴 텐데.)

5 **lend** If I ____________ him a battery charger, he could contact her.
(만약 내가 그에게 배터리 충전기를 빌려 줬다면, 그는 그녀에게 연락할 수 있을 텐데.)

문법 기본 Ⓑ 알맞은 말 고르기

1 If I am / were you, I would help him.
만약 내가 너라면, 나는 그를 도울 텐데.

2 If I went to London, I would have visited / visit Big Ben.
만약 내가 런던에 간다면, 나는 빅 벤에 방문할 텐데.

3 If I had gotten / got more rest, I could play better.
만약 내가 더 휴식을 취한다면, 나는 경기를 더 잘할 수 있을 텐데.

4 If they won / had won the game, the day would have been perfect.
만약 그들이 그 경기에서 이겼다면, 그날은 완벽했을 텐데.

5 If you had seen the movie, you may / might have understood the story.
만약 네가 그 영화를 봤다면, 너는 그 이야기를 이해할 수 있었을 텐데.

6 If she had not wasted her money last month, she could buy / have bought what she wants now.
만약 그녀가 지난달에 돈을 낭비하지 않았다면, 그녀는 지금 원하는 것을 살 수 있을 텐데.

▸ Answer p.29

문법 쓰기 A 가정법 문장으로 바꿔 쓰기

Example	As I don't live closer to the market, I can't walk there. → *If I lived closer to the market* , I could walk there.

1 As she doesn't live in Sydney, she can't see the Sydney Opera House.

→ If she lived in Sydney, ____________________ .

2 As I was busy, I didn't visit you.

→ ____________________ , I would have visited you.

3 As people don't know the truth, they support the policy.

→ ____________________ , they would not support the policy.

4 As you didn't hear the news, you couldn't prepare yourself in advance.

→ If you had heard the news, ____________________ .

문법 쓰기 B 가정법 문장에서 틀린 부분 고치기

Example	If she knows the answer, she would tell you. *knows* → *knew* 만약 그녀가 답을 안다면, 그녀는 너에게 말해줄 텐데.

1 If it were not for your help, I would had given up. ______ → ______
만약 너의 도움이 없다면, 나는 포기할 거야.

2 If it is a nice day, I would hang out with my friends. ______ → ______
만약 날이 좋다면, 나는 내 친구들과 시간을 보낼 텐데.

3 If I had had my phone, I would call emergency services. ______ → ______
만약 내가 전화를 가지고 있었다면, 나는 응급 구조대에 전화했을 텐데.

4 I would be happier now if I took your advice then. ______ → ______
만약 그때 내가 네 충고를 따랐다면, 나는 지금 더 행복할 텐데.

5 If I have slept late, I would have missed the sunrise. ______ → ______
만약 내가 늦게까지 잤다면, 나는 일출을 놓쳤을 텐데.

6 If he had obeyed the law, he won't be in jail now. ______ → ______
만약 그가 법을 준수했다면, 그는 지금 감옥에 있지 않을 텐데.

▸ Answer p.29

문법 쓰기 Ⓒ 주어진 단어를 활용하여 가정법 문장 완성하기 (단, 조건절로 시작할 것)

Example 만약 그녀가 아프지 않다면, 그녀는 나를 돌볼 것이다. (sick, look after)

→ *If she were not sick, she would look after me.*

1 만약 침대의 매트리스가 더 편안하다면, 나는 그것을 살 텐데. (comfortable)

→ If the mattress on the bed ______, I would buy it.

2 만약 그들이 그날 비행기를 놓치지 않았다면, 그들은 지금 하와이에 있을 텐데. (be, in Hawaii)

→ If they had not missed the plane that day, ______.

3 만약 내가 너라면, 나는 자외선 차단제를 사용할 텐데. (use, sunblock)

→ If I were you, ______.

4 만약 네가 온다는 걸 내가 알았다면, 내가 케이크를 더 크게 만들었을 텐데. (make, the cake, bigger)

→ If I had known you were coming, ______.

5 만약 그녀가 지하철을 탄다면, 그녀는 제시간에 그곳에 도착할 수 있을 텐데. (take, get, in time)

→

6 만약 내가 더 많은 시간을 갖고 있었다면, 나는 그것을 끝낼 수 있었을 텐데. (have, more, finish)

→

7 만약 내가 그의 전화번호를 알았다면, 나는 그에게 연락했을 텐데. (know, phone number, contact)

→

8 만약 내가 스페인에서 자랐다면, 나는 지금 스페인어를 잘 말할 텐데. (grow up, speak, Spanish, well)

→

▸ Answer p.29

서술형 예제 1

다음 우리말과 일치하도록 괄호 안의 말을 이용하여 대화를 완성하시오. Point 41

A: (1) 만약 네가 백만 달러에 당첨된다면, 넌 무얼 할 거니? (win, a million dollars)
B: 만약 내게 그렇게 많은 돈이 생긴다면, (2) 나는 새집을 살 거야. (buy, a new house)

A : What would you do (1) ________________?
B : If I got that much money, (2) ________________ ________________.

Teacher's guide

STEP ❶
A와 B의 말은 모두 실현 가능성이 희박한 일에 대한 가정을 나타내므로, 가정법 과거 문장으로 써야 합니다.

STEP ❷
if절은 「If+주어+동사의 과거형~」의 형태로, 주절은 「주어+조동사 과거형+동사원형…」의 형태로 씁니다.

정답 >> (1) if you won a million dollars (2) I would buy a new house

실전 연습 1

다음 우리말과 일치하도록 괄호 안의 말을 이용하여 대화를 완성하시오. Point 41

A: (1) 만약 네가 교장이라면, 넌 무얼 할 거니? (the principal)
B: 만약 내가 교장이 된다면, (2) 나는 학생들에게 숙제를 내주지 않을 거야. (give, homework, to students)

A : What would you do (1) ________________?
B : If I became the principal, (2) ________________ ________________.

서술형 예제 2

다음 우리말을 〈조건〉에 맞게 영작하시오. Point 42

만약 내가 표를 샀다면, 지금 그것을 너에게 줄 수 있을 텐데.

조건	• 문장을 조건절로 시작할 것 • buy, a ticket, give를 사용할 것 • 총 13단어의 완전한 문장으로 쓸 것

→ ____
____

Teacher's guide

STEP ❶
주어진 우리말은 과거에 실현되지 못한 일이 현재까지 영향을 미치는 내용을 나타내고 있으므로, 혼합 가정법 문장으로 써야 합니다.

STEP ❷
if절은 과거의 때를 가리키므로 「If+주어+had p.p.~」의 형태로, 주절은 현재의 때를 가리키므로 「주어+조동사 과거형+동사원형…」의 형태로 씁니다.

정답 >> If I had bought a ticket, I could give it to you now.

실전 연습 2

다음 우리말을 〈조건〉에 맞게 영작하시오. Point 42

만약 내가 더 일찍 영어를 배웠다면, 나는 지금 유창할 텐데.

조건	• 문장을 조건절로 시작할 것 • learn, earlier, fluent를 사용할 것 • 총 11단어의 완전한 문장으로 쓸 것

→ ____
____

Point

43 I wish+가정법

❶ I wish+가정법 과거

용법	현재 이룰 수 없는 소망이나 아쉬움을 나타낼 때 쓴다.
형태 및 의미	「I wish+주어+(조)동사의 과거형~」: ~하면 좋을 텐데

I wish I could meet someone like Brandon.
내가 Brandon과 같은 사람을 만날 수 있으면 좋을 텐데.
(→ I'm sorry (that) I can't meet someone like Brandon.)
I wish you were always next to me.
나는 네가 항상 내 옆에 있으면 좋을 텐데.

» 「I wish+가정법 과거」 문장은 직설법 현재 문장으로 바꿔 쓸 수 있어요.

❷ I wish+가정법 과거완료

용법	과거에 이루지 못한 일에 대한 유감이나 아쉬움을 나타낼 때 쓴다.
형태 및 의미	「I wish+주어+had p.p.~」: ~했다면[였다면] 좋았을 텐데

I wish I had passed the final exam.
내가 그 최종 시험에 합격했다면 좋았을 텐데.
(→ I'm sorry (that) I didn't pass the final exam.)
I wish I had seen the movie to the end.
내가 그 영화를 끝까지 봤다면 좋았을 텐데.

» 「I wish+가정법 과거완료」 문장도 직설법 현재 문장으로 바꿔 쓸 수 있어요.

문법 확인 Ⓐ 문장 해석하기

▸ Answer p.29

1 **I wish I had** my own room. → 내가 ______.

2 **I wish I could visit** Switzerland. → 내가 ______.

3 **I wish they would stop** fighting. → 나는 그들이 ______.

4 **I wish he were** more serious about life. → 나는 그가 ______.

5 **I wish I had majored** in business. → 내가 ______.
★major in ~을 전공하다 business 경영학

6 **I wish I had bought** a concert ticket. → 내가 ______.

7 **I wish I had not spent** so much money. → 내가 ______.

8 **I wish I had stayed** home yesterday. → 내가 ______.

Point
44 as if+가정법

❶ as if+가정법 과거

용법	주절과 같은 시점의 사실과 반대되는 상황을 가정할 때 쓴다.
형태 및 의미	「**as if+주어+동사의 과거형~**」: 마치 ~인 것처럼

He acts **as if he didn't know** me.
그는 마치 나를 알지 못하는 것처럼 행동한다.
(→ In fact, he knows me.)

» 「as if+가정법 과거」 문장은 직설법 문장으로 바꿔 쓸 수 있어요.

I felt **as if I were flying** across the sky.
나는 마치 하늘을 가로질러 날고 있는 것처럼 느꼈다.

» 주절의 시제가 현재이든 과거이든 상관없이, as if가 이끄는 절은 주절과 같은 시점의 내용을 나타냅니다.

❷ as if+가정법 과거완료

용법	주절보다 앞선 시점의 사실과 반대되는 상황을 가정할 때 쓴다.
형태 및 의미	「**as if+주어+had p.p.~**」: 마치 ~였던 것처럼

She feels **as if she had forgotten** all her problems.
그녀는 마치 자신의 모든 문제들을 잊고 있었던 것처럼 느낀다.
(→ In fact, she didn't forget all her problems.)

» 「as if+가정법 과거완료」 문장도 직설법 문장으로 바꿔 쓸 수 있어요.

He cried out **as if he had lost** his mind.
그는 마치 제정신을 잃었던 것처럼 크게 울었다.

» 주절의 시제가 현재이든 과거이든 상관없이, as if가 이끄는 절은 주절보다 더 앞선 시점의 내용을 나타냅니다.

문법 확인 Ⓑ 문장 해석하기

▸ Answer p.29

1 I feel **as if I were** in a dream. → 나는 ______ 느낀다.

2 She acts **as if she were** an expert. → 그녀는 ______ 행동한다.
★expert 전문가

3 He spoke **as if such things were** available. → 그는 ______ 말했다.
★available 이용 가능한

4 Don't treat me **as if I were** a child. → ______ 나를 대하지 마세요.

5 She talks **as if she had seen** it herself. → 그녀는 ______ 말한다.

6 He says to me **as if he had read** my mind. → 그는 ______ 나에게 말한다.

7 He ate **as if he had not eaten** anything. → 그는 ______ 먹었다.

8 She looks **as if she hadn't slept** all night. → 그녀는 ______ 보인다.

문법 기본 Ⓐ 괄호 안의 말을 알맞은 형태로 고쳐 쓰기

▸ Answer p.29

1 그들이 나에게 말을 걸으면 좋을 텐데.

I wish they (will) talk to me. → ________

2 내가 수영하는 법을 배웠다면 좋았을 텐데.

I wish I (learn) how to swim. → ________

3 내가 온종일을 너와 함께 보낼 수 있다면 좋을 텐데.

I wish I (can) spend all day with you. → ________

4 그는 마치 그 길에 있는 차가 자기 자신의 차인 것처럼 말한다. (실제로는 그의 차가 아님)

He talks as if the car on the street (is) his own car. → ________

5 그녀는 그것에 대해 어떤 것도 듣지 못했던 것처럼 행동했다. (실제로는 무언가를 들었음)

She acted as if she (haven't) heard any of it. → ________

문법 기본 Ⓑ 알맞은 말 고르기

1 I wish I own / owned a new bicycle.

내가 새 자전거를 소유하면 좋을 텐데.

2 I wish they would / will leave me alone.

그들이 나를 혼자 내버려둔다면 좋을 텐데.

3 I wish I have / had met you eight years ago.

내가 너를 8년 전에 만났다면 좋았을 텐데.

4 Cathy acts as if she is / were my boss.

Cathy는 마치 자신이 나의 상사인 것처럼 행동한다. (실제로는 나의 상사가 아님)

5 He fell asleep as if he has / had no worries.

그는 마치 아무 걱정거리가 없는 것처럼 잠이 들었다. (실제로는 걱정거리가 있음)

6 Sam talks as if nothing has / had happened.

Sam은 마치 아무 일도 일어나지 않았던 것처럼 말한다. (실제로는 무슨 일인가가 일어났음)

▸ Answer p.29

문법 쓰기 A 가정법 문장으로 바꿔 쓰기

> Example I'm sorry that they don't try something.
> → I wish *they would try something*.

1 I'm sorry that I don't have brothers and sisters.

→ I wish ______________________.

2 I'm sorry that I lost my wallet on my way home.

→ I wish ______________________ on my way home.

3 In fact, he doesn't know the secret ingredient.

→ He acts as if ______________________.

4 In fact, Parker was not sick last week.

→ Parker looks as if ______________________ last week.

문법 쓰기 B 틀린 부분 고치기

> Example I wish I buy a bigger house. *buy* → *had bought*
> 내가 더 큰 집을 샀다면 좋았을 텐데.

1 I wish I have enough time to sleep. __________ → __________
나에게 잠을 잘 충분한 시간이 있으면 좋을 텐데.

2 I wish I make different choices in my life. __________ → __________
내가 내 삶에서 다른 선택들을 했다면 좋았을 텐데.

3 I wish they all will just disappear. __________ → __________
그것들 모두가 그냥 사라진다면 좋을 텐데.

4 He acts as such he had no social skills. __________ → __________
그는 마치 사교술이 없는 것처럼 행동한다. (실제로는 사교술이 있음)

5 He treats me as if I am his enemy. __________ → __________
그는 마치 내가 그의 적인 것처럼 나를 대한다. (실제로는 그의 적이 아님)

6 She looks as if she has abandoned her old habits. __________ → __________
그녀는 마치 자신의 옛 습관을 버린 것처럼 보인다. (실제로는 옛 습관을 버리지 않았음)

▸ Answer p.30

문법 쓰기 C 주어진 단어를 활용하여 가정법 문장 완성하기

Example	그가 불평하는 것을 멈추면 좋을 텐데. (wish, stop, complaining)
	→ *I wish he would stop complaining.*

1 그들이 나를 무시하지 않으면 좋을 텐데. (ignore)

→ I wish .

2 나의 팀이 선수권대회에서 우승을 했다면 좋았을 텐데. (win, the championship)

→ I wish .

3 그는 마치 자신이 백만장자인 것처럼 살고 있다. (a millionaire)

→ He lives .

4 그의 입에서는 마치 그가 양파를 먹었던 것 같은 냄새가 난다. (eat, onions)

→ His breath stinks .

5 나는 그가 자신의 약속을 지키면 좋을 텐데. (wish, keep, promise)

→

6 나는 그들이 나의 실수를 용서했다면 좋았을 텐데. (wish, forgive, mistake)

→

7 그녀는 마치 내가 낯선 사람인 것처럼 나를 대했다. (treat, a stranger)

→

8 Lisa는 마치 그 기사를 읽었던 것처럼 말한다. (talk, read, the article)

→

▸ Answer p.30

서술형 예제 1

밑줄 친 우리말과 일치하도록 괄호 안의 말을 이용하여 문장을 완성하시오. Point 43

A: 네가 10분만 더 일찍 도착했다면 좋았을 텐데. (arrive)
B: Oh, sorry. I am late because I missed the train by a second.

→ I wish ______________________ just 10 minutes earlier.

Teacher's guide

STEP ❶
밑줄 친 문장은 '~했다면 좋았을 텐데'의 의미이므로, 과거에 이루지 못한 일에 대한 아쉬움을 나타내는 <I wish + 가정법 과거완료> 문장으로 표현할 수 있어요.

STEP ❷
I wish 뒤에 「주어 + had p.p.~」의 형태로 빈칸을 완성합니다.

정답 ›› you had arrived

실전 연습 1

밑줄 친 우리말과 일치하도록 괄호 안의 말을 이용하여 문장을 완성하시오. Point 43

A: I think Alex is still mad at you.
B: Yeah. We argued with each other yesterday. 내가 그에게 사과했다면 좋았을 텐데. (apologize to)

→ I wish ______________________.

서술형 예제 2

다음 우리말을 〈조건〉에 맞게 영작하시오. Point 44

그는 마치 자신이 부자인 것처럼 행동했다.

조건
- 가정법 문장으로 쓸 것
- behave, a rich man을 사용할 것
- 총 9단어의 완전한 문장으로 쓸 것

→ ______________________

Teacher's guide

STEP ❶
주어진 우리말은 '마치 ~인 것처럼'의 의미이므로, 사실과 반대되는 상황에 대한 가정을 나타내는 <as if + 가정법 과거> 문장으로 표현할 수 있어요.

STEP ❷
주절의 주어와 동사인 He behaved를 쓰고, 이어지는 절을 「as if + 주어 + 동사의 과거형~」으로 표현합니다.

정답 ›› He behaved as if he were a rich man.

실전 연습 2

다음 우리말을 〈조건〉에 맞게 영작하시오. Point 44

Philip은 마치 자신이 다른 사람인 것처럼 행동했다.

조건
- 가정법 문장으로 쓸 것
- act, someone else를 사용할 것
- 총 8단어의 완전한 문장으로 쓸 것

→ ______________________

CHAPTER 09 가정법

내신 대비 실전 TEST

Answer p.30

객관식 (01~10)

Point 44

01 다음 밑줄 친 부분을 어법에 맞게 고친 것은?

> He acts as if he be a silly clown. In fact, he isn't.

① is ② are ③ were
④ has been ⑤ had been

Point 41

02 다음 주어진 문장과 의미가 같은 것은?

> As he didn't join our team, we couldn't win.

① If he joined our team, we could win.
② If he joined our team, we could have won.
③ If he hadn't joined our team, we could have won.
④ If he had joined our team, we could have won.
⑤ If he had joined our team, we couldn't have won.

고난도 Point 41, 43, 44

03 다음 중 어법상 틀린 것은?

① I wish I had a new computer.
② I wish I have trusted Cindy then.
③ My brothers swim as if they were fish.
④ If I had money, I could buy some food.
⑤ What would you do if you were president?

Point 42

04 다음 빈칸에 들어갈 말이 순서대로 짝지어진 것은?

> If he _______ her last night, she _______ in trouble now.

① didn't rescue – would be
② didn't rescue – would have been
③ hadn't rescued – will be
④ hadn't rescued – would be
⑤ hadn't rescued – would have been

Point 43

05 다음 우리말을 영어로 바르게 옮긴 것은?

> 내게 별을 볼 수 있는 망원경이 있으면 좋을 텐데.

① I wish I have a telescope to see the stars.
② I wish I had a telescope to see the stars.
③ I wish I have had a telescope to see the stars.
④ I wish I had had a telescope to see the stars.
⑤ I wish I will have a telescope to see the stars.

[06~07] 다음 빈칸에 들어갈 말로 알맞은 것을 고르시오.

Point 43

06

> I wish I _______ money when I was young.

① save ② saved
③ had saved ④ am saving
⑤ have saved

Point 41

07

> If I had my cell phone , I _______ the weather now.

① look up ② looked up
③ would look up ④ will look up
⑤ would have looked up

Point 42

08 다음 우리말과 일치하도록 할 때, 빈칸에 들어갈 말로 알맞은 것은?

> 만약 내가 어제 그의 제안을 받아들였다면, 나는 지금 다른 상황에 있을 텐데.
> → If I _______ his proposal yesterday, I would be in a different situation now.

① accept ② accepted
③ would accept ④ had accepted
⑤ have accepted

대표

[09~10] 다음 두 문장의 의미가 같을 때, 빈칸에 들어갈 말로 알맞은 것을 고르시오.

Point 43

09

I wish he stuck to his word.
= I'm sorry that he ________ to his word.

① sticks ② sticked
③ will stick ④ did not stick
⑤ does not stick

Point 44

10

He behaves as if he had been my very close friend.
= In fact, ________________.

① he is my very close friend
② he is not my very close friend
③ he was my very close friend
④ he was not my very close friend
⑤ he has been my very close friend

서술형 기본 (11~19)

[11~12] 다음 밑줄 친 부분을 바르게 고쳐 쓰시오.

Point 41

11

If I stayed on a desert island for a week, I <u>will bring</u> a box of matches.

→ ________________

Point 41

12

If he <u>didn't train</u> under the coach, he wouldn't have become a great player.

→ ________________

[13~14] 다음 우리말과 일치하도록 괄호 안의 말을 바르게 배열하시오.

Point 43

13

그가 어떤 결론에 도달한다면 좋을 텐데.
(arrive, at, conclusion, some, would, he)

→ I wish ________________.

Point 44

14

나는 마치 바다 위에 떠 있는 것처럼 느꼈다.
(on, floating, if, I, the sea, as, were)

→ I felt ________________.

[15~16] 다음 문장에서 어법상 <u>틀린</u> 부분을 찾아 바르게 고쳐 쓰시오.

Point 41

15

If I were a politician, I will try to be honest.

________ → ________

Point 42

16

If I did my warm-up exercise a while ago, I wouldn't have a cramp in my leg now.

________ → ________

대표

[17~18] 다음 두 문장의 의미가 같도록 빈칸에 알맞은 말을 쓰시오.

Point 44

17

In fact, he didn't find evidence of their guilt.

= He talks as if ________ ________ ________ evidence of their guilt.

Point 43

18

I'm sorry that my company didn't enter the overseas market.

= I wish my company ________ ________ the overseas market.

고난도

Point 42

19 다음 우리말과 일치하도록 괄호 안의 말을 이용하여 빈칸에 알맞은 말을 쓰시오.

만약 내가 보고서를 집에 두고 오지 않았다면, 나는 사무실에 있을 수 있을 텐데. (leave)

→ If I ________ ________ ________ the report at home, I could be at the office.

서술형 심화 (20~25)

Point 42, 44

20 다음 우리말을 〈조건〉에 맞게 영작하시오.

(1) 그는 마치 자신이 금메달을 땄던 것처럼 말한다.

조건 • speak, win, a gold medal을 사용할 것
• 총 10단어의 완전한 문장으로 쓸 것

→ ______________________________

(2) 만약 내가 피곤하지만 않다면, 나는 나갈 수 있을 텐데.

조건 • tired, go out을 사용할 것
• if가 생략된 절로 문장을 시작할 것
• 총 8단어의 완전한 문장으로 쓸 것

→ ______________________________

Point 41, 42

21 다음 두 문장의 의미가 같도록 빈칸에 알맞은 말을 쓰시오.

(1) As he didn't join the meeting, he could not learn many things.

= ______________________, he could have learned many things.

(2) As I didn't take the medicine yesterday, I am seriously ill now.

= If I had taken the medicine yesterday, ______________________.

Point 43

22 다음 우리말과 일치하도록 괄호 안의 말을 바르게 배열하시오.

네가 그 의사의 충고를 귀담아 들었다면 좋았을 텐데.
(you, advice, listened, to, the doctor's, had)

→ I wish ______________________.

대표 Point 44

23 다음 글의 흐름에 맞도록 괄호 안의 말을 이용하여 빈칸에 알맞은 말을 쓰시오.

(1) He behaves ______________________.
(as if) In fact, he is not a young prince.

(2) My grandma looks ______________________
__________. (as if) In fact, she didn't see a ghost.

Point 41

24 다음 괄호 안의 말을 이용하여 대화를 완성하시오.

(1) A: What would you do ______________
______________? (if, five years younger)
B: I would go abroad and live there for five years.

(2) A: If she had known you were in the hospital, ______________________
______________. (she, be very worried)
B: That's right. That's why I didn't let her know.

고난도 Point 43

25 다음은 Tom이 후회하는 일에 관한 표이다. 표를 보고 〈보기〉와 같이 괄호 안의 말을 이용하여 문장을 완성하시오.

후회하는 일	약간의 용돈을 저축하지 않았던 일
	여동생의 숙제를 도와주지 않았던 일
	자신의 아침 운동을 거른 일

• 보기 •
I wish I had saved some allowance money.
(save, allowance money)

(1) I wish ______________________
with her homework. (help, my sister)

(2) I wish ______________________
______________. (skip, morning exercises)

CHAPTER 10

비교 구문

Point 45 원급 비교

Point 46 비교급 표현

Point 47 최상급 표현 (1)

Point 48 최상급 표현 (2)

Chapter 10 내신 대비 실전 TEST

Get Ready

비교 구문	원급	**John is as tall as Peter.** John은 Peter만큼 키가 크다.
	비교급	**John is taller than Peter.** John은 Peter보다 키가 더 크다.
	최상급	**John is the tallest boy in his class.** John은 학급에서 키가 가장 큰 남자아이다.

비교 구문은 둘 이상의 사물이나 사람의 성질 · 상태 · 수량 등을 비교해서 나타내는 문장으로, 형용사나 부사의 원급, 비교급, 최상급을 사용합니다. 비교의 종류로는 형용사나 부사의 형태를 그대로 사용해 표현하는 **원급 비교**, 형용사나 부사의 형태를 변형해 사용하는 **비교급 · 최상급 비교**가 있습니다.

Point

45 원급 비교

❶ 원급 비교는 A와 B의 성질 · 상태 · 수량이 서로 같을 때 사용한다.

「as+형용사[부사]의 원급+as …」: …만큼 ~한[하게]

They are **as strong as** us.
그들은 우리만큼 강하다.

>> as 뒤에는 〈주어+동사〉 또는 목적격을 써요.

My backpack is **as big as** yours.
내 배낭은 네 것만큼 크다.

>> 비교 구문에서 비교 대상은 문법적 위상이 동일해야 해요.

He was**n't so weak as** I had expected.
그는 내가 예상했던 것만큼 약하지 않았다.

>> 원급 비교의 부정문은 「not as[so]+형용사[부사]의 원급+as」의 형태로 나타냅니다.

❷ 원급 비교 구문과 함께 can이나 배수사를 써서 다른 의미를 나타내기도 한다.

「as+원급+as+주어+can」=「as+원급+as possible」: 가능한 한 ~한[하게]

She hopes to leave Berlin **as soon as she can.**
그녀는 가능한 한 빨리 베를린을 떠나길 바란다.

>> She hopes to leave Berlin as soon as possible.로 바꿔 쓸 수 있어요.

「배수사+as+원급+as …」: …보다 몇 배로 더 ~한[하게]

This rope is **three times as long as** that one.
이 밧줄은 저 밧줄보다 세 배 더 길다.

>> 「배수사+비교급+than …」의 형태인 This rope is three times longer than that one.으로 바꿔 쓸 수 있어요.

문법 확인 Ⓐ 문장 해석하기

▸ Answer p.32

1 Her life is **as fun as** a play. → 그녀의 삶은 ______.
★play 연극

2 Some kids are **as smart as** adults. → 몇몇 아이들은 ______.

3 This cake is**n't so tasty as** it looks. → 이 케이크는 ______.

4 Business is **not so easy as** you think. → 사업은 ______.

5 Read **as fast as you can** for a minute. → 1분 동안 ______ 읽어라.

6 We have to leave **as early as possible.** → 우리는 ______ 떠나야 한다.

7 King Kong is **ten times as big as** a man. → 킹콩은 ______.

8 The task is **twice as big as** you thought. → 그 일은 ______.
★big (일이) 중대한

Point

46 비교급 표현

❶ 비교급 비교는 A와 B의 성질 · 상태 · 수량이 서로 다를 때 사용한다.

「형용사[부사]의 비교급+than …」: …보다 더 ~한[하게]

He was **more popular than** me.
그는 나보다 더 인기 있었다.

>> than 뒤에는 〈주어 + 동사〉 또는 목적격을 써요.

비교급 강조 부사 much, still, even, far, a lot: 훨씬

You look *a lot* **worse than** she does.
당신은 그녀보다 훨씬 더 안 좋아 보입니다.

>> 주절의 동사가 일반동사이고, 접속사 as나 than 뒤에 다시 나올 경우 대동사 do를 대신 씁니다.

❷ 비교급을 활용하여 다양한 비교 구문을 표현할 수 있다.

「less+형용사[부사]+than …」: …보다 덜 ~한[하게], …만큼 ~하지 않는[않게]

Volleyball games are **less exciting than** soccer games.
배구 경기는 축구 경기보다 덜 재미있다.

「비교급+and+비교급」: 점점 더 ~한[하게]

It was getting **darker and darker**.
날씨가 점점 더 어두워지고 있었다.

>> 「비교급+and+비교급」은 주로 get, become, grow, turn 등과 같이 상태 변화를 뜻하는 동사와 함께 쓰여요.

「the+비교급 ~, the+비교급 …」: ~할수록 더 …하다

The more you have, **the more** you want.
당신이 더 많이 가질수록, 당신은 더 많이 원하게 된다.

문법 확인 Ⓑ 문장 해석하기

▸ Answer p.32

1 She began to study **earlier than** we did.

→ 그녀는 ______ 공부하기 시작했다.

2 That bag is **a lot heavier than** normal bags. ★normal 일반적인

→ 그 가방은 ______.

3 A used car is **less valuable than** a new car. ★valuable 값이 나가는

→ 중고차는 ______.

4 The train began to accelerate **faster and faster**.

→ 그 기차는 ______ 가속하기 시작했다.

5 **The more** you know about yourself, **the more** confidence you can have. ★confidence 자신감

→ ______, 당신은 더 많은 자신감을 가질 수 있다.

▸ Answer p.32

문법 기본 A <보기>의 단어를 활용하여 빈칸 완성하기 (한 번씩만 사용)

보기

even competent old cheap brightly soon much

1 I am not so ____________ as my father. (나는 아버지만큼 유능하지는 않다.)

2 The sooner you buy it, the ____________ it will be. (네가 그것을 빨리 살수록, 그것은 더 쌀 것이다.)

3 I think my body is getting ____________. (나의 몸이 더 늙어가는 것 같다.)

4 The movie was ____________ better than I thought. (그 영화는 내가 생각한 것보다 훨씬 더 좋았다.)

5 I need to go home as ____________ as possible. (나는 가능한 한 빨리 집에 갈 필요가 있다.)

6 This car costs twice as ____________ as the other one. (이 자동차는 다른 것보다 두 배 더 비싸다.)

7 His eyes shined less ____________ than before. (그의 눈은 전보다 덜 밝게 빛났다.)

문법 기본 B 알맞은 말 고르기

1 Love is as strong / stronger as death.
사랑은 죽음만큼 강하다.

2 We will start recording as early as we can / must.
우리는 가능한 한 일찍 녹음을 시작할 것이다.

3 This bus is four times more / as expensive as an ordinary bus.
이 버스는 보통 버스보다 네 배 더 비싸다.

4 They look very / much happier than me to be honest.
솔직히 말하자면 그들이 나보다 훨씬 더 행복해 보인다.

5 She started to eat faster and / or faster.
그녀는 점점 더 빨리 먹기 시작했다.

6 The more I think about it, more / the more confused I get.
내가 그것에 대해 더 많이 생각할수록, 나는 더 혼란스러워진다.

▸ Answer p.32

문법 쓰기 Ⓐ 문장의 어순 배열하기

Example	가능한 한 숨을 많이 들이마셔라. (much / as / possible / as) → Breathe in *as much as possible*.

1 그녀는 예전처럼 활동적이지 않다. (active / as / not / so)

→ She is ______________________ she was.

2 우리 집은 그의 집보다 두 배 더 크다. (as / twice / as / big)

→ Our house is ______________________ his house.

3 Steve는 나이가 들어갈수록 더 현명해졌다. (the / he / became / wiser)

→ The older Steve got, ______________________.

4 미국의 자동차들은 매년 점점 더 무거워지고 있다. (heavier / and / getting / heavier)

→ American cars are ______________________ every year.

문법 쓰기 Ⓑ 틀린 부분 고치기

Example	You are as young than you feel. *than* → *as* 당신이 젊다고 느끼는 만큼 당신은 젊다.

1 Parents' love is as deeper as the sea. ________ → ________
부모님의 사랑은 바다만큼 깊다.

2 The river is little clean than it used to be. ________ → ________
그 강은 예전보다 덜 깨끗하다.

3 You should read as many books as you are. ________ → ________
너는 가능한 한 많은 책을 읽어야 한다.

4 My room is two as large as my sister's. ________ → ________
내 방은 내 언니의 방보다 두 배 더 크다.

5 The fight was getting big and big. ________ → ________
그 싸움은 점점 더 커져가고 있었다.

6 The more you study, the good your scores will be. ________ → ________
네가 많이 공부할수록, 점수가 더 나아질 것이다.

▸ Answer p.32

문법 쓰기 Ⓒ 주어진 단어를 활용하여 문장 완성하기

Example 당신은 많이 먹을수록 살이 더 찔 것이다. (fat, will, get)
→ *The more you eat, the fatter you will get.*

1 그는 그 제안을 가능한 한 일찍 받아들이는 편이 낫다. (early)

→ He had better accept the proposal .

2 까마귀는 사람보다 두 배 더 오래 산다. (as, long, a man)

→ A crow lives .

3 침팬지는 인간보다 덜 똑똑하다. (intelligent, humans)

→ Chimpanzees are .

4 음식이 매울수록 그녀는 그것을 더 좋아한다. (spicy, the food)

→ , the more she likes it.

5 이 옷은 깃털만큼 가볍다. (cloth, light, a feather)

→

6 그것은 네가 생각하는 것만큼 간단하지 않다. (so, simple, think)

→

7 조류 독감이 점점 더 빠르게 확산되고 있다. (the bird flu, spread, fast)

→

8 우리는 전보다 훨씬 더 열심히 일했다. (work, even, hard, before)

→

▸ Answer p.33

서술형 예제 1

다음 우리말을 〈조건〉에 맞게 영작하시오. ♣ Point 45

그 산봉우리는 Snowdon보다 네 배 더 높다.

조건	• 비교급을 사용할 것 • the peak, high를 사용할 것 • 총 8단어의 완전한 문장으로 쓸 것

→ ______________________________

Teacher's guide

STEP ❶
비교급을 이용하여 '…보다 몇 배 더 ~하다'라는 뜻의 문장을 영작하는 문제임을 파악합니다.

STEP ❷
<주어 + 동사>에 이어, '네 배'를 뜻하는 배수사 four times와 형용사 high의 비교급 higher, 접속사 than을 써서 문장을 완성합니다.

정답 ›› The peak is four times higher than Snowdon.

실전 연습 1

다음 우리말을 〈조건〉에 맞게 영작하시오. ♣ Point 45

사람들이 전보다 두 배 더 많이 모였다.

조건	• 원급을 사용할 것 • gather, much, before를 사용할 것 • 총 7단어의 완전한 문장으로 쓸 것

→ ______________________________

서술형 예제 2

밑줄 친 우리말과 일치하도록 괄호 안의 말을 이용하여 문장을 완성하시오. ♣ Point 46

A: 점점 더 많은 근로자들이 집에서 일하고 있어요. (more, worker, work)
B: Yes. Employees can be happier and more productive by working at home.

→ ______________________________ at home.

Teacher's guide

STEP ❶
'점점 더 ~한'이라는 뜻의 「비교급 + and + 비교급」 표현을 사용하여 주어를 씁니다.

STEP ❷
more는 '많은'이라는 뜻의 형용사 many의 비교급 형태임을 알아둡니다.

정답 ›› More and more workers are working

실전 연습 2

밑줄 친 우리말과 일치하도록 괄호 안의 말을 이용하여 문장을 완성하시오. ♣ Point 46

A: 점점 더 많은 사람들이 그들의 휴가를 해외에서 보내고 있어요. (more, spend, vacations)
B: Yes. As the quality of life has improved, more people can travel overseas.

→ ______________________________ abroad.

Point

47 최상급 표현 (1)

❶ 최상급 비교는 셋 이상을 비교하여 하나가 다른 것들보다 성질 · 상태 · 수량 등에 있어 그 정도가 가장 심할 때 사용한다.

「the+최상급」: 가장 ~한[하게]

Andrew is **the tallest** *in* the family.
Andrew는 가족 중에서 키가 가장 크다.

>> 형용사의 최상급은 원칙적으로 앞에 the를 붙여요.

You are **the smartest** *of* the three lawyers.
당신이 세 변호사들 중에서 가장 똑똑합니다.

>> 보통 비교 범위를 한정해 주는 〈in+단수 명사〉, 〈of+복수 명사〉가 함께 오는 경우가 많습니다.

❷ 최상급을 활용하여 다양한 구문을 표현할 수 있다.

「one of the+최상급+복수 명사」: 가장 ~한 … 중의 하나

Bangkok is **one of the most difficult cities** to drive in.
방콕은 운전하기 가장 힘든 도시들 중 하나이다.

「the+최상급+(that)+주어+have ever p.p.」: 지금까지 ~한 것 중 가장 …한

It was **the biggest traffic accident I've ever seen.**
그것은 내가 지금까지 본 것 중 가장 큰 교통 사고였다.

최상급을 포함한 관용 표현

표현	at (the) least	at (the) most	at (the) latest	at best
의미	적어도	많아야, 고작	늦어도	기껏해야

문법 확인 Ⓐ 문장 해석하기

▸ Answer p.33

1 The airline has **the cheapest** flights in our country.

→ 그 항공사는 ______ 보유하고 있다.

2 "Night and Day" was **the most famous** of American ballads at that time. ★ballad 발라드(대중가요의 일종)

→ 「Night and Day」는 그 당시의 ______.

3 He is **one of the funniest comedians** in history.

→ 그는 역사상 ______.

4 This is **the smallest cell phone that I have ever seen.**

→ 이것은 ______.

5 I must sell **at least** five washing machines a month.

→ 나는 한 달에 ______ 팔아야 한다.

Point

48 최상급 표현 (2)

❶ 원급을 이용해 최상급과 같은 의미를 표현할 수 있다.

「No (other) 명사 ~ as[so]+원급+as」: 어떤 –도 …만큼 ~하지 않다

No other tree is **as useful as** the coconut tree.
어떤 나무도 코코넛 나무만큼 유용하지 않다.

❷ 비교급을 이용해 최상급과 같은 의미를 표현할 수 있다.

「No (other) 명사 ~ 비교급+than」: 어떤 –도 …보다 더 ~하지 않다

Nothing is **more important than** the safety of children.
어떤 것도 아이들의 안전보다 더 중요하지 않다.

「비교급+than any other+단수 명사」: 다른 어떤 …보다 더 ~하다

It is **larger than any other country** in the world.
그것은 세계에서 다른 어떤 나라보다 더 크다.

「비교급+than all the other+복수 명사」: 다른 모든 …보다 더 ~하다

This area is **more crowded than all the other places** in Tokyo.
이 지역은 도쿄의 다른 모든 장소들보다 더 붐빈다.

문법 확인 Ⓑ 문장 해석하기

▸ Answer p.33

1 **No other method** is **as effective as** interviews.

→ 어떤 방법도 ______________________.

2 **Nothing** is **more precious** to me **than** my family.

→ 어떤 것도 내게 ______________________.

3 **No other man** at his company is **more diligent than** James.

→ 그의 회사에서 어떤 사람도 ______________________.

4 Ben is **braver than any other soldier** in the world.

→ Ben은 세상에서 ______________________.

5 He is **smaller than all the other boys** on his team.

→ 그는 그의 팀에서 ______________________.

▸ Answer p.33

문법 기본 Ⓐ 주어진 단어를 알맞은 형태로 고쳐 쓰기

1 **tall** What is the ______________ building in your country?
(당신의 나라에서 가장 높은 빌딩은 무엇인가요?)

2 **small** In fact, no other man in the world is ______________ than John.
(사실, 세상의 어떤 남자도 John보다 몸집이 더 작지는 않다.)

3 **large** Central Park is one of the ______________ parks in New York City.
(Central Park는 뉴욕 시에서 가장 큰 공원들 중 하나이다.)

4 **fast** Cricket is growing ______________ than any other sport in Germany.
(크리켓은 독일에서 다른 어떤 스포츠보다 더 빠르게 성장하고 있다.)

5 **cute** That's the ______________ creature I've ever seen in my life.
(그것은 내가 지금까지 내 인생에서 본 것 중 가장 귀여운 생명체이다.)

문법 기본 Ⓑ 알맞은 말 고르기

1 Finland is one of the coldest part / parts on Earth.
핀란드는 지구상의 가장 추운 지역 중 하나이다.

2 Crows are the smartest in / of all bird species.
까마귀는 모든 조류 중에서 가장 영리하다.

3 No / Any other animal is as selfish as humans are.
어떤 동물도 인간만큼 이기적이지는 않다.

4 I like oranges better than any / all other fruit.
나는 다른 어떤 과일보다 오렌지를 더 좋아한다.

5 This is the more / most beautiful lighthouse I have ever visited.
이곳은 내가 지금까지 방문한 곳 중 가장 아름다운 등대이다.

6 He was politer / politest than all the other students in my class.
그는 우리 반에서 다른 모든 학생들보다 더 공손했다.

▸ Answer p.33

문법 쓰기 A 최상급 표현을 활용하여 문장 바꿔 쓰기

Example Mount Everest is the tallest mountain in the world.
= Mount Everest is *taller* *than* *any* *other* mountain in the world.

1 This is the deepest point in the ocean.

= No other point in the ocean is ____ ____ ____ this.

= This is ____ ____ any other point in the ocean.

= This is deeper than ____ ____ ____ points in the ocean.

2 The last question was the most difficult.

= ____ ____ ____ was more difficult than the last question.

= The last question was more difficult than ____ ____ ____ .

= The last question was ____ ____ ____ all the other questions.

문법 쓰기 B 틀린 부분 고치기

Example It is one of the most fantastic place in the world. *place* → *places*
그곳은 세계에서 가장 환상적인 장소들 중의 하나이다.

1 Elisha was the faster runner among the men. ____ → ____
Elisha는 그 남자들 중에서 가장 빠른 주자였다.

2 This is the greatest mistake what I have ever made. ____ → ____
이것은 내가 지금까지 저지른 것 중 가장 큰 실수이다.

3 The use of fossil fuels is higher than all the other resource. ____ → ____
화석 연료의 사용은 다른 모든 자원보다 더 높다.

4 It was one of the bigger wars in the history of the world. ____ → ____
그것은 세계 역사상 가장 큰 전쟁 중 하나였다.

5 You need to be there by 6 p.m. at the later. ____ → ____
당신은 늦어도 오후 6시까지는 그곳에 올 필요가 있습니다.

6 No other eyes are most beautiful than her eyes. ____ → ____
어떤 눈도 그녀의 눈보다 더 아름답지는 않다.

▸ Answer p.33

문법 쓰기 C 주어진 단어와 최상급 표현을 활용하여 문장 완성하기

Example	어떠한 것도 건강보다 더 가치 있지는 않다. (nothing, valuable, health)
	→ *Nothing is more valuable than health.*

1 몰디브는 아시아에서 가장 작은 나라이다. (small, country, Asia)

→ The Maldives is ________________.

2 Robin은 내가 지금까지 만난 사람 중 가장 멋진 사람이다. (ever, meet)

→ Robin is the nicest person ________________.

3 어떤 시험도 이것보다 더 쉽지는 않다. (easy, this one)

→ No other test ________________.

4 동아시아는 다른 어떤 지역보다 더 빠르게 노화되고 있다. (fast, region)

→ East Asia is aging ________________.

5 그의 강의는 파리에서 가장 유명해졌다. (lectures, become, famous)

→

6 헬싱키는 세계에서 가장 추운 도시들 중 하나이다. (Helsinki, cold, city)

→

7 어떤 나무도 빨간 단풍나무만큼 아름답지 않다. (no other, beautiful, the red maple)

→

8 그 호박은 다른 모든 호박들보다 더 무겁다. (the pumpkin, heavy)

→

▸ Answer p.33

서술형 예제 1

다음 우리말과 일치하도록 괄호 안의 말을 이용하여 대화를 완성하시오. ♣ Point 47

A: 바로 여기야! 이곳은 우리나라에서 가장 유명한 놀이공원이야. (famous, amusement park)
B: 와! 이곳은 내가 지금까지 본 놀이공원 중 가장 큰 것 같아. (ever, see)

A : Here, at last! This is (1) ______________________ in our country.

B : Wow! I think it's the biggest amusement park (2) ______________________.

Teacher's guide

STEP ❶

(1) famous의 최상급 most famous를 활용합니다.

STEP ❷

(2) 「(that) + 주어 + have ever p.p.」의 형태로 씁니다.

정답 ›› (1) the most famous amusement park
(2) (that) I have ever seen

실전 연습 1

다음 우리말과 일치하도록 괄호 안의 말을 이용하여 대화를 완성하시오. ♣ Point 47

A: 여기서 저녁 식사를 하는 게 어때? 이곳이 네티즌들 사이에서 가장 인기가 많은 식당이야. (popular, restaurant)
B: 와! 이곳은 우리가 지금까지 방문한 식당 중 가장 붐비는 것 같아. (ever, visit)

A : How about having dinner here? This is (1) ______________________ among netizens.

B : Wow! I think it's the most crowded restaurant (2) ______________________.

서술형 예제 2

다음 우리말을 〈조건〉에 맞게 영작하시오. ♣ Point 48

어떠한 것도 놓쳐버린 기회보다 더 비싸지는 않다.

조건
• nothing, costly, a missed opportunity를 사용할 것
• 총 8단어의 완전한 문장으로 쓸 것

→ ______________________

Teacher's guide

STEP ❶

<조건>에 제시된 nothing을 문장의 주어로 씁니다. 부정 주어 nothing과 '더 ~하지는 않다'라는 부분으로 보아, 부정 주어와 비교급을 사용해 최상급 표현을 만드는 문제임을 파악합니다.

STEP ❷

주어진 우리말 문장은 '어떤 -도 …보다 더 ~하지 않다'라는 뜻이므로, 「부정 주어(Nothing) ~ 비교급 + than …」의 형태로 씁니다.

정답 ›› Nothing is more costly than a missed opportunity.

실전 연습 2

다음 우리말을 〈조건〉에 맞게 영작하시오. ♣ Point 48

어떠한 것도 잘못된 정보보다 더 쓸모없지는 않다.

조건
• nothing, useless, wrong information을 사용할 것
• 총 7단어의 완전한 문장으로 쓸 것

→ ______________________

CHAPTER 10 비교 구문

내신 대비 실전 TEST

▸ Answer p.33

객관식 (01~10)

Point 45, 47, 48

01 다음 중 문장의 의미가 나머지 넷과 다른 것은?

① This one is the cheapest chair at the store.
② No other chair at the store is cheaper than this one.
③ This one is not as cheap as other chairs at the store.
④ This one is cheaper than any other chair at the store.
⑤ This one is cheaper than all the other chairs at the store.

Point 47

02 다음 우리말과 일치하도록 할 때, 빈칸에 들어갈 말로 알맞은 것은?

> 그는 아마 기껏해야 1년 정도 살 수 있을 것이다.
> → He may have ________ a year to live.

① at best ② at least ③ at worst
④ at latest ⑤ at last

대표 Point 46

03 다음 밑줄 친 부분과 바꿔 쓸 수 없는 것은?

> The movie was much better than expected.

① still ② far ③ even
④ a lot ⑤ very

Point 48

04 다음 빈칸에 들어갈 말이 순서대로 짝지어진 것은?

> The river is ________ than any other ________ in Asia.

① big - river ② big - rivers
③ bigger - river ④ bigger - rivers
⑤ biggest - river

Point 45

05 다음 우리말을 영어로 바르게 옮긴 것은?

> 그는 몸무게가 평균 남성보다 세 배 더 나간다.

① He is three heavier than an average man.
② He is three as heavy as an average man.
③ He is three times as heavy as an average man.
④ He is three times heavier as an average man.
⑤ He is three times as heavy than an average man.

Point 47

06 다음 빈칸에 들어갈 말이 나머지 넷과 다른 것은?

① He is the smartest ______ his brothers.
② This is one ______ the largest bookstores in Japan.
③ Carol is the most thoughtful girl ______ her class.
④ Recycling is one ______ the most important things.
⑤ It was the greatest ______ many great Victorian novels.

고난도 Point 45, 47, 48

07 다음 중 어법상 틀린 것은?

① This is the heaviest of the tablet PCs.
② You know about insects as much as I am.
③ The food here is not as good as it used to be.
④ Nothing is more important than your happiness.
⑤ It is one of the most romantic places in London.

Point 46

08 다음 빈칸에 공통으로 들어갈 말로 알맞은 것은?

> She is getting ________ and ________.

① strong ② stronger ③ strength
④ strongly ⑤ strongest

Point 46

09 다음 두 문장의 의미가 같을 때, 밑줄 친 부분의 형태로 알맞은 것끼리 짝지어진 것은?

> As you get richer, your worries may be greater.
> = Rich you get, great your worries may be.

① Richer – greater
② Richest – greatest
③ The rich – the great
④ The richer – the greater
⑤ The richest – the greatest

Point 48

10 다음 두 문장의 의미가 같을 때, 빈칸에 들어갈 말로 알맞은 것은?

> Football is the most widely watched sport in Singapore.
> = ________ is as widely watched as football in Singapore.

① All sports ② Every sport
③ No other sport ④ Any other sport
⑤ All the other sports

서술형 기본 (11~18)

[11~12] 다음 문장에서 어법상 틀린 부분을 찾아 바르게 고쳐 쓰시오. (한 단어만 고칠 것)

Point 45

11

> You need to expose your child to a foreign language as earlier as possible.

________ → ________

Point 45

12

> A male firefly's light is two as bright as a female's.

________ → ________

[13~14] 다음 우리말과 일치하도록 괄호 안의 말을 바르게 배열하시오.

Point 46

13

> 날씨가 더워질수록, 물은 더 많이 증발된다.
> (it, the, gets, hotter)

→ ________, the more water evaporates.

Point 47

14

> 로스앤젤레스는 세계에서 가장 매력적인 도시들 중 하나이다. (attractive, of, most, one, cities, the)

→ Los Angeles is ________ ________ in the world.

대표

[15~16] 다음 밑줄 친 부분을 바르게 고쳐 쓰시오.

Point 46

15

> The pollution problem is growing big and big nowadays.

→ ________

Point 47

16

> This is the more delicious sweet potato I have ever tasted.

→ ________

고난도

[17~18] 다음 두 문장의 의미가 같도록 빈칸에 알맞은 말을 쓰시오.

Point 45

17

> He has three times more toys than Jack.

= He has three times ________.

Point 48

18

> Persuasion is the most difficult part of this work.

= No other part of this work is ________ ________.

서술형 심화 (19~24)

Point 47

19 다음 우리말을 〈조건〉에 맞게 영작하시오.

(1) 그 지도자는 세계에서 가장 강력해졌다.

조건
- the leader, become, powerful을 사용할 것
- 총 9단어의 완전한 문장으로 쓸 것

→ ______________________

(2) 러시아어는 가장 어려운 언어들 중 하나이다.

조건
- Russian, difficult, language를 사용할 것
- 총 8단어의 완전한 문장으로 쓸 것

→ ______________________

Point 48

20 다음 주어진 문장을 지시에 맞게 바꿔 쓰시오.

Tiramisu is the most delicious dessert.

(1) 원급을 사용할 것

→ ______________________

(2) 비교급과 all the other를 사용할 것

→ ______________________

Point 45

21 다음 우리말과 일치하도록 괄호 안의 말을 바르게 배열하시오.

이 별은 태양보다 약 5배가 더 크다.
(as, big, times, five, as)

→ This star is about ______________________ the sun.

Point 45, 46

22 다음 두 문장의 의미가 같도록 빈칸에 알맞은 말을 쓰시오.

(1) Vegetables are healthier than fast food.

= Fast food is ______________________.

(2) We try to make all our guests as comfortable as possible.

= We try to make all our guests as comfortable as ______________________.

대표 Point 46

23 다음 괄호 안의 말을 이용하여 대화를 완성하시오.

(1) A: It was a little chilly last week, but it has been warm this week. The weather is ______________________ ______________. (get, warm, and)

B: Right. I can feel that spring is just around the corner.

(2) A: ______________________, the healthier you will be. (more, exercise, do)

B: Okay. I'll work out from now on.

고난도 Point 47, 48

24 다음은 Robin과 친구들의 키와 몸무게를 나타내는 표이다. 표를 보고 괄호 안의 말을 이용하여 문장을 완성하시오.

Name	Height	Weight
Robin	160 cm	58 kg
Andrew	164 cm	50 kg
James	167 cm	73 kg
John	172 cm	64 kg

(1) No other boy is ______________________ ______________________. (tall)

(2) James is ______________________ of the four boys. (heavy)

CHAPTER 11

특수구문

Point 49 강조
Point 50 부정
Point 51 부사구 · 부정어 도치
Point 52 부사 도치

Chapter 11 내신 대비 실전 TEST

Get Ready

강조	강조의 do	**I do like the idea.** 나는 그 생각이 정말 마음에 든다.
	강조 구문	**It was you that I loved.** 내가 사랑한 사람은 바로 너였어.
부정	부분 부정	**Not all birds can fly.** 모든 새들이 날 수 있는 것은 아니다.
	전체 부정	**None of us know how to drive.** 우리 중 누구도 운전하는 법을 모른다.
도치	부정어 도치	**Never will I forget your kindness.** 저는 당신의 친절을 결코 잊지 않을 거예요.
	부사(구) 도치	**My sister likes flowers, and so do I.** 내 여동생은 꽃을 좋아하고, 나도 그래.

1. **강조**란 문장의 한 부분을 강하게 전달하기 위해 특정 어구를 덧붙이는 것을 말해요.
2. **부정**이란 부정어구를 사용하여 전체를 부정하거나 일부만 부정하는 것을 말해요.
3. **도치**란 주어와 동사의 위치를 서로 바꾸는 것을 말해요.

Point

49 강조

❶ 문장의 일반동사를 강조할 때는 동사 앞에 조동사 do를 넣는다.

주어의 인칭, 수, 시제에 따른 형태(do/does/did): 정말[꼭] ~하다

She **does** live in Russia. 그녀는 러시아에 정말로 산다.

He **did** keep his promise yesterday. 그는 어제 자신의 약속을 정말 지켰다.

❷ 「It is[was] ~ that …」 강조 구문은 강조하고자 하는 말을 It is[was]와 that 사이에 두어 강조한다.

「It is[was] ~ that …」 강조 구문: …한 것은 바로 ~이다[였다]

Jane bought a dress at the store yesterday.
Jane은 어제 가게에서 원피스를 샀다.

→ **It was** Jane **that** bought a dress at the store yesterday. 〈주어 강조〉
어제 가게에서 원피스를 산 사람은 바로 Jane이었다.

» 강조하고자 하는 말에 따라 that 대신 who, whom, where, when 등을 사용할 수 있어요.

→ **It was** a dress **that** Jane bought at the store yesterday. 〈목적어 강조〉
Jane이 어제 가게에서 산 것은 바로 원피스였다.

→ **It was** at the store **that** Jane bought a dress yesterday. 〈장소 강조〉
Jane이 어제 원피스를 산 곳은 바로 그 가게였다.

→ **It was** yesterday **that** Jane bought a dress at the store. 〈시간 강조〉
Jane이 가게에서 원피스를 산 날은 바로 어제였다.

문법 확인 Ⓐ 문장 해석하기

▸ Answer p.35

1 I **do** believe in the existence of aliens. → 나는 외계인들의 존재를 ______.

2 It **does** smell weird in here. → 이 안에서 ______.
★weird 이상한

3 She **does** try to change his mind. → 그녀는 그의 마음을 바꾸려고 ______.

4 Martin **did** share his idea with me. → Martin은 자신의 생각을 나와 ______.

5 **It was** John **that** invited Jennifer. → Jennifer를 초대한 사람은 ______.

6 **It is** my father **that** I want to see. → ______ 바로 우리 아버지이다.

7 **It was** last week **that** it happened. → 그것이 발생한 때는 ______.

8 **It is** in the safe **that** we keep it. → ______ 바로 금고 안이다.

Point

50 부정

❶ 부분 부정은 일부만 부정하고 일부는 긍정하는 것이다.

「not+all, every/both/always」: 모두/둘 다/항상 ~한 것은 아니다

Not all of them are losers.
그들 중 모두가 실패자는 아니다.

Not every student is at the same level.
모든 학생이 똑같은 수준에 있지는 않다.

>> every가 포함된 표현이 주어일 때는 단수 취급을 하기 때문에 단수 동사 is가 이어졌어요.

News does **not always** convey the truth.
뉴스가 항상 진실을 전달하는 것은 아니다.

❷ 전체 부정은 모두를 부정하는 것이다.

「none, no one/neither/never/not ~ any」: 아무도/둘 다[모두]/결코/전혀 ~하지 않다

No one gave me any food.
아무도 나에게 약간의 음식도 주지 않았다.

>> none은 '아무도 (~하지 않다)'라는 뜻의 대명사이고, no는 '어떤 ~도 아닌'이라는 뜻의 한정사입니다.

Do**n't** try **any** of your tricks with him.
그에게는 어떠한 속임수도 쓰지 마라.

+

「neither of + 명사」가 주어로 쓰일 경우, of 뒤의 명사의 수와 관계없이 항상 단수 동사가 옵니다.

Neither of them *is* interested in you. 그들 중 누구도 당신에게 관심이 있지 않다.

문법 확인 Ⓑ 문장 해석하기

▸ Answer p.35

1 **Not all** animals have tails. → 모든 동물들이 꼬리를 ________.

2 **Not every** flower smells sweet. → 모든 꽃이 향기로운 ________.

3 The rich are **not always** happy. → 부자들이 항상 ________.

4 I do**n't** know **both** of his sisters. → 나는 그의 누이를 둘 다 ________.

5 **No one** is free from fault. → ________ 결점에서 자유롭지 않다.

6 There was **not any** money left. → 남은 돈이 ________.

7 **Neither** of the stories is new. → 그 이야기들 ________.

8 He **never** said sorry to me. → 그는 나에게 ________.

▸ Answer p.35

문법 기본 Ⓐ 부정 표현에 사용되는 어구 분류하기

no one　neither　not every　not ~ any
not always　not ~ both　none　not all　never

1 부분 부정에 사용되는 어구	2 전체 부정에 사용되는 어구

문법 기본 Ⓑ 알맞은 말 고르기

1 I do / be like to jog every morning.
나는 매일 아침 조깅하는 것을 정말 좋아한다.

2 She do / does hate making mistakes.
그녀는 실수하는 것을 정말 싫어한다.

3 Tom does / did finish law school last year.
Tom은 작년에 로스쿨을 정말 끝마쳤다.

4 He do / did hear some footsteps behind him.
그는 뒤에서 어떤 발자국 소리를 정말 들었다.

5 It was umbrellas and raincoats that / who we needed.
우리가 필요했던 것은 바로 우산과 우비였다.

6 It is / was Andrew that stole my money.
내 돈을 훔친 사람은 바로 Andrew였다.

7 It was at the hospital that / when she found her son.
그녀가 자신의 아들을 발견한 곳은 바로 병원이었다.

8 It was last month when / where they discussed the problem.
그들이 그 문제에 대해 토론한 때는 바로 지난달이었다.

▸ Answer p.35

문법 쓰기 A 주어진 동사를 활용하여 빈칸 완성하기

Example	love	그들은 경기에서 이기는 것을 정말 좋아한다.	→ They *do love* to win games.
		그들은 경기에서 이기는 것을 정말 좋아했다.	→ They *did love* to win games.

1 **wish** 그는 그녀의 행운을 정말로 빈다. → He ______ her luck.
그는 그녀의 행운을 정말로 빌었다. → He ______ her luck.

2 **agree** 나는 Ron에게 정말 동의한다. → I ______ with Ron.
그녀는 Ron에게 정말 동의한다. → She ______ with Ron.

3 **be, want** 내가 보고 싶은 것은 바로 영화이다. → It ______ movies that I ______ to see.
내가 보고 싶었던 것은 바로 영화였다. → It ______ movies that I ______ to see.

4 **be, meet** 내가 그를 만나는 곳은 바로 공원이다. → It ______ in the park that I ______ him.
내가 그를 만났던 곳은 바로 공원이었다. → It ______ in the park that I ______ him.

문법 쓰기 B 밑줄 친 부분 고치기

Example No every story has a happy ending. → *Not every*
모든 이야기가 행복한 결말로 끝나는 것은 아니다.

1 Peter is no always this busy. →
Peter가 항상 이렇게 바쁜 것은 아니다.

2 Not one can buy time with money. →
누구도 시간을 돈으로 살 수는 없다.

3 We haven't heard nothing from him. →
우리는 그에게서 어떤 말도 듣지 못했다.

4 Every shoe fit not every foot. →
모든 신발이 모든 발에 맞는 것은 아니다.

5 No all of them wanted to play baseball. →
그들 모두가 야구를 하고 싶어 했던 것은 아니다.

6 Neither of my parents doesn't live with me. →
나의 부모님 모두 나와 함께 살지 않는다.

▸ Answer p.35

문법 쓰기 Ⓒ 주어진 단어를 활용하여 문장 완성하기

Example 누구도 디지털 카메라를 갖고 있지 않았다. (no one, have)
→ *No one had a digital camera.*

1 그 소파는 사무실에 두기에 정말 좋아 보였다. (do, look, good)

→ The sofa ______ in the office.

2 내가 집에 갔던 때는 바로 자정이었다. (it, at midnight)

→ ______ that I went home.

3 모든 학생들이 목표를 달성할 수 있는 것은 아니다. (all, can)

→ ______ achieve their goals.

4 우리 둘 다 그 사건에 대해 잊지 않았다. (neither, forget)

→ ______ about the incident.

5 그는 정말로 많은 양의 커피를 마신다. (do, drink, a lot of)

→ ______

6 모든 사람이 예술가가 될 수는 없다. (every man, can, be, an artist)

→ ______

7 나를 기다린 사람은 바로 Jack이었다. (it, wait for)

→ ______

8 우리들 중 누구도 헬멧을 쓰고 있지 않다. (none, wear, helmets)

→ ______

★「none of+명사」가 주어로 쓰일 경우, of 뒤의 명사의 수에 동사의 수를 일치시켜요.

▸ Answer p.36

서술형 예제 1

다음 우리말을 〈조건〉에 맞게 영작하시오. Point 49

Mary가 내게 가져다준 것은 바로 좋은 소식이었다.

조건	• 문장을 It으로 시작할 것 • Mary brought me the good news.의 표현을 사용할 것 • 총 9단어의 완전한 문장으로 쓸 것

→ ______________________________

Teacher's guide

STEP ❶

주어진 우리말 문장은 '…한 것은 바로 ~이었다'라는 뜻이며, 문장을 It으로 시작하라는 조건으로 보아 「It was ~ that …」 강조 구문을 사용해야 함을 알 수 있어요.

STEP ❷

강조하고자 하는 말인 the good news를 It was와 that 사이에 넣고, 나머지 내용은 that 뒤에 써요.

정답 » It was the good news that Mary brought me.

실전 연습 1

다음 우리말을 〈조건〉에 맞게 영작하시오. Point 49

그에게 노트북을 사준 사람은 바로 그의 아빠였다.

조건	• 문장을 It으로 시작할 것 • His dad bought him a laptop.의 표현을 사용할 것 • 총 9단어의 완전한 문장으로 쓸 것

→ ______________________________

서술형 예제 2

다음 대화를 읽고, 괄호 안의 말을 이용하여 밑줄 친 우리말을 영작하시오. Point 50

A: 나는 학교에 결코 지각하지 않아. (be late for) How about you?
B: I'm not always late, but I often arrive late.

→ ______________________________

Teacher's guide

STEP ❶

밑줄 친 우리말 문장은 '결코 ~하지 않다'라는 뜻이므로, '전체 부정' 문장임을 알 수 있어요.

STEP ❷

부정어 never를 사용하여 전체 부정 문장을 표현해요. be동사가 있는 문장에서 부정어는 be동사 바로 뒤에 온다는 점에 유의하세요.

정답 » I am never late for school.

실전 연습 2

다음 대화를 읽고, 괄호 안의 말을 이용하여 밑줄 친 우리말을 영작하시오. Point 50

A: I think that none of my friends believe my story.
B: Well, 그들 모두가 네 이야기를 의심하는 것은 아니야. (all of, doubt)

→ ______________________________

Point

51 부사구 · 부정어 도치

❶ 장소나 방향의 부사구를 강조하기 위해 문장 맨 앞에 쓸 때, 주어와 동사가 도치된다.

「장소 · 방향의 부사구+동사+주어 ~」: 해석은 도치가 일어나기 전과 동일

On the bench sat my father.
나의 아버지는 벤치에 앉아 있었다.

Down came heavy rain.
폭우가 내렸다.

Around the park he ran. » 주어가 대명사일 때는 도치가 일어나지 않아요.
그는 그 공원 주위를 달렸다.

❷ 부정어(구)를 강조하기 위해 문장 맨 앞에 쓸 때, 주어와 (조)동사가 도치된다.

「부정어(no, not, never, little, hardly, rarely 등)+(조)동사+주어 ~」: 해석은 도치가 일어나기 전과 동일

Never will I forget your help.
나는 너의 도움을 결코 잊지 않을 거야.

Little did I think that John became a doctor. » little(거의 ~않는), hardly(거의 ~않는), rarely(좀처럼 ~하지 않는)
나는 John이 의사가 되었다고는 거의 생각하지 못했다.

✚

부정어(구) 도치가 일어날 경우, 동사의 성격에 따라 도치의 형태가 달라져요.

〈조동사+동사〉인 경우	「부정어+조동사+주어+동사원형 ~」
동사가 be동사인 경우	「부정어+be동사+주어 ~」
동사가 일반동사인 경우	「부정어+do/does/did+주어+동사원형 ~」

문법 확인 Ⓐ 문장 해석하기

▸ Answer p.36

1 On the shelf **was a gold necklace.** → ______ 금 목걸이가 있었다.
★shelf 선반

2 In front of the gate **sat a huge doghouse.** → ______ 거대한 개집이 있었다.

3 From Germany **he** just **came back.** → 그는 ______ 방금 돌아왔다.

4 Up and down on the bed **jumped the child.** → 그 아이는 ______ 뛰었다.

5 Hardly **do I** see him recently. → 나는 최근에 그를 ______.

6 Little **did I** know that she was rich. → 나는 그녀가 부유하다는 것을 ______.

7 Not only **is he** smart, but also gentle. → 그는 ______ 온화하기도 하다.
★「not only A but (also) B」: A뿐만 아니라 B도

Point

52 부사 도치

❶ 상대의 의견에 동의할 때 쓰는 「so[neither/nor]+동사+주어」는 도치가 일어난 표현이다.

「so+동사+주어」: ~도 (또한) 그렇다 (긍정문 뒤에 사용)
「neither/nor+동사+주어」: ~도 (또한) 아니다 (부정문 뒤에 사용)

A: My sister *is* going to the festival.
B: **So am I.**
A: 내 여동생은 그 축제에 갈 거야.
B: 나도 그래.

» 「so[neither/nor]+동사+주어」에서 동사는 앞 문장에 쓰인 동사의 종류에 맞춰요. A의 말에 be동사가 쓰였으므로, 이에 맞춰 B의 말도 be동사로 씁니다.

A: Mark *can't* read without his glasses.
B: **Neither can I.**
A: Mark는 안경 없이는 글을 읽을 수가 없어.
B: 나도 그래.

» Neither가 부정의 의미를 나타내므로 뒤에 부정의 표현을 쓸 수 없어요. 이중부정이 되면 안 돼요.

A: Grace *lives* in this apartment.
B: **So does Helen.**
A: Grace는 이 아파트에 살아.
B: Helen도 그래.

» 앞 문장에 be동사나 조동사가 없을 경우, do[does/did]를 사용해 「so[neither/nor]+동사+주어」를 나타냅니다.

❷ 부사 Here나 There가 문장 맨 앞에 오면 주어와 동사가 도치된다.

「Here/There+동사+주어」: 해석은 도치가 일어나기 전과 동일

Here comes the professor. 여기 교수님이 오신다.
Here he comes. 여기 그가 오는군.
» 주어가 대명사일 때는 도치가 일어나지 않아요.
There leaves the last train now. 저기 지금 마지막 열차가 떠난다.

문법 확인 Ⓑ 문장 해석하기

▸ Answer p.36

1 A: Tom is struggling with math. → A: Tom은 수학과 씨름하고 있어.
B: **So am I.** → B: ________.

2 A: Peter can't see without his glasses. → A: Peter는 안경이 없이는 볼 수가 없어.
B: **Neither can his brother.** → B: ________.

3 A: Jane has not received an admission letter. → A: Jane은 입학 허가서를 받지 못했어.
B: **Neither have I.** → B: ________.

4 Here **is your change.** → ________ 있어요.
★change 거스름돈

5 Here **she comes** at last! → ________ 마침내 오는군요!

6 There **goes Bill** in his boat. → ________ 보트를 타고 간다.

▸ Answer p.36

문법 기본 Ⓐ 빈칸에 들어갈 말에 V 표시하기

1 A: I am so starving. B: ________ am I. □ So □ Neither

2 A: I don't like to eat vegetables. B: ________ do I. □ So □ Neither

3 A: Linda can skate very well. B: So ________ her sister. □ do □ am □ can

4 A: Paul didn't have an eraser. B: Neither ________ I. □ do □ did □ does

5 A: I was born in Seoul. B: So ________ I. □ is □ was □ were

6 A: Jim has not solved the problem. B: Neither ________ I. □ have □ has □ had

7 A: He won't go camping. B: Neither ________ I. □ will □ do □ won't

문법 기본 Ⓑ 알맞은 말 고르기

1 Around the corner was / were the police station.
모퉁이를 돈 곳에 경찰서가 있었다.

2 On the riverbank he stood / stood he .
강둑 위에 그가 서 있었다.

3 Out of the room Steve walked / walked Steve .
방 밖으로 Steve가 걸어 나왔다.

4 Hardly could I / I could work in the morning.
나는 아침에 거의 일을 할 수 없었다.

5 Rarely was she / she was able to sleep at night.
그녀는 밤에 좀처럼 잘 수가 없었다.

6 Here comes the train / the train comes .
여기 기차가 옵니다.

7 There he goes / goes he , swinging his arms.
저기에 자신의 양팔을 휘저으면서 그가 간다.

▸ Answer p.36

문법 쓰기 Ⓐ 문장 바꿔 쓰기

Example	My daughter has never lied to me. → Never *has* *my* *daughter* lied to me.

1 I little dreamed that it was you.

→ Little ______ ______ ______ that it was you.

2 Eleven cards are on the desk facedown.

→ On the desk ______ ______ ______ facedown.

★facedown 거꾸로

3 Robert is not only intelligent but also hardworking.

→ Not only ______ ______ ______ but also hardworking.

4 A star was at the top of the Christmas tree.

→ At the top of the Christmas tree ______ ______ ______.

문법 쓰기 Ⓑ 틀린 부분 고치기

Example	I had a great time and so do my husband. 나는 매우 좋은 시간을 보냈고 나의 남편도 그랬다.	*do* → *did*

1 Never I will leave you alone. ______ → ______
나는 너를 결코 혼자 내버려두지 않을 거야.

2 A: I don't want to mention it. B: So do I. ______ → ______
A: 나는 그것을 언급하고 싶지 않아요. B: 나도 그래요.

3 He will sit up all night and so do I. ______ → ______
그는 밤을 꼴딱 새울 것이고 나도 그럴 거야.

4 Cathy was tired from the long trip and so am I. ______ → ______
Cathy는 긴 여행으로 피곤했고 나도 그랬다.

5 Mary went fishing last week and neither did he. ______ → ______
Mary는 지난주에 낚시하러 갔고 그도 그랬다.

6 Here offer they a wide range of products. ______ → ______
여기에서 그들은 다양한 제품들을 제공한다.

▸ Answer p.36

문법 쓰기 C 주어진 단어를 활용하여 문장 완성하기

Example 책상 위에 그녀의 여권이 있었다. (desk, passport)
→ *On the desk was her passport.*

1 주차장이 길 건너편에 있었다. (be, the parking lot)

→ Across the street .

2 나는 그와 결코 이야기하지 않았다. (talk)

→ Never with him.

3 나의 어머니는 그 결과에 만족하지 않았고 나도 그랬다. (neither)

→ My mother was not satisfied with the result and .

4 저기 유성이다! (go)

→ a shooting star!

5 여기 행군 악대가 옵니다. (come, a marching band)

→ Here .

6 정문 앞에 경비원이 서 있었다. (the gate, stand, a guard)

→ In front of .

7 그녀는 회의에 좀처럼 참석하지 않는다. (attend, a meeting)

→ Rarely .

8 그는 2일 더 머무를 것이며, 나도 그럴 것이다. (will, stay, two more days)

→

▸ Answer p.36

서술형 예제 1

다음 우리말을 〈조건〉에 맞게 영작하시오. Point 51

나는 어젯밤에 잠을 거의 못 잤다.

조건
- hardly, sleep, last night를 사용할 것
- 문장을 부정어로 시작할 것
- 총 6단어의 완전한 문장으로 쓸 것

→ ______________________________

Teacher's guide

STEP ❶
첫 번째 조건에 따라 주어진 우리말을 영작하면 I hardly slept last night.가 됩니다.

STEP ❷
부정어로 시작하라는 조건이 있으므로, 부정어 Hardly를 문장 맨 앞에 씁니다. 부정어가 문장 맨 앞에 올 때 주어와 (조)동사가 도치됩니다. 일반동사 slept가 쓰였으므로, 「부정어+did+주어+동사원형~」의 어순으로 바꿔 씁니다.

정답 » Hardly did I sleep last night.

실전 연습 1

다음 우리말을 〈조건〉에 맞게 영작하시오. Point 51

나는 좀처럼 별을 올려다보지 않았다.

조건
- rarely, look up at, stars를 사용할 것
- 문장을 부정어로 시작할 것
- 총 7단어의 완전한 문장으로 쓸 것

→ ______________________________

서술형 예제 2

다음 우리말과 일치하도록 괄호 안의 조건에 맞게 대화를 완성하시오. Point 52

A: 지난주에 (1) 나는 그 뮤지컬을 봤어. (watch를 사용할 것)
B: (2) 나도 봤어. (총 3단어로 쓸 것) 정말 멋진 공연이었어!

A : (1) ______________________ last week.
B : (2) ____________. It was such a great show!

Teacher's guide

STEP ❶
(1) 과거시제 문장이므로, 동사 watch를 과거형인 watched로 바꾸어서 문장을 구성합니다.

STEP ❷
(2) '나 또한 그렇다'의 의미이며 세 단어로 짧게 영작해야 하므로, 「so[neither/nor]+동사+주어」로 씁니다. 긍정문인 A의 말 뒤에 이어지고 있으므로, So로 시작하는 문장을 씁니다.

정답 » (1) I watched the musical (2) So did I

실전 연습 2

다음 우리말과 일치하도록 괄호 안의 조건에 맞게 대화를 완성하시오. Point 52

A: 여보, 그것에 대해 (1) 나는 이야기하고 싶지 않아요. (want, talk를 사용할 것)
B: (2) 나도 그래요. (총 3단어로 쓸 것) 우리 주제를 바꿔 보아요.

A : Honey, (1) __________________ about it.
B : (2) ______________. Let's change the topic.

CHAPTER 11 특수구문

내신 대비 실전 TEST

▸ Answer p.36

객관식 (01~10)

Point 49

01 다음 밑줄 친 부분을 강조하는 문장으로 바꿀 때, 빈칸에 들어갈 말로 알맞은 것은?

A toy helps develop the kids mentally.
→ ___________ develop the kids mentally.

① It is a toy that help
② It is a toy that helps
③ It is a toy when helps
④ It was a toy that helps
⑤ It was a toy when help

Point 49

02 다음 중 밑줄 친 부분의 쓰임이 나머지 넷과 다른 것은?

① Chris did go fishing without me.
② She did believe that love is forever.
③ He plays the piano better than I do.
④ Do forgive me and come back to me.
⑤ He does spend money on useless things.

대표 Point 50

03 다음 두 문장을 한 문장으로 알맞게 바꾼 것은?

Some students like to dance. Some students like to sing a song.

① All the students like to dance.
② Not all students like to dance.
③ Every student likes to sing a song.
④ None of the students like to sing a song.
⑤ Neither of the students likes to sing a song.

Point 49

04 다음 빈칸에 들어갈 말로 알맞은 것은?

It was his umbrella ___________ Tom left on the bus.

① who ② what ③ when
④ where ⑤ that

Point 51

05 다음 밑줄 친 부분을 어법에 맞게 고친 것은?

Little I dreamed that we could meet again.

① Little dreamed I ② Little I did dream
③ Little did I dream ④ Little did I dreamed
⑤ Little do I dreamed

Point 52

06 다음 대화의 빈칸에 들어갈 말로 알맞은 것은?

A: I didn't have breakfast.
B: ___________. Let's have some food.

① So am I ② So did I
③ Nor do I ④ Neither did I
⑤ Neither was I

Point 51

07 다음 우리말을 영어로 바르게 옮긴 것은?

그는 그것을 이해했을 뿐만 아니라 그것을 설명했다.

① Not he only understood it, but he explained it.
② He not do only understand it, but he explained it.
③ Not only he did understand it, but he explained it.
④ He did not only understood it, but he explained it.
⑤ Not only did he understand it, but he explained it.

Point 50

08 다음 우리말과 일치하도록 할 때, 빈칸에 들어갈 말로 알맞은 것은?

그녀는 자신이 모든 것을 망쳤다는 것을 결코 깨닫지 못할 것이다.
→ She ________ that she ruined everything.

① didn't realize ② will not realized
③ never does realize ④ will never realize
⑤ will not always realize

Point 52

09 다음 두 문장의 의미가 같을 때, 빈칸에 들어갈 말로 알맞은 것은?

The summer ended. My vacation ended, too.
= The summer ended, and ____________.

① so my vacation did
② so did my vacation
③ so was my vacation
④ either did my vacation
⑤ neither did my vacation

고난도 Point 49, 51

10 다음 중 어법상 틀린 것은?

① Never did I see such a sight.
② On the bench sat a girl wearing jeans.
③ James does care about his son's health.
④ Hardly did I recognize you with that hair.
⑤ It was Jane that I argued with her yesterday.

서술형 기본 (11~18)

Point 51

11 다음 문장에서 어법상 틀린 부분을 찾아 바르게 고쳐 쓰시오.

Around the corner a man stood with a dark-blue coat.

____________ → ____________

Point 49

12 다음 우리말과 일치하도록 괄호 안의 말을 바르게 배열하시오.

우리가 좋아하지 않는 것은 바로 그의 태도이다.
(is, that, his manner, it)

→ ____________________ we don't like.

Point 51

13 다음 두 문장의 의미가 같도록 빈칸에 알맞은 말을 쓰시오.

I can hardly do my homework without my computer.

= Hardly ____________________ without my computer.

대표 Point 49, 52

14 다음 빈칸에 공통으로 알맞은 말을 쓰시오.

• This gold ________ look real, but it's not.
• She has enough money to buy it. So ________ he.

→ ____________

[15~16] 다음 대화의 흐름에 맞도록 빈칸에 알맞은 말을 쓰시오.

Point 52

15
A: I can't figure out how he did it.
B: ____________. I think he must be a genius.

Point 52

16
A: I'm glad I was able to help Peter.
B: ____________. I hope our help will be of great help to him.

고난도

[17~18] 다음 우리말과 일치하도록 빈칸에 알맞은 말을 쓰시오.

Point 50

17
그 자매들은 둘 다 고등학교를 끝마치지 못했다.

→ ____________________ finished high school.

Point 50

18
모든 동물들이 좋은 시력을 갖고 있는 것은 아니다.

→ ____________ animals have great eyesight.

서술형 심화 (19~24)

Point 51

19 다음 우리말을 〈조건〉에 맞게 영작하시오.

나는 슬픈 영화를 결코 보지 않는다.

조건
- never, see, a sad movie를 사용할 것
- 문장을 부정어로 시작할 것
- 총 7단어의 완전한 문장으로 쓸 것

→ ______________________

Point 49

20 다음 주어진 문장을 지시에 맞게 바꿔 쓰시오.

She told me her secret in the bedroom.

(1) It ______________________
______________________.
(직접목적어를 강조하는 문장으로 쓸 것)

(2) It ______________________
______________________.
(부사구를 강조하는 문장으로 쓸 것)

Point 50

21 다음 Chris의 주간 활동을 참고하여 아래 질문에 답하시오.

요일	활동
Monday	take a violin lesson
Tuesday	study with a math tutor
Wednesday	take a violin lesson
Thursday	study with a math tutor
Friday	do aerobics
Saturday	work part-time
Sunday	work part-time

(1) Q: Does Chris take a violin lesson every day?
A: No. He ______________________. (every)

(2) Q: Does Chris study with an English tutor?
A: No. He ______________________. (never)

대표 Point 52

22 다음 대화를 읽고, 괄호 안의 조건에 맞게 밑줄 친 우리말을 영작하시오.

A: Jack, look at the cat in this picture. Isn't it so cute? I want to keep a cat.
B: (1) 나도 그래. (so / 총 3단어) Why don't we ask Mom to get one?
A: Well, she's allergic to animals. She doesn't like to keep cats.
B: (2) 아빠도 좋아하지 않으셔. (neither, Dad / 총 3단어) He thinks keeping animals costs a lot.

(1) ______________________

(2) ______________________

고난도 Point 50

23 다음 일기를 보고 아래 질문에 답하시오.

Yesterday was one of the happiest days in my life. ⓐ Not one got distracted, and every classmate listened to my presentation. And I was elected class president. I decided to be a class leader who serves the class. ⓑ 내가 모두를 만족시킬 수는 없다. (can, satisfy, everyone) But I will do what my classmates want me to do.

(1) 밑줄 친 ⓐ에서 어법상 틀린 부분을 찾아 바르게 고쳐 쓰시오.

__________ → __________

(2) 밑줄 친 ⓑ를 괄호 안의 말을 이용하여 영작하시오.

→ ______________________

Point 49, 51

24 다음 ①~⑤ 중 어법상 틀린 것을 골라 바르게 고쳐 쓰시오.

Andrew is my younger brother. ① Rarely did he eat vegetables when young. My mom was ② worried about his health. So she used to make pies ③ using vegetables to make Andrew ④ eat some vegetables. It worked. Now he ⑤ do enjoy vegetables.

( ) ______________________

CHAPTER 12

일치와 화법

Point 53 수 일치
Point 54 시제 일치
Point 55 평서문의 화법 전환
Point 56 의문문 · 명령문의 화법 전환
Chapter 12 내신 대비 실전 TEST

Get Ready

일치

수 일치 — **Every student has different interests.**
모든 학생은 서로 다른 관심사를 가지고 있다.

시제 일치 — **I believed that the data was reliable.**
나는 그 자료를 신뢰할 수 있다고 믿었다.

화법

직접 화법 — **He said, "I will go skating."**
그는 "나는 스케이트를 타러 갈 거야."라고 말했다.

간접 화법 — **He said that he would go skating.**
그는 스케이트를 타러 갈 거라고 말했다.

1. **수의 일치**는 동사의 형태를 주어의 수에 일치시키는 것을 말합니다. **시제의 일치**는 종속절의 시제가 주절의 시제에 따라 결정되는 것을 말합니다.
2. **직접 화법**은 전달자가 인용부호를 써서 다른 사람의 말을 '그대로' 전달하는 것이고, **간접 화법**은 전달자가 다른 사람의 말을 '자신의 말로' 전달하는 것이에요.

Point

53 수 일치

❶ 단수 · 복수의 구분

단수 취급	복수 취급	변동되는 경우
every / each+단수 명사	a number of+복수 명사 (많은 수의 ~)	부분 표현(all, most, some, half, none, 분수)+of+단수 명사 → 단수 동사
-body, -one, -thing으로 끝나는 대명사		
학과명, 국가명, 작품명, 병명		
시간, 금액, 거리, 무게	the+형용사 (~한 사람들)	부분 표현(all, most, some, half, none, 분수)+of+복수 명사 → 복수 동사
the number of+복수 명사 (~의 수)		
many a+단수 명사 (많은 ~)		

Every moment is precious. 모든 순간은 소중하다.

Only **one fifth of an iceberg is** above the surface. 빙하의 5분의 1만이 수면 위로 드러나 있다.

≫ 영어로 분수를 표현할 때 분자는 기수, 분모는 서수로 표기하여 「기수+서수」의 형태가 됩니다. 분자가 2 이상이면 분모에 -s를 붙여요.

❷ 상관접속사의 수 일치

복수 취급	both A and B (A와 B 둘 다)	
B에 일치	either A or B (A나 B 둘 중 하나) not only A but (also) B (A뿐만 아니라 B도) not A but B (A가 아니라 B)	neither A nor B (A와 B 둘 다 ~이 아닌) B as well as A (A뿐만 아니라 B도)

Both John **and** Mary **are** interested in it. John과 Mary 둘 다 그것에 관심이 있다.

Not only Tom **but also** his sons **are** attending the meeting. Tom뿐만 아니라 그의 아들들도 그 모임에 참석하고 있다.

문법 확인 Ⓐ 주어와 동사에 밑줄 긋고 문장 해석하기

▸ Answer p.38

1 The rich are not necessarily happy. → ________ 반드시 행복한 것은 아니다.

2 Not I but Tony has been to Europe. → ________ 유럽에 가본 적이 있다.

3 Many a man has made the same mistake. → ________ 똑같은 실수를 해왔다.

4 None of the students were absent. → ________ 결석하지 않았다.

5 Physics is the most difficult subject for me. → ________ 내게 있어 가장 어려운 과목이다.
★physics 물리학

6 A number of people keep pets at home. → ________ 집에서 반려동물을 기른다.

Point

54 시제 일치

❶ 시제 일치란 주절의 시제에 따라 종속절의 시제가 결정되는 것을 가리킨다.

주절의 시제	종속절의 시제
현재	모든 시제(현재, 과거, 미래, 현재완료, 과거완료 등) 가능
과거	과거 또는 과거완료 가능

I **believe** that our love **is** eternal.
나는 우리의 사랑이 영원하다고 믿어요.

No one **could understand** why she **was** upset.
누구도 그녀가 화난 이유를 이해하지 못했다.

>> 주절이 과거시제일 경우, 종속절의 시점이 주절의 시점과 동일하다면 종속절 또한 과거시제로 표현합니다.

He **told** me that he **had worked** there for his entire working life.
그는 자신의 전체 근로 생활을 그곳에서 했었다고 내게 말했다.

>> 주절이 과거시제일 경우, 종속절의 일이 주절의 일보다 먼저 일어났다면 종속절을 과거완료로 표현합니다.

❷ 시제 일치의 예외

종속절의 내용	종속절의 시제
현재의 습관, 불변의 진리, 과학적 사실, 격언 등을 나타낼 때	주절의 시제와 상관없이 항상 현재
역사적 사실을 나타낼 때	주절의 시제와 상관없이 항상 과거
시간 · 조건을 나타내는 부사절일 때	미래 대신 현재

He **said** that the earth **is** round.
그는 지구가 둥글다고 말했다.

>> the earth is round는 불변의 진리이므로 현재시제를 쓰지만, the earth was flat은 그렇지 않으므로 과거시제를 써요.

We **learned** that the French Revolution **broke out** in 1780.
우리는 프랑스 대혁명이 1780년에 발발했다고 배웠다.

When he **comes** back, I'**ll call** you.
그가 돌아오면, 내가 너에게 전화해줄게.

>> 주절의 시제가 미래이고 종속절도 미래의 일을 가리키므로 미래시제를 써야 하지만, 종속절이 시간을 나타내는 부사절이므로 현재시제를 써요.

문법 확인 Ⓑ 주절과 종속절의 동사에 밑줄 긋고 문장 해석하기

▸ Answer p.38

1 She wondered why he had told a useless lie. ★useless 쓸모없는

→ 그녀는 ______________________ 궁금했다.

2 He thought that honesty is the best policy. ★policy 방책, 방침

→ 그는 ______________________ 생각했다.

3 He explained that Columbus discovered America in 1492. ★discover 발견하다

→ 그는 ______________________ 설명했다.

4 If it rains heavily, the game will be called off.

→ ______________________ , 경기는 취소될 것이다.

▸ Answer p.38

문법 기본 Ⓐ 주어 다음에 이어질 동사의 형태에 V 표시하기

1	Many a pencil	□ was	□ were
2	Not you but Tom	□ enjoys	□ enjoy
3	A number of actors	□ uses	□ use
4	The number of apples	□ is	□ are
5	Both a desk and a chair	□ keeps	□ keep
6	Neither Mom nor Dad	□ treats	□ treat
7	Not only Peter but also his teachers	□ helps	□ help

문법 기본 Ⓑ 알맞은 말 고르기

1 I thought that he is / was innocent.

나는 그가 결백하다고 생각했다.

2 Every country has / have its own history.

모든 나라는 고유한 역사를 지닌다.

3 Either I or she has / have to attend the meeting.

나 또는 그녀가 그 회의에 참석해야 한다.

4 I will speak to you when I am / will be ready to start.

내가 시작할 준비가 될 때 당신에게 말할 겁니다.

5 Not only Chris but also I is / am an experienced tour guide.

Chris뿐만 아니라 나도 경험 있는 여행 가이드이다.

6 He said that air is / was composed mainly of nitrogen and oxygen.

그는 공기가 주로 질소와 산소로 구성되어 있다고 말했다.

7 About half of the people in India suffer / suffers from severe poverty.

인도의 약 절반의 사람들이 극심한 가난으로 고통 받는다.

Answer p.38

문법 쓰기 A 지시에 맞게 문장 바꿔 쓰기

Example	Either you or he can solve this problem. (not A but B 구문으로)
	→ *Not you but he* can solve this problem.

1 Not only you but also Katie knows about this. (B as well as A 구문으로)

→ ______ knows about this.

2 All students have an equal opportunity to learn. (All 대신 Every로)

→ ______ an equal opportunity to learn.

3 Both you and I are not wrong. (neither A nor B 구문으로)

→ ______ wrong.

4 A lot of persons are reading his novel. (A lot of 대신 Many a로)

→ ______ reading his novel.

문법 쓰기 B 틀린 부분 고치기

Example	Everyone in her class like Mrs. Brown. 그녀의 학급에 있는 모두가 Brown 선생님을 좋아한다.	*like* → *likes*

1 The number of Internet users are growing. → ______
인터넷 사용자들의 수가 증가하고 있다.

2 Some of the people greets each other at the door. → ______
그 사람들 중 일부는 입구에서 서로에게 인사한다.

3 Three quarters of the students was African Americans. → ______
그 학생들 중 4분의 3은 아프리카계 미국인들이었다.

4 I realized that I leave my cell phone at home. → ______
나는 집에 휴대전화를 두고 온 것을 깨달았다.

5 If you will water the lawn, the grass will grow. → ______
만약 네가 잔디밭에 물을 준다면, 잔디가 자랄 것이다.

6 I know Lincoln is the 16th United States President. → ______
나는 링컨이 16대 미국 대통령이었다는 것을 알고 있다.

▸ Answer p.38

문법 쓰기 Ⓒ 주어진 단어를 활용하여 문장 완성하기

Example Chris와 Jennifer는 둘 다 함께 살고 있다. (both, live, together)
→ *Both Chris and Jennifer live together.*

1 30분은 기다리기에는 긴 시간이다. (minute)

→ a long time to wait.

2 나와 그녀는 둘 다 주말을 위한 어떤 계획도 갖고 있지 않다. (neither, have)

→ any plans for the weekend.

3 내가 나의 할머니 댁에 도착하면 너에게 전화할게. (get to, grandmother's house)

→ I will call you when .

4 그는 지난주에 여기에서 교통사고가 있었다고 말했다. (there, a traffic accident)

→ He said that last week.

5 모든 아이들은 잠재력을 가지고 있다. (every, have, potential)

→

6 이웃 사람들의 절반은 농부이다. (half, the neighbors, farmers)

→

7 나는 그가 영어를 매우 잘한다고 생각했다. (think, that, speak, very well)

→

8 Tom은 일찍 일어나는 새가 벌레를 잡는다고 말했다. (say, that, the early bird, catch, the worm)

→

▸ Answer p.38

서술형 예제 1

다음 우리말을 〈조건〉에 맞게 영작하시오. Point 53

그 선생님들 중 대부분은 다정해 보인다.

조건	• most of, seem, friendly를 사용할 것 • 총 6단어의 완전한 문장으로 쓸 것

→ ______________________________

Teacher's guide

STEP ❶

주어인 '그 선생님들 중 대부분'은 부분을 나타내는 표현인 「most of + 명사」의 형태로 씁니다.

STEP ❷

「부분 표현 + of + 명사」가 주어로 쓰일 때는 of 뒤의 명사에 수를 일치시키므로, 복수 명사 teachers 뒤에 복수 동사 seem을 씁니다.

정답 ›› Most of the teachers seem friendly.

실전 연습 1

다음 우리말을 〈조건〉에 맞게 영작하시오. Point 53

그 직원들 중 일부는 자신들의 일자리를 잃는다.

조건	• employee, lose, job을 사용할 것 • 총 7단어의 완전한 문장으로 쓸 것

→ ______________________________

서술형 예제 2

다음 대화를 읽고, 괄호 안의 말을 이용하여 밑줄 친 우리말을 영작하시오. Point 54

A: You know what? Peter told me that <u>그가 매일 아침에 조깅을 한다</u>. (jog)
B: Yes, I know. I think he is diligent.

→ ______________________________

Teacher's guide

STEP ❶

빈칸은 접속사 that이 이끄는 종속절에 해당합니다. 밑줄 친 우리말은 Peter의 현재 습관을 나타내는 내용임을 이해합니다.

STEP ❷

종속절의 내용이 현재의 습관에 관한 것이므로, 주절의 시제와 상관없이 현재시제로 표현합니다.

정답 ›› he jogs every morning

실전 연습 2

다음 대화를 읽고, 괄호 안의 말을 이용하여 밑줄 친 우리말을 영작하시오. Point 54

A: I heard Jake plays soccer every weekend.
B: Right. He said that <u>축구가 그의 체력을 향상시켜 준다</u>. (improve, strength)

→ ______________________________

Point

55 평서문의 화법 전환

평서문의 화법 전환

1) 주절의 전달 동사 say[said]는 say[said]로, say[said] to는 tell[told]로 바꾼다.
2) 콤마(,)와 인용 부호(" ")를 없애고, 주절과 피전달문을 that으로 연결한다. (that은 생략 가능)
3) 주절이 현재시제일 때 피전달문의 시제는 그대로 둔다. 주절이 과거시제일 때 시제 일치의 규칙에 따라 피전달문의 시제를 바꾼다.
(현재 → 과거 / 현재완료 또는 과거 → 과거완료)
4) 피전달문의 인칭대명사, 부사(구)를 전달하는 사람의 입장에 맞춘다.
ago → before / now → then / today → that day / yesterday → the day before / tomorrow → the next day / here → there / this → that

주절 / 피전달문

Luke **says**, "**I will be** back later." Luke는 "나중에 돌아올게."라고 말한다.

↓ ↓ ↓

Luke **says** (**that**) **he will be** back later. Luke는 나중에 돌아오겠다고 말한다.

주절 / 피전달문

She **said to** me, "**I** **arrived** home **yesterday**." 그녀는 "나는 어제 집에 도착했어."라고 나에게 말했다.

↓ ↓ ↓ ↓

She **told** me (**that**) **she had arrived** home **the day before**. 그녀는 자신이 그 전날 집에 도착했다고 나에게 말했다.

» 간접 화법의 전달 동사는 주로 say, tell, ask 등이 쓰여요.
» yesterday는 화법 전환 시 the previous day로도 바꿀 수 있어요.

문법 확인 Ⓐ 문장 해석하기

▸ Answer p.39

1 Carl **says to** me, "**I will quit my** job." →

Carl **tells** me **that he will quit his** job. →

2 He said, "**I will have** a dinner party." →

He said **that he would have** a dinner party. →

3 She said, "**They have lived here**." →

She said **that they had lived there**. →

4 My mom **said to** me, "Patience **is** a virtue." →
★patience 인내 virtue 미덕

My mom **told** me **that** patience **is** a virtue. →
★피전달문은 격언을 나타내므로, 시제 일치의 예외에 따라 현재시제로 씁니다.

Point
56 의문문 · 명령문의 화법 전환

❶ 의문문의 화법 전환

1) 전달 동사 say (to)는 ask로 바꾼다.
2) 콤마(,)와 인용 부호(" ")를 없애고 물음표(?)를 마침표(.)로 바꾼다.
3) 주절과 피전달문을 의문사 또는 if/whether로 연결한다.
(피전달문에 의문사가 있을 경우: 〈의문사+주어+동사〉 / 피전달문에 의문사가 없을 경우: 〈if/whether+주어+동사〉)
4) 피전달문의 시제, 인칭대명사, 부사(구)를 전환한다. (평서문의 화법을 전환할 때와 동일)

She **said to** me, "**What shall I do**?" 그녀는 "내가 무엇을 해야 할까?"라고 나에게 말했다.
→ She **asked** me **what she should do.** 그녀는 자신이 무엇을 해야 하는지 나에게 물었다.

He **said to** me, "**Can you play** the guitar?" 그는 "너는 기타를 연주할 수 있니"라고 나에게 말했다.
→ He **asked** me **if I could play** the guitar. 그는 내가 기타를 연주할 수 있는지 나에게 물었다.

❷ 명령문의 화법 전환

1) 전달 동사 say to는 tell(지시), ask, request(요청), advise(조언, 충고), suggest(제안, 조언), order(명령), allow(허락) 등으로 바꾼다.
2) 콤마(,)와 인용 부호(" ")를 없애고, 피전달문의 동사를 to부정사로 바꾼다. (부정 명령문인 경우, not to부정사로 바꾼다.)
3) 피전달문의 시제, 인칭대명사, 부사(구)를 전환한다. (평서문의 화법을 전환할 때와 동일)

Mom **said to** me, "**Clean your** room." 엄마는 나에게 "네 방을 청소하렴."이라고 말했다.
→ Mom **told** me **to clean my** room. 엄마는 나에게 내 방을 청소하라고 말했다.

He **said to** me, "**Don't forget** to bring **your** umbrella." 그는 나에게 "네 우산을 가져올 것을 잊지 마."라고 말했다.
→ He **advised** me **not to forget** to bring **my** umbrella. 그는 나에게 우산을 가져올 것을 잊지 말라고 충고했다.

문법 확인 Ⓑ 문장 해석하기

▸ Answer p.39

1 I **said to** him, "**Have you** ever **tried** Thai food?" →
★Thai 태국의

I **asked** him **if he had** ever **tried** Thai food. →

2 Cindy **said to** me, "**What will you do today**?" →

Cindy **asked** me **what I would do that day.** →

3 Dad **said to** us, "**Fasten your** seat belts." →

Dad **advised** us **to fasten our** seat belts. →

4 She **said to** her puppy, "**Don't bark** at them." →

She **ordered** her puppy **not to bark** at them. →

▸ Answer p.39

문법 기본 Ⓐ 화법 간에 대응되는 부사(구)끼리 연결하기

직접 화법		간접 화법
1	ago	• that
2	yesterday	• then
3	here	• before
4	now	• that day
5	tomorrow	• the day before
6	today	• there
7	this	• the next day

문법 기본 Ⓑ 화법 전환 시 알맞은 말 고르기

1 He said to me, "I will never do that again." → He told me that he / I would never do that again.

2 My mom said to me, "I will buy you a bag." → My mom told / said me that she would buy me a bag.

3 She said, "I'm going to take a taxi now." → She said that she was going to take a taxi then / now .

4 He said to me, "Will you do me a favor?" → He asked me that / if I would do him a favor.

5 Jenny said to me, "Who is John talking to?" → Jenny asked me who John is / was talking to.

6 He said to me, "What is your job?" → He asked me what was my job / what my job was .

7 My mom said to me, "Get in the car." → My mom told me to get / that get in the car.

8 Tommy said to me, "Don't be so worried." → Tommy advised me not to be / to not be so worried.

▸ Answer p.39

문법 쓰기 A 화법 전환 시 빈칸 완성하기

Example She said to me, "I will handle this problem."
→ She told me that *she would handle* that problem.

1 I said to Lisa, "How much does your laptop weigh?"

→ I ______ Lisa how much ______.

2 My daughter said to me, "I have a math exam today."

→ My daughter ______ me ______ a math exam that day.

3 My father said to me, "Don't go far from here."

→ My father advised me ______ far from there.

4 He said to me, "Can you fill this out?"

→ He asked me ______ out.

문법 쓰기 B 화법 전환 시 틀린 부분 고치기

Example He said to me, "I will follow your opinion."
→ He told me that I would follow my opinion. *I* → *he*

1 He said to me, "I will lose some weight."

→ He told me that he will lose some weight. ______ → ______

2 He said to me, "I posted the letter yesterday."

→ He told me that he had posted the letter yesterday. ______ → ______

3 She said to me, "Are you interested in jazz music?"

→ She asked me that I was interested in jazz music. ______ → ______

4 He said to me, "When are you leaving for the airport?"

→ He asked me when was I leaving for the airport. ______ → ______

5 Mom said to me, "Don't sit so close to the TV."

→ Mom told me that don't sit so close to the TV. ______ → ______

▸ Answer p.39

문법 쓰기 Ⓒ 간접 화법 문장으로 전환하기

Example He said to me, "I will finish my work soon."
→ *He told me (that) he would finish his work soon.*

1 She said, "I will spend a lot of time here."

→

2 He said to us, "I will visit Kyoto for sure."

→

3 He said to her, "I read the book yesterday."

→

4 Jim said, "The sun sets in the west."

→

5 She said to me, "Do you still work for that company?"

→

6 I said to Luke, "When will you leave for your trip?"

→

7 Ms. Parker said to him, "Come and sit next to me."

→

8 My father said to me, "Don't disappoint me."

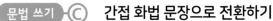

→

▸ Answer p.39

서술형 예제 1

다음 두 문장의 의미가 같도록 밑줄 친 부분을 바르게 고쳐 쓰시오. Point 55

The old lady said, "I made a reservation for a table yesterday."
= The old lady said that I made a reservation for a table yesterday.

→ ____________________

Teacher's guide

STEP ❶
밑줄 친 부분은 직접 화법의 평서문을 간접 화법으로 전환한 것입니다. 따라서 직접 화법에서 피전달문의 인칭대명사 I와 부사 yesterday를 전달하는 사람의 입장에 맞추어 she와 the day before로 각각 고쳐 씁니다.

STEP ❷
주절이 과거시제이므로, 직접 화법에서 피전달문의 시제인 과거시제(made)를 과거완료형(had made)으로 고쳐 씁니다.

정답 >> that she had made a reservation for a table the day before

실전 연습 1

다음 두 문장의 의미가 같도록 밑줄 친 부분을 바르게 고쳐 쓰시오. Point 55

She said, "I will clean the floor tomorrow."
= She said that I will clean the floor tomorrow.

→ ____________________

서술형 예제 2

다음 주어진 문장을 if를 이용하여 간접 화법으로 바꿔 쓰시오. Point 56

She said to him, "Is the hair salon closed now?"

→ She asked him ____________________
____________________.

Teacher's guide

STEP ❶
의문사가 없는 의문문을 간접 화법으로 전환할 때, 주절과 피전달문을 if[whether]로 연결합니다.

STEP ❷
주절이 과거시제이므로, 직접 화법에서 피전달문의 시제인 현재시제(Is)를 과거시제(was)로 바꿔 씁니다. 부사 now는 then으로 바꿔 씁니다.

정답 >> if the hair salon was closed then

실전 연습 2

다음 주어진 문장을 if를 이용하여 간접 화법으로 바꿔 쓰시오. Point 56

Jack said to me, "Will you practice playing the violin?"

→ Jack asked me ____________________
____________________.

내신 대비 실전 TEST

▸ Answer p.39

객관식 (01~10)

Point 53

01 다음 대화의 빈칸에 들어갈 말로 알맞은 것은?

A: Neither I nor my husband ________ Chinese food.
B: Oh, neither do I.

① enjoy ② enjoys ③ enjoyed
④ am enjoying ⑤ has enjoyed

Point 54

02 다음 빈칸에 들어갈 말로 알맞은 것은?

She explained that World War II ________ to an end in 1945.

① come ② came ③ comes
④ is coming ⑤ would come

Point 53

03 다음 빈칸에 들어갈 말이 순서대로 짝지어진 것은?

• 20 minutes ________ all that it takes.
• Many a man ________ lost his life on this island.

① is – has ② is – have
③ are – has ④ are – have
⑤ are – had

대표

[04~05] 다음 주어진 문장을 간접 화법으로 바꿀 때, 어법상 틀린 것을 고르시오.

Point 55

04

My uncle said to me, "I will make a chair for you today."
→ My uncle ① told me ② that he ③ will make a chair for ④ me ⑤ that day.

Point 56

05

The coach said to me, "Be here at 3 p.m."
→ The coach ① ordered ② me ③ to be ④ here ⑤ at 3 p.m.

Point 56

06 다음 대화의 내용을 한 문장으로 나타낼 때, 빈칸에 들어갈 말이 순서대로 짝지어진 것은?

Jake: Why are you looking up at the sky?
Lucy: Because a flock of birds is flying over.
→ Jake ________ Lucy why ________ looking up at the sky.

① says – he is ② asks – she is
③ says – she is ④ asks – you are
⑤ says – you are

Point 54

07 다음 우리말과 일치하도록 할 때, 빈칸에 들어갈 말로 알맞은 것은?

나는 공기가 소리의 매체라고 배웠다.
→ I learned that air ________ a medium for sound.

① is ② are ③ was
④ were ⑤ will be

고난도 Point 53

08 다음 중 어법상 틀린 것은?

① Every student has a story.
② The sick were seeking treatment.
③ Either you or she has to go there.
④ Most of the teachers was aware of it.
⑤ Not only you but also he wants to buy a laptop.

[09~10] 다음 주어진 문장을 간접 화법으로 바꿀 때, 빈칸에 들어갈 말로 알맞은 것을 고르시오.

Point 55

09

He said to me, "I will help you with the housework."
→ He told me that ________ with the housework.

① I will help you ② I would help you
③ he will help me ④ he would help me
⑤ he would help you

Point 56

10

He said to me, "Can you add me to the list?"
→ He asked me ________________.

① if I can add him to the list
② if I could add him to the list
③ that I can add him to the list
④ that I could add him to the list
⑤ whether you could add me to the list

서술형 기본 (11~18)

대표

[11~12] 다음 문장에서 어법상 틀린 부분을 찾아 바르게 고쳐 쓰시오.

Point 54

11

I didn't know that water froze at 0℃.

________ → ________

Point 53

12

None of the students is in the classroom.

________ → ________

Point 54

13 다음 우리말과 일치하도록 괄호 안의 말을 바르게 배열하시오.

상어는 멸종 위기에 처한 종이라고 그가 말했다.
(an endangered, sharks, species, are)

→ He said that ________________
________.

Point 55

14 다음 주어진 문장을 간접 화법으로 바꿀 때, 빈칸에 알맞은 말을 쓰시오.

She said, "I have a piano lesson tomorrow."

→ She said that ________________
________________.

Point 53, 54

15 다음 빈칸에 공통으로 알맞은 말을 쓰시오.

- He told us that the capital city of Vietnam ________ Hanoi.
- Not I but my brother ________ going to buy a new chair.

→ ________________

고난도

[16~17] 다음 대화의 밑줄 친 부분을 간접 화법으로 바꿀 때, 빈칸에 알맞은 말을 쓰시오.

Point 56

16

Linda: What did the teacher say to you yesterday?
Jack: The teacher said to me, "Don't try to memorize everything."

→ The teacher advised Jack ________________
________________.

Point 56

17

Travel agent: Do you have any questions about your trip to China?
Rosa: Where can I exchange money in China?

→ Rosa asked the travel agent ________________
________________.

Point 53

18 다음 우리말과 일치하도록 괄호 안의 말을 이용하여 빈칸에 알맞은 말을 쓰시오.

많은 나무들이 제거될 예정이다. (number, trees, be)

→ ________________
going to be removed.

서술형 심화 (19~24)

Point 53

19 다음 우리말을 〈조건〉에 맞게 영작하시오.

너도 그녀도 이 일을 해오지 않았다.

조건
• neither, do, this work를 사용할 것
• 동사를 현재완료형으로 쓸 것
• 총 8단어의 완전한 문장으로 쓸 것

→ ______________________

Point 53, 54

20 다음 우리말과 일치하도록 괄호 안의 말을 바르게 배열하시오.

(1) 희생자들의 절반은 7세 미만의 아이들이었다.
(half, the, children, of, victims, were)

→ ______________________
under the age of seven.

(2) 그녀는 빛이 소리보다 더 빠르게 이동한다고 설명했다. (than, light, sound, faster, travels)

→ She explained that ______________________
______________________.

Point 55, 56

21 다음 주어진 문장을 간접 화법으로 바꿀 때, 빈칸에 알맞은 말을 쓰시오.

(1) She said to me, "I have a job interview today."

→ She ______________________
______________________.

(2) My teacher said to me, "Move your desk back."

→ My teacher ______________________
______________________.

대표 Point 54

22 다음은 수업 내용의 일부를 기록한 것이다. 내용을 참고하여 문장을 완성하시오.

과목	내용
English	Proverb: Slow and steady wins the race.
History	The U.S. became independent from Britain in 1776.

(1) Our English teacher told us a proverb that
______________________.

(2) Our history teacher told us that ______________________
______________________.

Point 56

23 다음 대화를 읽고 문장을 완성하시오.

(1) Librarian: What kind of book are you looking for?
Tom: Where can I find a book on architecture?

→ Tom asked the librarian ______________________
______________________.

(2) Waiter: Are you ready to order now?
Jessy: Do you have any noodle dishes?

→ Jessy asked the waiter ______________________
______________________.

고난도 Point 53, 56

24 다음 글을 읽고 아래 질문에 답하시오.

ⓐ Both Martin and I is interested in sports. So we used to watch baseball games together. I also enjoy playing the guitar, but Martin doesn't. ⓑ Martin said to me, "Can you teach me how to play the guitar?"

(1) 밑줄 친 ⓐ에서 어법상 틀린 부분을 찾아 바르게 고쳐 쓰시오.

______________ → ______________

(2) 밑줄 친 ⓑ를 if를 이용하여 간접 화법으로 바꿔 쓰시오.

→ ______________________
____

★ 일반동사의 불규칙 변화표 ★

A－A－A형 (원형, 과거형, 과거분사형이 같은 형)

원형	과거형	과거분사형
put (두다)	put	put
read (읽다)	read	read
hit (치다)	hit	hit
let (허락하다)	let	let
set (놓다, 맞추다)	set	set
hurt (다치다)	hurt	hurt
cut (자르다)	cut	cut
cast (던지다)	cast	cast
quit (그만두다)	quit	quit
shut (닫다)	shut	shut
cost ((비용이) 들다)	cost	cost
spread (펴다)	spread	spread

A－B－B형 (과거형과 과거분사형이 같은 형)

원형	과거형	과거분사형
buy (사다)	bought	bought
sit (앉다)	sat	sat
win (이기다)	won	won
sell (팔다)	sold	sold
tell (말하다)	told	told
teach (가르치다)	taught	taught
think (생각하다)	thought	thought
keep (유지하다)	kept	kept
lend (빌려주다)	lent	lent
send (보내다)	sent	sent
build (짓다)	built	built
feel (느끼다)	felt	felt
spend (소비하다)	spent	spent
flee (달아나다)	fled	fled
bleed (피흘리다)	bled	bled
leave (떠나다)	left	left
make (만들다)	made	made
meet (만나다)	met	met
sleep (자다)	slept	slept
find (발견하다)	found	found
hear (듣다)	heard	heard
hang (걸다, 매달다)	hung	hung
shoot (쏘다)	shot	shot
dig (파다)	dug	dug
hold (잡다)	held	held
lose (지다, 잃다)	lost	lost
fight (싸우다)	fought	fought
have (가지다)	had	had
catch (잡다)	caught	caught
feed (먹이를 주다)	fed	fed
lead (이끌다)	led	led
bring (가져오다)	brought	brought
mean (의미하다)	meant	meant
get (얻다)	got / gotten	got / gotten
say (말하다)	said	said
pay ((값을) 지불하다)	paid	paid
lay (놓다, (알을) 낳다)	laid	laid
seek (구하다)	sought	sought
spill (쏟다)	spilt / spilled	spilt / spilled
light (불을 켜다)	lit / lighted	lit / lighted
stand (서다)	stood	stood
bend (굽히다)	bent	bent

A–B–A형 (원형과 과거분사형이 같은 형)

원형	과거형	과거분사형
come (오다)	came	come
become (~이 되다)	became	become
run (뛰다)	ran	run

A–B–C형 (원형, 과거형, 과거분사형이 다른 형)

원형	과거형	과거분사형
go (가다)	went	gone
see (보다)	saw	seen
take (가지고 가다)	took	taken
give (주다)	gave	given
eat (먹다)	ate	eaten
write (쓰다)	wrote	written
swim (수영하다)	swam	swum
break(부수다)	broke	broken
choose (선택하다)	chose	chosen
forget (잊다)	forgot	forgotten
speak (말하다)	spoke	spoken
show (보여주다)	showed	shown / showed
sing (노래하다)	sang	sung
ring ((벨이) 울리다)	rang	rung
know (알다)	knew	known
fall (떨어지다)	fell	fallen
forgive (용서하다)	forgave	forgiven
ride (타다)	rode	ridden
grow (자라다)	grew	grown
begin (시작하다)	began	begun
drink (마시다)	drank	drunk
drive (운전하다)	drove	driven
throw (던지다)	threw	thrown
draw (그리다)	drew	drawn
blow (불다)	blew	blown
wear (입다)	wore	worn
steal (훔치다)	stole	stolen
freeze (얼다)	froze	frozen
rise (오르다)	rose	risen
lie (눕다)	lay	lain
bear (낳다, 견디다)	bore	born / borne
bite (물다)	bit	bitten
hide (숨다)	hid	hidden
fly (날다)	flew	flown
do (하다)	did	done

혼동되는 동사의 불규칙 변화

원형	과거형	과거분사형
lie (거짓말하다)	lied	lied
lie (눕다)	lay	lain
lay (놓다)	laid	laid
find (발견하다)	found	found
found (설립하다)	founded	founded
die (죽다)	died	died
dye (염색하다)	dyed	dyed
wind ((태엽 등을) 감다)	wound	wound
wound (상처를 입히다)	wounded	wounded
see (보다)	saw	seen
saw (톱질하다)	sawed	sawn / sawed
sow ((씨를) 뿌리다)	sowed	sown / sowed
sew (바느질하다)	sewed	sewn / sewed

MEMO

MEMO

MEMO

MEMO

쏨마 주니어®

쓰면서 마스터하는 중학 영문법

중 / 학 / 영 / 어

문법 연습 3

정답 및 해설

쏨마 주니어®

쓰면서 마스터하는 중학 영문법

중 / 학 / 영 / 어

문법 연습 3

정답 및 해설

CHAPTER 01

시제

Point 01 현재완료(1)

Point 02 현재완료(2)

문법 확인 pp. 12~13

Ⓐ 1 본 적이 있다 2 방문해보았다
3 한 번도 사용해본 적이 없다
4 먹어본 적이 있나요 5 주차했다
6 되찾지 못했다 7 예매했나요
8 퇴사했다

Ⓑ 1 가르쳐 왔다 2 머물러 왔다
3 손대지 못했다 4 알고 지내왔니
5 잃어버렸다 6 잊어버렸다
7 가져오지 않았다 8 갔니

문법 기본 p. 14

Ⓐ 1 have worn 2 have kept 3 got
4 has heard 5 finished 6 have learned

Ⓑ 1 have talked 2 have never met
3 left 4 taught
5 did the typhoon reach 6 established

문법 쓰기 pp. 15~16

Ⓐ 1 Have they stayed 2 has not arrived
3 Has he often rented 4 has not left

Ⓑ 1 have → has 2 losing → lost
3 gone → been 4 raises → has raised
5 visit → visited 6 has been → was

Ⓒ 1 Have you ever tried
2 has just ended
3 has played the drums
4 has gone to Thailand
5 I (have) lost faith in him.
6 The letter has not reached me yet.
7 The concert started five minutes ago.
8 How long has he been asleep?

실전 연습 p. 17

1 (1) Have you ever enjoyed skiing
(2) I have been to a ski resort
해설 (1) '~해 본 적이 있나요?'라는 뜻의 현재완료 의문문은 「Have / Has+주어+p.p.~?」 형태로 쓴다.
(2) '~에 가본 적이 있다'라는 뜻의 현재완료 표현 have been to를 활용하여 쓴다.
어휘 several times 몇 번

2 I have practiced for my speech for a week.
해설 과거에서 현재까지 계속되어 온 동작을 나타낼 때는 동사를 현재완료형 「have / has+p.p.」로 표현한다.

Point 03 과거완료

Point 04 완료진행형

문법 확인 pp. 18~19

Ⓐ 1 한 번도 본 적이 없었다 2 기다렸나요
3 체중이 약간 늘었지만 4 취소되었다는 것을
5 막 끝낸 참이었다 6 자신의 방을 청소한

Ⓑ 1 연주하는 중이다 2 돌보고 있다
3 출전하지 않고 있다 4 데이트하는 중이었다
5 준비하고 있었다 6 가르치는 중이었다

문법 기본 p. 20

Ⓐ 1 has been sitting 2 had taken
3 had started 4 had been watching
5 had been

Ⓑ 1 had 2 ended 3 got
4 been 5 had 6 preparing

문법 쓰기 pp. 21~22

Ⓐ 1 has been showing for two months
2 the cancer had already spread
3 had just finished dinner
4 had been collecting data

Ⓑ 1 has → had
2 had been had → had been having
3 saw → had seen 4 have → had
5 had → have 6 has → had

Ⓒ 1 had lived there
2 had played
3 has been reading
4 had been running
5 I had been to Mexico
6 I had left my briefcase there
7 She has been collecting stamps
8 he had been walking for two hours

실전 연습 p. 23

1 because I had drunk much coffee
해설 잠잘 수 없었다는 과거의 일보다 커피를 마신 과거의 일이 시간상 더 먼저 일어났으므로, 빈칸에 들어갈 동사는 대과거를 나타내는 과거완료형 「had+p.p.」로 쓴다.

2 (1) have been working
(2) have been teaching
해설 A, B 둘 다 과거 이후부터 현재까지 계속 진행되고 있는 일을 말하고 있다. 따라서 (1)과 (2)를 현재완료진행형 「have/has+been+v-ing」로 쓴다.

CHAPTER 01 내신 대비 실전 TEST pp. 24~26

01 ③ 02 ② 03 ② 04 ④ 05 ②
06 ③ 07 ④ 08 ② 09 ④
10 started they → they started
11 had recognized → recognized
12 has been showing since last month
13 for 14 had never passed
15 has forgotten to submit
16 has been playing chess
17 Have you ever worn contact lenses?
18 The bus has just left the bus stop.
19 (1) Has he ever yelled at you before?
(2) The company has recently lowered its prices.
20 the worship service had started
21 (1) We have been having discussions
(2) She had been lying in the bathtub
22 (1) The ferry had not returned to the port before the storm hit.
(2) Had the pizza got cold before he brought it home?
23 (1) Why have you not finished
(2) has been waiting
24 (1) had had
(2) took classes
(3) have been working

01 〈보기〉 그는 자신의 재킷에서 단추를 잃어버렸다.
① 그는 일주일 동안 아팠다.
② 그들은 이미 점심을 먹었다.
③ Jane은 버스에 책을 두고 내렸다.
④ 그녀는 그 놀이공원에 가본 적이 있다.
⑤ 그는 자신의 첫 책을 쓰는 것을 막 끝냈다.
해설 〈보기〉와 ③은 현재완료의 결과 용법으로 쓰였다.

02 Emma는 ________ 그 가게에서 일했다.
① 전에 ② 어제 ③ 일주일 동안
④ 세 번 ⑤ 지난주부터
해설 명백한 과거를 나타내는 yesterday는 현재완료와 함께 쓸 수 없다.

03 • 그는 세 시간 동안 노래를 부르는 중이다.
• 그가 아이였을 때부터 나는 그를 알고 지내왔다.
해설 계속의 의미로 쓰인 현재완료 문장에서 '과거 기간' 앞에는 for를 쓰고 '과거 시점' 앞에는 since를 쓴다.

04 해설 사실을 '알게 된' 일보다 '우리가 같은 학교에 다녔던' 일이 시간상 더 먼저 일어났으므로, that절의 동사는 대과거를 나타내는 과거완료형 「had+p.p.」로 쓴다.

05 ① 너는 언제 이 자전거를 샀니?
② 그것은 아직 결정되지 않았다.
③ 너는 캠핑카를 빌려본 적이 있니?
④ 그는 4일 동안 어떤 음식도 먹지 못했다.
⑤ 나는 온라인 수업을 두 번 신청해보았다.
해설 ② 현재완료 부정문은 「have/has+not+p.p.~」 형태로 쓴다.
어휘 rent 빌리다 apply for ~을 신청하다

06 해설 '경찰이 도착한' 일보다 '범인이 달아난' 일이 시간상 더 먼저 일어났으므로, 빈칸에는 대과거를 나타내는 과거완료형 「had+p.p.」가 들어가야 한다.
어휘 criminal 범인 scene 현장

07 해설 '(계속) ~하는 중이었다'라는 뜻의 문장이므로, 빈칸에는 과거완료진행형 「had+been+v-ing」가 들어가야 한다.
어휘 owner 주인

08 거실의 전등이 1분 전에 꺼져 있었다. 그러나 그것들은 이제 켜져 있다. → 누군가가 거실의 전등을 방금 켰다.
해설 '방금 ~했다'라는 뜻이므로, 빈칸에는 행위의 완료를 나타내는 현재완료형이 와야 한다. 부사 just는 has와 p.p. 사이에 와야 함에 유의한다.

09 그는 한 시간 전에 자신의 아들을 위해 요리를 시작했다. 그는 지금도 여전히 요리하고 있다. → 그는 한 시간 동안 자신의 아들을 위해 요리하는 중이다.
해설 과거의 동작이 현재까지 계속 진행되고 있음을 나타내야 하므로, 빈칸에는 현재완료진행형 「have/has+been+v-ing」가 와야 한다.

10 그들은 일을 시작했니?
해설 현재완료 의문문은 「Have/Has+주어+p.p.~?」의 어순으로 쓴다.

11 나는 James를 이전에 본 적이 있었기 때문에 그를 즉시 알아봤다.
해설 '내가 James를 알아본' 일은 '내가 전에 그를 만났던' 일보다 시간상 더 늦게 일어났으므로, had recognized를 과거시제 recognized로 고쳐야 한다.
어휘 recognize 알아보다 at once 즉시, 바로

12 해설 현재완료진행형은 「have/has+been+v-ing」의 어순으로 쓴다.

어휘 play 연극

13 그녀는 2년 동안 많은 자선 단체에 기부해왔다.

해설 계속의 의미로 쓰인 현재완료 문장에서 '과거 기간' 앞에는 for를 써야 한다.

어휘 donate 기부하다 charity 자선 단체

14 내가 그에게 수학을 가르쳐주기 전에는 그는 수학 시험을 한 번도 통과한 적이 없었다.

해설 '그에게 수학을 가르친' 일보다 '그가 수학 시험에 통과하지 못한' 일이 시간상 더 먼저 일어났으므로, 밑줄 친 부분을 과거완료형 「had+p.p.」로 고쳐 써야 한다.

15 Tom은 보고서를 제출할 것을 잊었다. 그는 지금 막 그 사실을 깨달았다. → Tom은 보고서를 제출할 것을 잊어버렸다.

해설 '~했다(그 결과 지금 …인 상태이다)'라는 뜻의 문장이므로, 현재완료형으로 쓴다.

어휘 submit 제출하다

16 Jack은 한 시간 전에 체스를 시작했다. 그는 지금도 여전히 하고 있다. → Jack은 한 시간 동안 체스를 하는 중이다.

해설 과거의 동작이 현재까지 계속 진행되고 있음을 나타내야 하므로, 현재완료진행형 「have/has+been+v-ing」로 쓴다.

17 해설 현재완료 의문문은 「Have/Has+주어+p.p.~?」의 형태로 쓴다.

18 해설 '방금 ~했다'라는 뜻이므로, 동사를 현재완료형으로 쓴다. 부사 just는 has와 p.p. 사이에 와야 함에 유의한다.

19 해설 (1) 현재완료 의문문은 「Have/Has+주어+p.p.~?」의 형태로 쓴다.

(2) 완료를 나타내는 현재완료 문장으로 쓴다. 부사 recently는 has와 p.p. 사이에 와야 함에 유의한다.

어휘 recently 최근에 lower 낮추다

20 예배가 시작됐다. 그 후에 나는 교회에 도착했다.
→ 내가 교회에 도착했을 때, 예배는 (이미) 시작된 후였다.

해설 '내가 교회에 도착한' 일보다 '예배가 시작된' 일이 시간상 더 먼저 일어났으므로, 빈칸에 들어갈 동사를 과거완료형 「had+p.p.」로 써야 한다.

어휘 worship service 예배

21 해설 (1) '(계속) ~하는 중이다'라는 뜻의 현재완료진행형은 「have/has+been+v-ing」의 어순으로 쓴다.

(2) '(계속) ~하는 중이었다'라는 뜻의 과거완료진행형은 「had+been+v-ing」의 어순으로 쓴다.

어휘 discussion 토론 human rights 인권 bathtub 욕조 doorbell 초인종

22 (1) 폭풍이 오기 전에 나룻배가 항구로 돌아왔다.
→ 폭풍이 오기 전에 나룻배가 항구로 돌아오지 않았다.
(2) 그가 피자를 집에 가져오기 전에 그것은 식어버렸다.
→ 그가 피자를 집에 가져오기 전에 그것은 식어버렸니?

해설 (1) 과거완료 부정문은 「had+not+p.p.」의 형태로 쓴다.

(2) 과거완료 의문문은 「Had+주어+p.p.~?」의 형태로 쓴다.

어휘 ferry 나룻배 port 항구

23 (1) A: 너는 왜 아직 숙제를 끝내지 못했니?
B: 죄송해요. 심한 감기에 걸려서 그것을 끝낼 수 없었어요.
(2) A: 서둘러요! 모든 사람이 30분 동안 당신을 기다려 왔어요.
B: 죄송해요. 방금 모든 짐을 쌌어요. 지금 나가요.

해설 (1) 의문사가 있는 현재완료 의문문은 「의문사+have/has+주어+p.p.~?」의 형태로 쓴다. 이때 부정어 not이 들어갈 경우 p.p. 앞에 쓴다.

(2) '(계속) ~하는 중이다'라는 뜻의 현재완료진행형은 「have/has+been+v-ing」의 형태로 쓴다.

어휘 pack up (짐 등을) 싸다

24 **〈Olivia의 일정〉**

시간	일정
오전 7시 ~ 오전 8시	가족과 아침 식사하기
오전 10시 ~ 낮 12시	학교에서 수업 듣기
오후 1시 ~ 오후 3시	카페에서 수업 과제 하기

지금은 오후 2시이다. 나는 학교에서 수업을 듣기 전에 가족과 아침 식사를 했다. 나는 오후 1시 이후부터 카페에서 수업 과제를 하는 중이다.

해설 일정표 아래에 주어진 글이 작성된 시간은 오후 2시이다. 따라서 아침 식사 및 수업 듣기는 과거의 일이다. 둘 중 아침 식사가 더 먼저 일어난 과거의 일이므로, (1)은 과거완료 「had+p.p.」로, (2)는 과거시제로 쓴다. 일정표상으로 오후 1시부터 현 시각(오후 2시)까지 수업 과제를 하는 중이므로, (3)은 현재완료진행형 「have/has+been+v-ing」의 형태로 쓴다.

어휘 work on (공들여) ~하다 assignment 과제

CHAPTER 02

조동사

Point 05 had better / would rather / would like to

Point 06 used to / would

문법 확인
pp. 28~29

Ⓐ
1 걷는 게 낫다
2 따르는 게 낫다
3 운전하지 않는 게 낫다
4 굶겠다
5 (차라리) 죽겠다
6 말하지 않겠다
7 누워 있고 싶다
8 원한다

Ⓑ
1 짖곤 했다
2 노래를 불러주곤 했다
3 지냈다
4 작동시키는 데 사용된다
5 기다리는 일에 익숙하다
6 데이트하곤 했다
7 만들곤 했다
8 잠들곤 했다

문법 기본
p. 30

Ⓐ
1 had better wait
2 had better forget
3 would rather walk
4 would rather give up
5 would like to ask
6 would like to join
7 used to[would] clean
8 used to be shy

Ⓑ
1 being
2 would rather
3 used to
4 used to
5 would
6 would like to
7 had better

문법 쓰기
pp. 31~32

Ⓐ
1 had better / would rather
2 used to / would like to
3 had better / used to[would]

Ⓑ
1 would → used to
2 get → getting
3 dressing → dress
4 would rather → would like to
5 to go → go
6 wondered → wonder

Ⓒ
1 had better call
2 used to[would] go jogging
3 would rather keep silent
4 used to staying up late
5 I would like to reserve a room for two nights.
6 I would rather go bowling than cycling.
7 There used to be a bridge here.
8 You had better take him upstairs.

실전 연습
p. 33

1 (1) had better ask Jason for help
(2) would rather get his help
해설 (1) '~하는 게 낫다'라는 뜻의 충고 · 권고 표현인 「had better+동사원형」을 활용하여 쓴다.
(2) '(차라리) ~하겠다'라는 뜻의 선호 표현인 「would rather+동사원형」을 활용하여 쓴다.

2 He would tell her secrets to me.
해설 '~하곤 했다'라는 뜻의 과거 습관을 나타내는 표현인 used to나 would를 활용하여 쓴다. 문장을 총 7단어로 구성해야 하므로, would를 활용해야 한다.

Point 07 조동사+have+p.p.(1)

Point 08 조동사+have+p.p.(2)

문법 확인
pp. 34~35

Ⓐ
1 잊었음에 틀림없다
2 일어난 것이 틀림없다
3 두고 왔음에 틀림없다
4 알지 못했음에 틀림없다
5 때문이었을지도 모른다
6 늘었을지도 모른다
7 아주 적을지도 모른다
8 알아차리지 못했을지도 모른다

Ⓑ
1 예상했을 리가 없다
2 했을 리가 없다
3 말했을 리가 없다
4 남길 수도 있었다
5 처리할 수도 있었다
6 기울였어야 했다
7 의심하지 말았어야 했다
8 적었어야 했다

문법 기본
p. 36

Ⓐ
1 should have thought
2 could have thought
3 must have delivered
4 may[might] not have delivered
5 cannot have practiced
6 must not have practiced
7 may[might] have borrowed
8 should not have borrowed

Ⓑ
1 must have worked
2 cannot have seen
3 might have been
4 should have refused
5 must have walked
6 may have noticed
7 could have solved

문법 쓰기
pp. 37~38

Ⓐ
1 must have gone / cannot have gone
2 cannot have seen / could have seen
3 should have arrived / must have arrived

4 should have apologized / may[might] have apologized

Ⓑ 1 cannot → could 2 miss → missed
3 have not → not have 4 might → must
5 mention → have mentioned
6 must → cannot

Ⓒ 1 may[might] have lived
2 should not have expected
3 could have used
4 cannot have spent
5 They must have fought with each other.
6 They must not have boarded the plane.
7 We should have left the party earlier.
8 You may[might] not have understood the warning.

실전 연습

p. 39

1 I should have called her in advance.

해설 '~했어야 했다'라는 뜻의 과거의 일에 대한 후회 · 유감을 나타내는 「should have p.p.」를 활용하여 쓴다.

어휘 in advance 미리

2 She cannot have slept well last night.

해설 '~했을 리가 없다'라는 뜻의 과거의 일에 대한 강한 의심을 나타내는 「cannot have p.p.」를 활용하여 쓴다.

CHAPTER 02 내신 대비 실전 TEST

pp. 40~42

01 ② 02 ⑤ 03 ⑤ 04 ④ 05 ①
06 ① 07 ④ 08 ③ 09 ② 10 ⑤
11 to discuss → discuss 12 applying → apply
13 must have forgotten 14 should have been
15 must have been beautiful 16 would
17 should have been
18 might have been a pleasant party
19 He used to live in Germany
20 I used to visit my grandfather in Canada.
21 (1) might have noticed the lack
(2) cannot have accepted the wrong
22 (1) would like to skydive
(2) would like to live alone
23 (1) had better wear
(2) would rather wear
24 (1) I used to play tennis every weekend last year.
(2) You should not have stopped exercising.
25 ③, must have entered

01 ① 나는 아빠와 수학을 공부하곤 했다.
② 부탁 좀 들어주시겠어요?
③ 나는 때때로 자전거로 여행하곤 했다.
④ 내가 아이였을 때, 나는 일찍 일어나곤 했다.
⑤ 그는 점심 후에 종종 산책하러 가곤 했다.

해설 ②의 would는 공손한 요청을 나타내고, 나머지 would는 모두 과거의 습관을 나타낸다.

어휘 favor 부탁

02 ① 나는 차라리 택시를 타겠다.
② 나는 더 멀리 가지 않는 것이 좋겠다.
③ 나는 그런 사람들을 다루는 데 익숙하다.
④ (전에는) 모퉁이에 가게가 있었다.
⑤ 저는 오늘 와주신 것에 대해 여러분에게 감사하고 싶습니다.

해설 ① would rather 뒤에는 동사원형을 쓴다.
② had better의 부정형은 had better not이다.
③ '~에 익숙하다'라는 뜻의 be used to 뒤에는 동명사[명사]가 온다.
④ 과거의 상태를 나타낼 때는 would 대신 used to를 써야 한다.

어휘 further 더 멀리 deal with ~을 다루다

03 〈보기〉 네가 그렇게 많은 시간을 낭비한 것이 유감이다.
① 너는 그렇게 많은 시간을 낭비하고 있었다.
② 너는 그렇게 많은 시간을 낭비했을지도 모른다.
③ 너는 그렇게 많은 시간을 낭비했음에 틀림없다.
④ 너는 그렇게 많은 시간을 낭비했을 리가 없다.
⑤ 너는 그렇게 많은 시간을 낭비하지 말았어야 했다.

해설 '시간을 낭비한 것이 유감이다'라는 의미는 '시간을 낭비하지 말았어야 했다'라는 의미와 같으므로, 〈보기〉는 ⑤와 같이 「should not have p.p.」로 나타낼 수 있다.

04 그녀는 그 모든 것을 혼자서 했을 리가 없다. 누군가가 그녀를 도와주었음에 틀림없다.

해설 두 번째 문장의 내용(누군가가 그녀를 도와주었음에 틀림없다.)을 통해, 첫 번째 문장은 '그녀가 그 모든 것을 혼자서 했을 리가 없다'라는 의미가 되어야 함을 알 수 있다. '~했을 리가 없다'라는 뜻의 「cannot have p.p.」를 쓴다.

어휘 by oneself 혼자서

05 해설 '~했음에 틀림없다'의 의미는 「must have p.p.」의 형태로 나타낸다.

어휘 shelf 선반

06 A: 나는 몸이 좋지 않은 것 같아요.
B: 오, 저런! 당신은 휴식을 좀 취하는 게 낫겠어요.

해설 '~하는 게 낫다'의 의미는 「had better+동사원형」의 형태로 나타낸다.

07 해설 '~했을 리가 없다'의 의미는 「cannot have p.p.」로 나타낸다.

08 • 너는 그녀의 허락을 받는 게 좋겠어.

• 그는 매우 추운 날씨에 익숙하다.

해설 '~하는 게 낫다'의 의미는 had better를 사용하여 나타내고, '~에 익숙하다'의 의미는 be used to를 사용하여 나타낸다.

어휘 permission 허락

09 새들이 종종 내 뒷마당에서 지저귀었지만, 그들은 더이상 지저귀진 않는다.
= 새들이 내 뒷마당에서 지저귀곤 했다.

해설 과거의 습관을 나타낼 때는 used to[would]를 사용한다.

어휘 backyard 뒷마당

10 ① 나는 혼자 사는 것에 익숙하다.
② 그는 나의 능력을 무시하곤 했다.
③ 그녀는 약간의 간식을 가져오곤 했다.
④ 나는 망신을 당하느니 차라리 죽겠다.
⑤ 너는 밤에 너무 늦게까지 공부하지 않는 게 낫다.

해설 had better의 부정형은 had better not이다.

어휘 neglect 무시하다 disgrace oneself 망신을 당하다

11 너는 이 문제를 Bruno와 논의하는 게 낫겠어.

해설 had better 뒤에는 동사원형을 쓴다.

어휘 issue 문제 discuss 논의[토론]하다

12 나는 그 일자리에 지원하고 싶습니다.

해설 would like to 뒤에는 동사원형을 쓴다.

어휘 apply for ~에 지원하다

13 해설 '~했음에 틀림없다'의 의미는 「must have p.p.」 형태로 나타낸다.

14 해설 '~했어야 했다'의 의미는 「should have p.p.」 형태로 나타낸다.

어휘 considerate 사려 깊은

15 나는 그녀가 더 젊었을 때 아름다웠다고 확신해.
= 그녀는 더 젊었을 때 아름다웠음에 틀림없어.

해설 '~했음에 틀림없다'라는 강한 추측의 의미가 되어야 하므로 「must have p.p.」 형태로 쓴다.

16 • 나는 White 박사님을 여러분에게 소개하고 싶습니다.
• 그는 직장까지 먼 길을 걷곤 했다.

해설 첫 번째 문장은 '~하고 싶다'의 의미인 would like to를, 두 번째 문장은 '~하곤 했다'의 의미인 would를 사용해야 한다.

어휘 introduce 소개하다

17 A: 너는 더 조심했어야 했어. 너는 하마터면 차에 치일 뻔 했어.
B: 맞아. 다음번에는 더 조심하려고 노력할게.

해설 A의 말에 수긍하고 다짐하는 B의 응답으로 보아, A의 말은 과거의 일에 대한 유감을 나타내는 「should have p.p.」로 나타내야 한다.

어휘 almost 하마터면, 거의

18 해설 '(아마) ~했을지도 모른다'의 의미는 「might have p.p.」로 나타낸다.

어휘 pleasant 유쾌한

19 해설 '(전에) ~했다'의 의미는 「used to+동사원형」으로 나타낸다.

어휘 Germany 독일 childhood 어린 시절

20 해설 과거의 습관은 used to나 would를 사용해 나타낸다. 문장을 총 8단어로 구성해야 하므로, used to를 사용하여 쓴다.

21 해설 (1) '(아마) ~했을지도 모른다'의 의미는 「may[might] have p.p.」로 나타낸다.
(2) '~했을 리가 없다'의 의미는 「cannot have p.p.」로 나타낸다.

어휘 notice 눈치 채다, 알아차리다 lack 부족 accept 받아들이다

22 **버킷 리스트**

순위	Daniel	Jane
1	스카이다이빙하기	혼자 살기
2	피라미드 보기	루브르 박물관 방문하기
3	혼자 여행하기	번지점프 하러 가기

Sam: Daniel, 너의 버킷 리스트에서 너는 무엇을 가장 하고 싶니?
Daniel: 음, 나는 언젠가는 스카이다이빙을 가장 하고 싶어.
Sam: Jane, 너도 스카이다이빙을 하고 싶니?
Jane: 아니. 무엇보다도, 나는 혼자 살고 싶어.

해설 (1)과 (2) 모두 '~하고 싶다'라는 의미의 「would like to+동사원형」의 형태로 쓴다.

어휘 bucket list 버킷 리스트(죽기 전에 해보고 싶은 일들을 적은 목록) most of all 무엇보다도

23 A: 엄마, 오늘 날씨가 어때요?
B: 추울 거야. 너는 두꺼운 코트를 (1) 입는 게 낫겠어.
A: 흠. 저는 가벼운 감기에 걸린 것 같아요. 그러니 코트보다는 겨울 다운 재킷을 (2) 입겠어요.
B: 오, 아마 그래야 할 것 같구나.

해설 (1) 대화의 흐름상 '~하는 게 낫다'라는 의미가 되어야 하므로, 「had better+동사원형」의 형태로 쓴다.
(2) 대화의 흐름상 '(차라리) ~하겠다'라는 의미가 되어야 하므로, 「would rather+동사원형」의 형태로 쓴다.

어휘 probably 아마

24 나는 작년에 주말마다 테니스를 치곤 했다. 그런데 나는 올해 직장에서 너무 바빠서 거의 운동할 수가 없다. 며칠 전, 정기 건강 검진에서 나의 혈압이 다소 높다는 결과가 나왔다. 의사는 "당신은 운동을 중단하지 말았어야 했어요."라고 말했다.

해설 (1) 과거의 습관을 나타내는 used to 뒤에는 동사원형을 쓴다.
(2) '~하지 말았어야 했다'의 의미는 「should not have p.p.」 형태로 쓴다.

어휘 hardly 거의 ~않다 regular 정기적인

medical checkup 건강 검진 blood pressure 혈압
somewhat 다소

25 내가 집에 돌아왔을 때, 나는 내 책상 위의 꽃병이 깨져 있음을 발견했다. 나는 문을 잠근 후 나갔는데, 누군가가 내 방에 들어왔음에 틀림없었다. 나는 그게 누굴까 궁금했다. 그 생각은 나를 밤새 계속 깨어 있게 했다.

해설 ③ 과거 사실에 대한 강한 추측을 나타내는 「must have p.p.」의 형태로 고쳐야 한다.

어휘 vase 꽃병 wonder 궁금해하다 thought 생각

CHAPTER 03 to부정사

Point 09	to부정사의 명사적 용법
Point 10	가주어와 가목적어 / to부정사의 의미상 주어

문법 확인

pp. 44~45

Ⓐ **1** 유지하는 것은 **2** 세우기를
3 사용하는 법을 **4** 걷는 것은
5 파는 것이었다 **6** 여행 가기로
7 무엇을 할지

Ⓑ **1** 당신의 반응을 읽는 것이
2 낮잠을 자는 것을
3 그것들에 답하는 것이
4 내가 깊은 잠에 빠지는 것은
5 당신이 제게 차 한 잔을 주시다니

문법 기본

p. 46

Ⓐ **1** 주어 **2** 주어 **3** 보어
4 목적어 **5** 목적어 **6** 주어
7 목적어

Ⓑ **1** to accept **2** It **3** of
4 it **5** for **6** how

문법 쓰기

pp. 47~48

Ⓐ **1** It is easy to catch
2 makes it easier to collect
3 It was careless of you to lose
4 haven't decided where to live

Ⓑ **1** are → is **2** wearing → to wear
3 doing → to do **4** share → to share
5 of → for
6 to combined → to combine[combining]

Ⓒ **1** when to start the project
2 to keep balance
3 hard to wake up early
4 It was polite of her to offer
5 A police officer's job is to protect citizens.
6 James decided to adopt the young boy.
7 It is dangerous for children to use a detergent.
8 It was careless of you to lose your umbrella.

실전 연습

p. 49

1 (1) plan to go back
(2) hope to leave

해설 (1)과 (2)의 동사 plan과 hope는 모두 to부정사를 목적어로 취한다.

2 We found it impossible to make profits.
해설 주어진 우리말 문장에서 진목적어에 해당하는 부분은 '이익을 내는 것'이다. 가목적어 it과 목적보어 impossible 뒤에 진목적어를 to부정사구로 쓴다.
어휘 impossible 불가능한 profit 이익

Point 11 to부정사의 형용사적 용법

Point 12 to부정사의 부사적 용법

문법 확인 pp. 50~51

Ⓐ
1 분류하는 2 쓸 수 있는
3 화나게 할 4 순종해야 한다
5 만나지 못할 운명이었다 6 만날 예정이다
7 되려고 한다면 8 학습될 수 없다

Ⓑ
1 잡기 위해서 2 알게 될 것이다
3 들어서 4 사용하다니
5 이해하기에 6 보호하기 위해서
7 짓지 않기로 8 무릅쓰지 않기를

문법 기본 p. 52

Ⓐ
1 예정 2 의지 3 의무
4 가능 5 결과 6 판단의 근거
7 정도

Ⓑ
1 to sit at 2 hear 3 are
4 to save 5 to finish 6 not to eat

문법 쓰기 pp. 53~54

Ⓐ
1 to live in 2 to play with
3 to pass the final test 4 to miss the train

Ⓑ
1 hurt → to hurt 2 raised → to raise
3 survive → to survive 4 to being → to be
5 to not → not to 6 waste → to waste

Ⓒ
1 to learn about yourself
2 a hotel to sleep in
3 are to be published
4 to defeat the enemy
5 Could you lend me a pen to write with?
6 You are to return home by ten p.m.
7 He is smart to speak four languages.
8 Jason promised not to be late again.

실전 연습 p. 55

1 We have some serious issues to talk about.
해설 주어진 두 문장을 '우리는 이야기해야 할 몇 가지 심각한 문제를 가지고 있다.'라는 뜻의 한 문장으로 바꿔 쓰면 된다. 명사구 some serious issues 뒤에 이를 수식하는 to부정사구를 쓴다. 이때 to부정사구에 전치사 about을 반드시 포함시켜야 함에 유의한다.
어휘 serious 심각한 issue 문제

2 He must be smart to solve the problem.
해설 '그 문제를 해결하다니' 부분은 판단의 근거를 나타내는 부사구로서 to부정사구로 나타낼 수 있다.

Point 13 too ~ to / enough to

Point 14 seem to

문법 확인 pp. 56~57

Ⓐ
1 너무 살쪄서 빨리 뛸 수 없다
2 너무 밝아서 내 눈을 뜨고 있을 수 없다
3 너무 바빠서 퇴근 후에 운동할 수 없다
4 너무 시끄러워서 내가 집중할 수 없었다
5 이것을 처리할 만큼 충분히 강하다
6 3인을 수용할 만큼 충분히 크다
7 내가 읽을 수 있을 만큼 충분히 쉽다
8 거짓말을 하지 않을 만큼 충분히 정직했다

Ⓑ
1 걸린 것 같다 2 문제인 것 같은가
3 지지하는 것 같다 4 쫓고 있는 것 같다
5 알아차리지 못했던 것 같다
6 만났던 것 같다 7 지원했던 것 같다
8 얻었던 것 같다

문법 기본 p. 58

Ⓐ
1 too, to move 2 enough, to lift
3 She, to be 4 He, have been

Ⓑ
1 to run 2 misplaced
3 to be 4 fast enough
5 late 6 not to die
7 to have underwent

문법 쓰기 pp. 59~60

Ⓐ
1 to be telling a lie 2 to have eaten dinner
3 too big to fit 4 strong enough to divide

Ⓑ
1 be → to be
2 to → that
3 than → that
4 enough smart → smart enough
5 to wash → to have washed
6 too → so

Ⓒ 1 clever enough to fight diseases
2 too weak to support me
3 He seems to be
4 seems to have gone well
5 Sea water is too salty to drink.
6 She was good enough to show us the way.
7 She seems to be a good reporter.
8 He seems to have rejected her offer.

실전 연습 p. 61

1 You are too late to take part in the party.

해설 '너무 ~해서 …할 수 없다'라는 의미는 「too+형용사/부사+to부정사」의 형태로 나타낸다.

어휘 take part in ~에 참가하다

2 (1) seems to be quick
(2) seems to have solved

해설 (1) '~인 것 같다'라는 의미는 「seem+to부정사」의 형태로 나타낸다.
(2) '~이었던 것 같다'라는 의미는 「seem+to have p.p.」의 형태로 나타낸다.

Point 15 목적보어로 쓰이는 to부정사

Point 16 목적보어로 쓰이는 원형부정사

문법 확인 pp. 62~63

Ⓐ 1 적으라고 말했다
2 나타날 거라고 예상했다
3 요청하도록 허용하지 않았다
4 미는 것을 도와주었다
5 갖게 할 수 없다

Ⓑ 1 졸리게 했다
2 사용하게 했다
3 대걸레로 닦도록 시켰다
4 계속 보고 있음을 알아차렸다
5 응시하고 있음을 느꼈다

문법 기본 p. 64

Ⓐ 1 to sign 2 become, to become
3 to accept 4 complain
5 ask 6 coming
7 send

Ⓑ 1 set 2 go
3 to dust 4 clear
5 to concentrate 6 to give

문법 쓰기 pp. 65~66

Ⓐ 1 I had him wait 2 She forced her son to eat
3 Her parents let her sleep 4 I asked him to play

Ⓑ 1 rising → to rise
2 to changed → to change
3 pay → to pay
4 climbed → climb[climbing]
5 to shut → shut
6 manipulated → to manipulate

Ⓒ 1 to drink coffee
2 to pick up the trash
3 rest in the shade
4 burn in the kitchen
5 He encouraged me to pursue my dream.
6 Can you help me (to) find the answer?
7 The doctor made me quit smoking.
8 I heard Tommy give a speech.

실전 연습 p. 67

1 My father advised me not to eat junk food.

해설 동사 advise를 사용한 5형식 문장으로 쓴다. advise의 목적보어로 to부정사가 와야 하므로, 「주어+동사+목적어+to부정사」의 형태로 문장을 구성한다.

2 I listened to him give a deep sigh.

해설 지각동사 listen to를 사용한 5형식 문장으로 쓴다. 지각동사의 목적보어로 동사원형이 와야 하므로, 「주어+지각동사+목적어+동사원형」의 형태로 문장을 구성한다.

어휘 sigh 한숨

CHAPTER 03 내신 대비 실전 TEST pp. 68~70

01 ⑤ 02 ⑤ 03 ③ 04 ② 05 ③
06 ⑤ 07 ② 08 ⑤ 09 ① 10 ④
11 why → what 12 hold → to hold
13 ⑤, on[in] 14 ③, to
15 pull over his car
16 for him to marry her
17 The shirt seems to be small for the boy.
18 You must be tired to give a big yawn.
19 (1) The guard allowed me to go though the gate.
(2) The article had me donate to the campaign.
20 (1) to own a home in New York
(2) to ignore the warning signals
21 (1) Kate seems to have enjoyed her stay in Korea.
(2) He is too heavy to ride a horse.

22 (1) It is easy for you
(2) It was rude of you

23 (1) a passport to fly into Canada
(2) a suitcase to carry all my clothes
(3) an international driver's license to drive in Canada

01 ① 어떤 것도 파괴될 수 없다.
② 너는 어두워지기 전에 집에 도착해야 한다.
③ Linda는 Sam과 사랑에 빠질 운명이었다.
④ 우리는 다음 주에 회의를 할 예정이다.
⑤ 그렇게 많은 역할을 맡는 것을 보니 그는 유능하다.
해설 ⑤는 판단의 근거를 나타내는 부사적 용법의 to부정사인 반면, 나머지는 모두 「be동사+to부정사」의 일부로서 다양한 의미를 나타내는 to부정사이다.
어휘 destroy 파괴하다 competent 유능한

02 A: 사진을 스캔하는 법을 내게 알려줄 수 있니?
B: 물론이지. 알려줄게.
해설 문맥상 '~하는 방법'이라는 뜻이 되어야 하므로, to부정사 앞 빈칸에는 how가 와야 한다.

03 균형 잡힌 식단을 유지하는 것은 중요하다.
해설 주어로 쓰인 to부정사가 길어질 경우 뒤로 보내고 그 자리에 가주어 it을 쓴다.
어휘 balanced 균형 잡힌 diet 식단

04 • 해변에 누워 있는 것은 나를 기분 좋게 했다.
• 너는 네 개가 짖는 것을 멈추게 할 수 있니?
해설 사역동사 make는 목적보어로 동사원형을 쓰고, 동사 get은 목적보어로 to부정사를 쓴다.
어휘 bark 짖다

05 해설 careless는 사람의 성격·태도를 나타내는 형용사이므로, to부정사의 의미상 주어는 「of+목적격」으로 나타낸다.
어휘 careless 부주의한

06 나는 그가 선물을 포장하도록 __________.
① 시켰다 ② 시켰다 ③ 했다
④ 도왔다 ⑤ 시켰다
해설 목적보어로 동사원형(wrap)이 올 수 없는 동사는 ⑤의 got이다. 동사 get은 목적보어로 to부정사를 쓴다.
어휘 wrap up ~을 포장하다

07 ① 정문은 열기가 쉽지 않았다.
② 나는 더 많은 약을 먹지 않기로 결정했다.
③ 우리는 얼마나 많은 복사본을 준비할 필요가 있나요?
④ 우리의 임무는 해양에 관한 정보를 수집하는 것이었다.
⑤ 모든 형태의 재난을 막는 것은 가능하지 않다.
해설 to부정사의 부정은 to부정사 앞에 not 또는 never를 써서 나타낸다.
어휘 front gate 정문 copy 복사본 prepare 준비하다 mission 임무 collect 수집하다 information 정보 prevent 막다, 예방하다 form 형태 disaster 재난

08 그는 오랫동안 아팠던 것 같다.
해설 본동사 seems의 시제보다 that절의 시제가 앞서 있으므로, 「주어+seem+to have p.p.」로 바꿔 쓴다.

09 • 우리는 그를 보았다.
• 그는 나무를 기어올랐다.
① 우리는 그가 나무를 기어오르는 것을 보았다.
해설 「지각동사+목적어+동사원형」 형태의 5형식 문장으로 바꾼다.

10 너는 너무 늦어서 주제를 바꿀 수 없다.
해설 「too+형용사+to부정사」는 「so+형용사+that+주어+can't/couldn't+동사원형~」으로 바꿔 쓸 수 있다.

11 우리는 건물에서 화재가 발생하면 무엇을 해야 할지를 배웠다.
해설 to부정사 앞에 의문사 why는 쓸 수 없다. 내용상 '무엇을'이라는 의미의 의문사 what으로 고쳐 써야 한다.
어휘 break out 발생하다

12 그 얼음은 너의 몸무게를 지탱할 만큼 충분히 단단하지 않을지도 모른다.
해설 '…할 만큼 충분히 ~하다'라는 뜻이 되어야 하므로, enough 뒤의 동사 hold를 to부정사로 고쳐 써야 한다.
어휘 hold 지탱하다

13 앉을 의자가 하나도 없었다.
해설 to sit이 형용사처럼 쓰여 명사구 any chairs를 뒤에서 수식하고 있다. to sit 뒤에 전치사 on[in]을 넣어, 명사구가 해당 전치사의 의미상 목적어가 되도록 해야 한다. (*cf.* sit on[in] the chair)

14 선생님은 그 여자아이에게 심정을 쏟아 놓도록 시켰다.
해설 동사 get은 목적보어로 to부정사를 쓰므로, 동사원형 pour 앞에 to를 넣어야 한다.
어휘 pour out ~을 쏟아 놓다

15 해설 사역동사 make는 목적보어로 동사원형을 쓴다.
어휘 pull over (길 한 쪽으로 차를) 대다

16 해설 「It(가주어) ~ to부정사(진주어)」 문장으로, to부정사 앞에 의미상 주어를 「for+목적격」으로 나타낸다.

17 해설 '~인 것 같다'라는 의미는 「seem+to부정사」의 형태로 나타낸다.

18 해설 '하품을 크게 하는 것을 보니' 부분은 판단의 근거를 나타내는 부사구로서, to부정사구로 나타낼 수 있다. 이 부분을 주절 뒤에 쓰도록 한다.
어휘 give a yawn 하품하다

19 해설 (1) 동사 allow의 목적보어는 to부정사이다. 따라서 「주어+동사+목적어+to부정사」의 형태로 문장을 구성한다.

(2) 사역동사 have의 목적보어는 동사원형이다. 따라서 「주어+동사+목적어+동사원형」의 형태로 문장을 구성한다.

어휘 guard 경비원 go through ~을 통과하다 article 기사 donate 기부하다

20 (1) 그는 뉴욕에 있는 집을 소유했다. 그래서 그는 행복했다.
→ 그는 뉴욕에 있는 집을 소유해서 행복했다.
(2) 그녀는 경고 신호를 무시했다. 그녀는 어리석었다.
→ 경고 신호를 무시하다니 그녀는 어리석었다.

해설 (1) 첫 번째 문장은 감정(happy)의 원인에 해당되므로 to부정사구로 쓴다.
(2) 첫 번째 문장은 판단(foolish)의 근거에 해당되므로 to부정사구로 쓴다.

어휘 own 소유하다 ignore 무시하다 warning 경고 signal 신호

21 (1) Kate는 한국 방문을 즐겼던 것 같다.
(2) 그는 너무 무거워서 말을 탈 수 없다.

해설 (1) 본동사 seems의 시제보다 that절의 시제가 앞서 있으므로, 「주어+seem+to have p.p.」로 바꿔 쓴다.
(2) 「so+형용사+that+주어+can't+동사원형~」은 「too+형용사+to부정사」로 바꿔 쓴다.

어휘 stay 방문, 머무름

22 (1) A: 네가 이메일로 사진을 전송하는 것은 쉬워.
B: 정말? 나에게 방법을 알려줄래?
(2) A: 사람들 앞에서 나를 모욕하다니 당신은 무례했어요.
B: 죄송해요. 제가 기분 나쁘게 했다면 사과드릴게요.

해설 (1) 가주어 It을 주어 자리에 쓰고, to부정사 앞에 의미상 주어를 「for+목적격」의 형태로 쓴다.
(2) 가주어 It을 주어 자리에 쓴다. rude는 사람의 성격 · 태도를 나타내는 형용사이므로, to부정사 앞에 의미상 주어를 「of+목적격」의 형태로 쓴다.

어휘 insult 모욕하다 apologize 사과하다

23 (1) 나는 캐나다로 비행하기 위해 여권이 필요해요.
(2) 나는 내 모든 옷을 가져가기 위해 여행 가방이 필요해요.
(3) 나는 캐나다에서 운전하기 위해 국제 운전 면허증이 필요해요.

해설 목적어 자리에 여행 준비물을 먼저 쓴 후, 그 뒤에 부사적 용법의 to부정사구로 준비물의 용도를 표현한다.

어휘 passport 여권 suitcase 여행 가방 international 국제의

CHAPTER 04 동명사

Point 17	동명사의 쓰임과 형태
Point 18	동명사의 의미상 주어와 수동형

문법 확인 pp. 72~73

Ⓐ
1 스페인어를 배우는 것이다
2 보고서를 제출하는 것을
3 당신의 무지를 아는 것은
4 파티에 가지 않는 것에 대해
5 간이 식당을 운영하는 것을

Ⓑ
1 내가 상처를 입는 것
2 그녀가 반장이 되는 것
3 칭찬받는 것은
4 선발되는 것에 대해
5 용서받는 것은

문법 기본 p. 74

Ⓐ
1 주어 2 목적어 3 보어
4 주어 5 목적어 6 보어
7 목적어

Ⓑ
1 gives 2 making 3 attending
4 his 5 Not having 6 being
7 remembered

문법 쓰기 pp.75~76

Ⓐ
1 your[you] doing your best
2 his[him] recovering from the shock
3 this ending well
4 her leaving us so soon

Ⓑ
1 to bump → bumping
2 I → my[me]
3 bringing → to bring
4 treating → being treated
5 are → is
6 Smoking not → Not smoking

Ⓒ
1 making decisions
2 not accepting your suggestion
3 give up fighting for justice
4 being elected as a director
5 Kissing on the cheek is a custom in France.
6 My goal is getting a promotion at work.
7 My mother was worried about me[my] getting late.
8 I hate him[his] riding a bike without a helmet.

실전 연습 p. 77

1 (1) studying for the final exams
(2) passing the exams
해설 (1) 동사 finish의 목적어로 동명사를 써야 한다.
(2) 전치사의 목적어로 동명사를 써야 한다.
어휘 final exam 기말고사 pass 통과하다

2 I am sorry for you[your] being punished.
해설 전치사 for 뒤에 '네가 처벌당해서'에 해당하는 부분을 영어로 쓴다. 의미상 주어인 you가 동사 punish의 행위를 '당하는' 것이므로, 동명사의 수동형인 「being+p.p.」로 쓴다.
어휘 punish 처벌하다

Point 19 동명사와 to부정사

Point 20 동명사의 관용 표현

문법 확인 pp. 78~79

Ⓐ 1 채소를 먹는 것을 2 곡을 쓰는 것을
3 120달러를 갚은 것을 4 안전벨트를 맬 것을
5 변호사가 된 것을 후회한다
6 당신에게 나쁜 소식을 알리게 되어 유감입니다

Ⓑ 1 웃지 않을 수 없었다 2 배워도 소용없다
3 도전할 가치가 있다 4 집중하지 못하게 했다

문법 기본 p. 80

Ⓐ 1 noting 2 having 3 preparing
4 finding 5 reviewing 6 spreading

Ⓑ 1 having 2 to persuade 3 crying
4 eating 5 saying 6 to sign
7 bringing

문법 쓰기 pp. 81~82

Ⓐ 1 opening the window / to open the window
2 meeting him at the station / to meet me at the station
3 saying goodbye to her / to say goodbye to her
4 eating at the cafeteria / to eat at the cafeteria

Ⓑ 1 work → working 2 to play → playing
3 increase → to increase[increasing]
4 to prepare → preparing
5 avoid → avoiding 6 bringing → to bring

Ⓒ 1 regret to inform you
2 try to describe
3 There is no telling
4 feel like dancing with me
5 I hate to face[facing] her this morning.
6 I am looking forward to seeing your pictures.
7 I am used to studying with some noise.
8 Ants are busy making their homes.

실전 연습 p. 83

1 (1) to attend the meeting
(2) to bring it
해설 (1) '(앞으로) ~할 것을 기억하다'라는 의미이므로, 「remember+to부정사」의 형태로 쓴다.
(2) '(앞으로) ~할 것을 잊다'라는 의미이므로, 「forget+to부정사」의 형태로 쓴다.
어휘 attend 참석하다 laptop 노트북

2 He spent so much time comforting his son.
해설 '~하는 데 시간을 쓰다'라는 의미는 「spend+시간+동명사~」의 형태로 나타낸다.
어휘 comfort 달래다

CHAPTER 04 내신 대비 실전 TEST pp. 84~86

01 ① 02 ④ 03 ④ 04 ④ 05 ①
06 ④ 07 ③ 08 ③ 09 ⑤ 10 ③
11 are → is 12 she → her
13 There is no telling when 14 being punished
15 feeling[to feel]
16 my[me] asking you a question
17 this issue being mentioned
18 On arriving in Tokyo
19 look forward to receiving
20 (1) Treatment will prevent cancer from developing.
(2) I spent my summer days learning foreign languages.
21 (1) to bring my cellphone
(2) putting my wallet on the desk
22 speaking in front of his class
23 (1) being called a crybaby
(2) her finding out the truth
24 (1) how about buying a new car
(2) sorry for not getting
25 (1) regret fighting
(2) complained of not having

01 ① Peter는 내 고장 난 자전거를 수리하고 있다.
② 그는 새 세탁기를 구입했다.
③ 실수로부터 배우는 것은 중요하다.

④ 그녀의 습관은 생각하기 전에 행동하는 것이다.
⑤ Mark는 중국 음식을 요리하는 것을 잘한다.

해설 ①은 현재진행형을 만들 때 사용되는 현재분사인 반면, 나머지는 모두 동명사이다.

어휘 repair 수리하다 washing machine 세탁기

02 해설 '~하는 데 익숙하다'라는 의미는 「be used to+동명사」로 나타낸다.

03 그는 벼룩시장에서 물건을 사는 것을 ________.
① 그만두었다 ② 시작했다 ③ 매우 좋아한다
④ 계획한다 ⑤ 즐긴다

해설 ④ plan은 to부정사를 목적어로 취하는 동사인 반면, 나머지는 모두 동명사를 목적어로 취하는 동사이다.

어휘 flea market 벼룩시장

04 • 그녀의 계획은 그 과정을 완수하는 것이었다.
• 그녀는 남편이 집에서 자신을 도와주지 않은 것에 대해 화가 났다.

해설 첫 번째 빈칸에는 보어 역할을 할 수 있는 동명사가 와야 한다. 두 번째 빈칸에는 전치사의 목적어 역할을 하면서 부정의 의미를 나타내는 「not+동명사」가 와야 한다.

어휘 complete 완수하다

05 ① 내가 이사로 승진된 것이 자랑스럽다.
② 그녀는 내가 아픈 것에 대해 걱정한다.
③ 나는 이것이 매우 더럽다는 것을 알지 못했다.
④ 당신은 자주 기타 연주를 연습하나요?
⑤ 연설은 목적을 성취하기 위한 수단이다.

해설 ① 동사 promote는 '승진시키다'라는 뜻인데, 해당 문장에서는 '내가 승진되다'라는 수동의 의미가 되어야 하므로, promoting을 동명사의 수동형인 being promoted로 고쳐 쓴다.

어휘 director 이사, 임원 means 수단 achieve 성취하다 objective 목적

06 • 나는 집에서 반려동물을 키우고 싶다.
• 이 우표들은 오랫동안 간직할 가치가 있다.

해설 feel like -ing: ~하고 싶다 / be worth -ing: ~할 가치가 있다

07 해설 '~하는 것을 멈추다'의 의미를 나타내려면 stop 뒤에 동명사를 써야 한다.

08 A: 우리가 아이였을 때 저녁때까지 밖에서 놀았던 것이 기억나.
B: 그래, 오래전 일이네. 나는 그 추억을 영원히 간직하고 싶어.

해설 A의 말은 '(과거에) ~한 것을 기억하다'라는 의미이므로, 첫 번째 빈칸에는 동명사가 들어가야 한다. 동사 wish는 목적어로 to부정사를 취하므로, 두 번째 빈칸에는 to부정사가 들어가야 한다.

어휘 dusk 저녁때, 황혼녘

09 나는 그가 결백하다고 말하지 않은 것을 후회한다.

해설 과거에 하지 못한 일을 후회하는 문장이므로, 「regret+not+동명사」로 나타낸다.

어휘 innocent 결백한

10 그녀는 내가 그 계산서를 지불해야 한다고 주장했다.

해설 전치사의 목적어로 동명사[명사]가 와야 한다. 동명사 paying 앞에 오는 의미상 주어는 I의 목적격인 me나 소유격인 my를 써야 한다.

어휘 insist 주장하다 bill 계산서

11 악수를 하는 것은 공손함과 신뢰의 표시이다.

해설 동명사구가 문장에서 주어 역할을 할 경우 단수 취급하므로, 복수 동사 are를 단수 동사 is로 고쳐야 한다.

어휘 gesture 표시, 몸짓 politeness 공손함 trust 신뢰

12 Mary가 그곳에 있어서 우리가 얼마나 많이 감사했는지를 그녀에게 알려주세요.

해설 동명사의 의미상 주어는 소유격이나 목적격으로 나타내므로, she를 her로 고쳐야 한다.

어휘 appreciate 감사하다

13 해설 There is no -ing: ~하는 것은 불가능하다

14 Arisa는 자신의 행동 때문에 처벌받는 것에 대해 불평했다.

해설 밑줄 친 부분의 의미상 주어는 Arisa이며, Arisa가 행위를 당하는 대상이므로 밑줄 친 부분을 수동형인 being punished로 고쳐야 한다.

어휘 complain 불평하다 behavior 행동

15 시애틀에서 9개월을 지낸 후, Lenna는 향수병을 느끼기 시작했다.

해설 동사 begin의 목적어로 to부정사나 동명사가 올 수 있으므로, feel을 feeling[to feel]으로 고쳐야 한다.

어휘 homesick 향수병의

16 제가 당신에게 질문을 해도 되겠습니까?

해설 동사 mind는 동명사를 목적어로 취하므로, 의미상 주어인 my[me] 뒤에 동명사로 시작하는 구를 쓴다.

17 나는 이 문제가 언급되었던 것을 기억한다.

해설 '(과거에) ~한 것을 기억하다'라는 의미는 「remember+동명사」의 형태로 나타낸다. 동명사 앞에 의미상 주어 this issue를 쓰도록 한다.

어휘 issue 문제 mention 언급하다

18 해설 on[upon] -ing: ~하자마자

19 해설 look forward to -ing: ~하기를 고대하다

어휘 concrete 구체적인 proposal 제안

20 해설 (1) '~가 …하지 못하게 하다'의 의미는 「prevent ~ from -ing」 구문을 활용하여 나타낸다.
(2) '~하는 데 시간을 쓰다'의 의미는 「spend+시간+-ing」 구문을 활용하여 나타낸다.

어휘 treatment 치료 cancer 암
develop 진행되다, 발전하다

21 (1) 나는 내 휴대폰을 가져와야 했다. 나는 그것에 대해 잊었다.
→ 나는 내 휴대폰을 가져올 것을 잊었다.
(2) 나는 책상 위에 내 지갑을 올려놓았다. 나는 그것을 기억한다.
→ 나는 책상 위에 내 지갑을 올려놓은 것을 기억한다.

해설 (1) '(앞으로) ~할 것을 잊다'라는 뜻이므로, forgot 뒤에는 to부정사가 이어져야 한다.
(2) '(과거에) ~한 것을 기억하다'라는 뜻이므로, remember 뒤에는 동명사가 이어져야 한다.

어휘 wallet 지갑

22 해설 전치사 about의 목적어로 동명사 speaking으로 시작하는 구가 와야 한다.

어휘 nervous 걱정하는

23 (1) 나는 울보라고 불리지만, 나는 그것에 대해 신경쓰지 않는다.
(2) 나는 그녀가 진실을 알게 될까봐 두렵다.

해설 (1) 주어진 문장을 바꿔 쓰면, 의미상 '나는 울보라고 불리는 것에 대해 신경쓰지 않는다.'라는 뜻이 되어야 한다. 따라서 전치사 about 뒤에 '울보라고 불리는 것'이라는 뜻의 동명사구를 쓴다.
(2) 주어진 문장의 that절을 of로 시작하는 전치사구로 바꿔 쓰는 문제이다. 전치사 뒤에는 동명사[명사]가 이어져야 하며, 의미상 주어는 동명사 바로 앞에 소유격이나 목적격으로 나타낸다.

어휘 crybaby 울보

24 (1) A: 여보, 새 자동차를 사는 게 어때요?
B: 그래요. 새 자동차를 살 때인 것 같아요.
(2) A: Peter, 내가 그곳에 정각에 도착하지 못해서 미안했어.
B: 괜찮아. 교통 체증 때문이었음을 이해해.

해설 (1) 전치사 about의 목적어를 동명사 형태로 쓴다.
(2) 전치사 for의 목적어를 동명사 형태로 쓴다. 의미상 '정각에 도착하지 못했다'라는 부정의 의미이므로 동명사 앞에 not을 쓴다.

어휘 heavy traffic 교통 체증, 극심한 교통량

25 해설 (1) '(과거에) ~한 것을 후회하다'라는 뜻이므로, 「regret+동명사」 형태로 쓴다.
(2) '~에 대해 불평하다'라는 뜻의 complain of 뒤에 동명사의 부정형을 쓴다. 본동사를 과거시제로 써야 함에 유의한다.

어휘 complain 불평하다

CHAPTER 05 분사구문

Point 21	분사구문의 개념과 형태
Point 22	분사구문의 의미

문법 확인 pp. 88~89

Ⓐ
1 Being hungry
2 Going upstairs
3 Hearing the news
4 throwing it at me
5 smiling brightly

Ⓑ
1 밤에 자면서
2 네 손을 사용하면
3 전등을 끄고 나서
4 돈이 필요했기 때문에
5 서로의 손을 잡고서

문법 기본 p. 90

Ⓐ
1 Because
2 If
3 When
4 and
5 While

Ⓑ
1 동시동작
2 이유
3 조건
4 동시동작
5 연속동작
6 시간
7 조건
8 연속동작

문법 쓰기 pp. 91~92

Ⓐ
1 Lending money
2 Missing the subway
3 Crossing the road
4 (being) talking on the phone

Ⓑ
1 Been → Being
2 Ride → Riding
3 Turns → Turning
4 breathe → breathing
5 Knew → Knowing
6 Felt → Feeling

Ⓒ
1 saying good-bye
2 Putting on her dress
3 Exercising too hard
4 Refusing my suggestions
5 Smiling happily, she hugged her son.[She hugged her son, smiling happily.]
6 Checking my scores, I was so shocked.[I was so shocked checking my scores.]
7 Being a vegetarian, I can't eat meat.[I can't eat meat being a vegetarian.]
8 Using a vacuum cleaner, he cleaned his room.[He cleaned his room using a vacuum cleaner.]

실전 연습 p. 93

1 (1) Eating popcorn
(2) Having lots of work

해설 (1), (2)의 밑줄 친 부분은 주어가 주절과 같고, 시제 역시 주

절과 같으므로, 현재분사로 시작하는 분사구문으로 쓴다.

2 Putting on life vests, they got on the ship.

해설 주어진 우리말 문장에서 콤마 앞부분은 분사구문, 뒷부분은 주절에 해당한다. 콤마 앞부분의 주어가 주절과 같고, 시제 역시 주절과 같으므로, 현재분사로 시작하는 분사구문을 만들어야 한다.

어휘 life vest 구명조끼

Point 23 분사구문의 부정과 완료형

Point 24 분사구문의 태와 생략

문법 확인 pp. 94~95

Ⓐ 1 그들과 이야기하기를 원하지 않아서
2 빠르게 걷지 않아서
3 내 지갑을 잃어버려서
4 담배 피우기를 그만둔 후에
5 아무것도 먹지 않아서

Ⓑ 1 입원했을 때
2 라틴 댄스에 관심이 있어서
3 잘 세탁되어서
4 개에게 물린 적이 있어서
5 선생님에게 칭찬받아서

문법 기본 p. 96

Ⓐ 1 Not wanting 2 Having washed
3 Being built 4 Having been
5 Recommended

Ⓑ 1 Not studying 2 Having eaten
3 Having failed 4 Surrounded
5 Being delighted 6 Having been

문법 쓰기 pp. 97~98

Ⓐ 1 not taking any orders
2 having spent my vacation in Guam
3 (Being) Located next to the lake
4 (Having been) Bought ten years ago

Ⓑ 1 Knowing → Known
2 being → having been
3 Knowing not → Not knowing
4 Writing → Written
5 Having not → Not having
6 Hiding → Hidden

Ⓒ 1 Not having a car
2 Having finished the class
3 (Being) Left alone
4 (Having been) Praised by critics
5 Not knowing German, I could not help him.
6 Having met him, I talked to him first.
7 (Being) Interested in art, she majored in it.
8 Not having eaten the food, I want to try it.

실전 연습 p. 99

1 Not having told the truth, she feels guilty.

해설 주어진 우리말 문장에서 콤마 앞부분의 시제가 뒷부분(주절)의 시제보다 앞서 있다. 따라서 콤마 앞부분을 완료 분사구문인 「having+p.p.」의 형태로 쓴다. 부정어 not은 분사구문의 맨 앞에 쓰도록 한다.

어휘 guilty 죄책감이 드는

2 (Being) Praised by my parents

해설 밑줄 친 부분과 주절의 주어 및 시제가 같고, 동사 praise로 '칭찬을 받다'라는 수동의 의미를 표현해야 하므로, 수동형 분사구문 「Being+p.p.」의 형태로 쓴다. 수동형 분사구문에서 Being은 생략할 수 있다.

Point 25 독립 분사구문

Point 26 with+(대)명사+분사

문법 확인 pp. 100~101

Ⓐ 1 Carol이 나를 보았을 때
2 눈이 많이 와서
3 Jane이 아파서
4 그의 목소리로 판단하건대
5 우리의 모임에 관한 얘기가 나와서 말인데

Ⓑ 1 옷을 입은 채로
2 문을 열어놓은 채로
3 손을 옆구리에 댄 채로
4 팔짱을 낀 채로
5 10초가 남아 있는 상황에서

문법 기본 p. 102

Ⓐ 1 ~을 고려하면 2 솔직히 말해서
3 ~에 대해 말하자면 4 간단히 말해서
5 일반적으로 말해서 6 ~으로 판단하건대
7 ~와 비교하면 8 엄격히 말해서

Ⓑ 1 calling 2 being
3 speaking 4 Considering
5 with 6 turned

문법 쓰기 pp. 103~104

Ⓐ 1 Everyone enjoying the festival

2 The sun setting
3 his face buried in the pillow
4 Generally speaking

Ⓑ 1 spoken → speaking
2 permitted → permitting
3 lifting → lifted
4 Considered → Considering
5 run → running
6 was → being

Ⓒ 1 He accepting my proposal
2 Strictly speaking
3 With one eye covered
4 Judging from his accent
5 It being hot, I turned on the air conditioner.
6 Briefly speaking, we are going to stop the project.
7 Speaking of hobbies, I like raising insects.
8 With her sunglasses on, she walked down the beach.

실전 연습 p. 105

1 (1) Generally speaking
(2) Speaking of play
해설 (1) generally speaking: 일반적으로 말해서
(2) speaking of: ~에 대해 말하자면
어휘 popular 인기 있는

2 With her eyes closed, she listened to the sound.
해설 콤마 앞부분은 뒷부분(주절)의 일과 동시에 일어나는 상황을 나타내므로, 「with+명사+분사」의 형태로 쓴다. 이때 명사(her eyes)와 close의 관계가 수동이므로 명사 뒤에는 과거분사를 쓴다.

CHAPTER 05 내신 대비 실전 TEST pp. 106~108

01 ① 02 ④ 03 ② 04 ③ 05 ④
06 ③ 07 ③ 08 ④ 09 ③ 10 ⑤
11 Having born → Having been born
12 followed → following
13 Hearing of his accident
14 Not getting any contact
15 Being stuck
16 speaking
17 Being ill
18 with his shoes covered with mud
19 (1) Entering his room, he saw his cat lying.
(2) Not knowing her address, I could not post the letter.
20 (1) (Being) Surrounded by people, he couldn't find me.
(2) The sun setting, the street became empty.
21 Not having enough money during my school days
22 (1) with his eyes closed
(2) with her hat on
23 (1) Passed → Passing
(2) Smiling at me, he said sorry to me.[He said sorry to me smiling at me.]
24 ①, Having

01 그녀는 모든 문을 닫은 채로 운전석에 앉아 있다.
해설 명사구 all the doors와 shut의 관계가 수동이므로, shut의 과거분사형 shut이 오는 것이 적절하다.

02 당신은 신발을 벗은 채로 사원에 입장해야 한다.
해설 「with+(대)명사+부사」: '~가 …한 채로'
어휘 temple 사원, 절

03 만일 네가 보기를 원한다면, 너는 둘러볼 수 있다.
해설 부사절과 주절의 주어 및 시제가 같으므로, 부사절을 현재분사 Wanting으로 시작하는 분사구문으로 고칠 수 있다.

04 새집으로 이사 온 후, 나는 집들이를 했다.
해설 분사구문과 주절의 의미 관계로 보아, 빈칸에는 접속사 After(~후에)가 들어가는 것이 알맞다.
어휘 housewarming party 집들이

05 그가 경주를 끝마쳤을 때, 그는 땅바닥에 쓰러졌다.
해설 밑줄 친 부사절의 시제가 주절의 시제보다 앞서 있으므로, 완료 분사구문 「having+p.p.」로 써야 한다.

06 다른 지역과 비교하면, 이곳은 노후화되어 있다.
해설 compared to[with]: ~와 비교하면
어휘 region 지역

07 해설 콤마 앞부분의 주어(태풍)와 뒷부분의 주어(우리)가 서로 다르므로, 콤마 앞부분을 독립 분사구문으로 써야 한다.
어휘 typhoon 태풍

08 훌륭한 소설가에 의해 쓰였기 때문에, 그 책은 큰 기대를 받았다.
해설 콤마 앞부분은 분사구문으로, 분사구문에서 생략된 주어 the book과 write의 관계가 수동이므로 수동형 분사구문이다. 그런데 분사구문의 시제가 주절의 시제보다 앞서므로 완료수동형 분사구문이다. 따라서 빈칸에 생략된 말은 Having been이다.
어휘 novelist 소설가 highly 크게 anticipate 기대하다

09 해설 분사구문의 부정은 분사 앞에 not이나 never를 써서 나타낸다.
어휘 talent 재능 refuse 거절하다

10 ① 시험에 떨어져서, 그는 좌절했다.
② 길을 몰라서, 나는 길을 잃었다.
③ 부상을 입어서, 나는 계속해서 훈련할 수 없었다.
④ 나의 도움이 필요하면, 너는 언제든 내게 말해도 돼.
⑤ 뱀에게 물려서, 나는 비명을 질렀다.

해설 ⑤ 완료수동형 분사구문은 「having been p.p.」의 형태이다.

어휘 frustrated 좌절한 injured 부상을 입은

11 시골에서 태어났기 때문에, 그녀는 도시 생활에 관해 많이 알지는 못한다.

해설 분사구문의 시제가 주절의 시제보다 앞서 있고, '태어나다'라는 뜻은 수동태 be born으로 표현하므로, 주어진 문장의 분사구문을 완료수동형 분사구문인 「having been p.p.」의 형태로 고쳐 써야 한다.

12 그가 문으로 들어갔고 그의 친구들은 그를 따랐다.

해설 his friends와 follow의 관계가 능동이므로 followed를 현재분사로 고쳐 써야 한다.

13 해설 현재분사 Hearing으로 시작하는 분사구문으로 쓴다.

어휘 freeze 얼다

14 해설 분사구문의 부정은 분사 앞에 not을 써서 나타내므로, 「not+분사~」의 어순으로 쓴다.

어휘 contact 연락

15 교통 체증에 갇혔기 때문에, 그는 그곳에 정각에 도착할 수 없었다.

해설 수동태인 부사절은 수동형 분사구문 「Being+p.p.」로 바꿔 쓴다.

어휘 be stuck in ~에 갇히다 traffic jam 교통 체증

16 • 엄격히 말해서, 그것은 정확하지 않다.
• 일반적으로 말해서, 학자들은 매우 지적이다.

해설 strictly speaking: 엄격히 말해서
generally speaking: 일반적으로 말해서

어휘 correct 정확한 scholar 학자 intelligent 지적인

17 A: Jack은 왜 어제 모임에 오지 않았니?
B: 그가 아팠다고 들었어.
→ 아팠기 때문에, Jack은 어제 모임에 오지 않았다.

해설 밑줄 친 부분과 주절의 주어 및 시제가 같으므로, 현재분사 Being으로 시작하는 분사구문으로 쓴다.

18 A: 엄마, 저 집에 왔어요.
B: 어서 들어오너라, John. 그런데 네 신발이 왜 진흙으로 뒤덮여 있니?
→ John은 신발이 진흙으로 뒤덮인 채로 집에 왔다.

해설 「with+명사+분사」 구문을 활용한다. 이때 명사(his shoes)와 cover의 관계가 수동이므로 cover의 과거분사형인 covered를 쓴다.

19 해설 (1) 콤마 앞부분을 분사구문으로, 뒷부분을 주절로 나타내야 한다. 콤마 앞뒤의 절은 주어 및 시제가 서로 같으므로, 현재분사 Entering으로 시작하는 분사구문으로 쓴다.
(2) 분사구문의 부정은 분사 앞에 not을 써서 나타낸다.

어휘 post (편지 등을) 부치다

20 (1) 그는 사람들에게 둘러싸여서, 나를 발견할 수 없었다.
(2) 태양이 지고 난 후, 거리는 텅 비었다.

해설 (1) 수동태인 부사절은 수동형 분사구문 「Being+p.p.」로 바꿔 쓴다.
(2) 부사절의 주어(the sun)와 주절의 주어(the street)가 서로 다르므로, 부사절을 독립 분사구문으로 바꿔 쓴다.

어휘 surround 둘러싸다

21 해설 분사구문의 부정은 분사 앞에 not을 써서 나타내므로, 「not+분사~」의 어순으로 쓴다.

22 (1) 그는 피아노를 연주하는 중이었고, 그의 눈은 감겨 있었다.
= 그는 눈을 감은 채 피아노를 연주하는 중이었다.
(2) Jane은 거리를 돌아다녔고, 그녀는 모자를 썼다.
= Jane은 모자를 쓴 채 거리를 돌아다녔다.

해설 (1)의 and 뒤에 이어지는 절을 「with+(대)명사+분사」 형태로 바꿔 쓴다. 이때 명사구 his eyes와 close의 관계가 수동이므로, close의 과거분사형인 closed를 쓴다.
(2)의 and 뒤에 이어지는 절을 「with+(대)명사+부사」 형태로 바꿔 쓴다.

23 나는 집에 가기 위해 버스를 기다리고 있었다. 마침내 버스가 도착해서 나는 버스에 탔다. ⓐ 내 옆을 지나가면서, 누군가가 내 발을 밟았다. 나는 고개를 들어 올려다보았다. 그는 옆집에 사는 Martin이었다. ⓑ 나를 향해 미소 지으면서, 그는 내게 미안하다고 말했다.

해설 (1) ⓐ에서 콤마 앞부분의 생략된 주어는 주절의 주어 someone과 같다. 주어 someone과 pass by의 관계는 능동이므로, Passed를 현재분사 Passing으로 고쳐서 분사구문으로 만든다.
(2) 콤마 앞부분을 분사구문으로, 뒷부분을 주절로 나타내야 한다. 콤마 앞뒤의 절은 주어 및 시제가 서로 같으므로, 현재분사 Smiling으로 시작하는 분사구문으로 쓴다.

어휘 pass by ~ 옆을 지나가다 step on ~을 밟다

24 나는 가난한 가정에서 태어나서, 어린 나이에 일을 해야 했다. 처음에는 슬펐지만, 나는 그 상황을 받아들이기 시작했다. 나는 일하는 동안 많은 좋은 사람들을 알게 되었다. 그리고 이제 나는 내 삶에 만족한다.

해설 ① 완료수동형 분사구문은 「having been p.p.」의 형태이다.

어휘 accept 받아들이다 get to-v ~하게 되다
satisfied 만족한

CHAPTER 06 수동태

Point 27 수동태의 개념과 형태

Point 28 수동태의 시제

문법 확인 pp. 110~111

Ⓐ 1 사육사에 의해 먹여진다 2 쓰여 있다
3 나에 의해 돌보아진다 4 길러졌다
5 지불되어야 한다 6 논의되어야 한다
7 빌리는 데 관심이 있다 8 긴급함에 놀랐다

Ⓑ 1 야기되었다 2 행해지고 있었다
3 이행될 것이다 4 배송되고 있다
5 관리되어 왔다 6 가르침을 받았다
7 확인되지 않았다 8 열렸다

문법 기본 p. 112

Ⓐ 1 of 2 in 3 about
4 at 5 with 6 to

Ⓑ 1 made 2 with
3 over in the driveway 4 be used
5 being 6 be caught
7 has been called

문법 쓰기 pp. 113~114

Ⓐ 1 were turned off by 2 must be finished by
3 has been taken by 4 was being followed by

Ⓑ 1 writing → written 2 conduct → conducted
3 by out → out by 4 for → with
5 is → has 6 been → being

Ⓒ 1 The bathroom is cleaned by me
2 Everybody was surprised at
3 Young people were being treated
4 Fruits and vegetables should be washed
5 The cat was looked after by the old lady.
6 The gas station will be run by a Korean woman.
7 The documentary is being shown on television.
8 These bees have been studied by scientists.

실전 연습 p. 115

1 (1) the meeting was called off.
(2) The cancellation message was delivered.
해설 (1)과 (2) 모두 동작의 대상이 주어 자리에 왔으므로, 동사 형태를 수동태로 쓴다. (1)의 동사구 call off는 하나의 동사처럼 취급하여 수동태로 나타내야 한다는 점에 유의한다.
어휘 call off ~을 취소하다 cancellation 취소

2 The two elevators are being repaired by the engineer.
해설 '~되고 있다'라는 뜻의 진행 수동태는 「be동사+being+p.p.」의 형태로 쓴다.
어휘 repair 수리하다 engineer 수리공

Point 29 4형식 문장의 수동태

Point 30 5형식 문장의 수동태

문법 확인 pp. 116~117

Ⓐ 1 제공받는다 2 받았다
3 만들어졌다 4 요리되었다
5 구입되었다 6 보내졌다
7 건네졌다 8 질문되었다

Ⓑ 1 뽑혔다 2 유지된다
3 알려졌다 4 허용되지 않는다
5 조언을 들었다 6 관찰되었다
7 들렸다 8 시켜졌다

문법 기본 p. 118

Ⓐ 1 to 2 for 3 of 4 없음 5 to
6 to 7 없음

Ⓑ 1 was made 2 to 3 to get
4 to tell 5 to 6 for
7 to go

문법 쓰기 pp. 119~120

Ⓐ 1 were brought for the camels
2 is taught to us
3 was made to sign the contract
4 was felt to crawl up his leg

Ⓑ 1 die → to die 2 go → to go
3 to → for 4 cry → to cry[crying]
5 named → was named 6 for → to

Ⓒ 1 She was offered
2 are lent out to anybody
3 is called the Lungs of the Earth
4 was told to eat
5 This cushion was made for me
6 The speaker was thought fluent
7 Both sides are seen to share
8 He was made to wait

실전 연습 p. 121

1 (1) will be sent a copy of the contract by me

(2) will be sent to you by me

해설 (1) 4형식 문장을 간접목적어를 주어로 하는 수동태 문장으로 전환할 때, 「주어(O_1)+be동사+p.p.+O_2~」의 형태로 쓴다.

(2) 4형식 문장을 직접목적어를 주어로 하는 수동태 문장으로 전환할 때, 「주어(O_2)+be동사+p.p.+전치사+O_1~」의 형태로 쓴다. 동사는 send이므로, 전환 시에 전치사 to를 사용한다.

어휘 copy 복사본 contract 계약서

2 They were made to plant the flowers.

해설 주어 They는 동작의 대상이므로 동사 형태를 수동태로 쓴다. 사역동사 make를 활용한 수동태 문장으로 써야 하므로, 「주어+be동사+p.p.+to부정사~」의 형태로 나타낸다.

어휘 plant 심다

CHAPTER 06 내신 대비 실전 TEST pp. 122~124

01 ④	02 ②	03 ②	04 ①	05 ⑤
06 ⑤	07 ③	08 ⑤	09 ⑤	10 ②

11 choosing → chosen
12 by at → at by
13 was heard to knock
14 was made to bring
15 are taught to
16 to
17 was bought for him
18 is being used
19 has been stored
20 The air conditioner will be repaired by him.
21 (1) may be accepted by the manager
(2) is looked up to by most people in this town
22 (1) Refugee camps are being prepared
(2) have not been used for a week
23 (1) was sent the wrong text message by me
(2) was sent to her by me
24 (1) The wind was felt to stroke my hair.
(2) He was made to mow the lawn by me.
25 ②, She has just been taken to the emergency room.
④, The boy was made to write an apology letter by his teacher.

01 ① 나는 나의 회사에 만족한다.
② 나는 그 결과에 기쁘다.
③ 그의 신발은 진흙으로 덮여 있다.
④ 진실이 우리에게 알려지게 되었다.
⑤ 나는 고통과 괴로움으로 가득 차 있다.

해설 주어진 수동태 문장에서 by 이외에 어떤 전치사를 써야 하는지를 묻는 문제이다. ④의 빈칸에는 전치사 to가 들어가야 하는 반면, 나머지는 모두 전치사 with가 들어가야 한다.

어휘 outcome 결과 mud 진흙 anguish 괴로움

02 해설 진행 수동태는 「be동사+being+p.p.」의 형태로 쓴다. 시제가 현재임에 유의한다.

어휘 prepare 준비하다

03 나의 아버지가 신문을 읽는 것이 보여졌다.

해설 지각동사의 수동태 문장에서 be p.p. 다음에는 to부정사가 와야 한다.

04 ① 나의 이모는 우리에게 닭고기 수프를 요리해 주었다.
② 그녀는 그에게 응원 깃발을 건네주었다.
③ 주인은 우리를 진심으로 환영해 주었다.
④ 그의 지지자들은 그를 지사로 선출했다.
⑤ 실패는 우리에게 많은 가치 있는 교훈을 가르쳐 준다.

해설 ① 문장에 사용된 동사가 cook이므로, 간접목적어를 주어로 하는 수동태로는 바꿔 쓸 수 없다.

어휘 flag 깃발 hearty 진심 어린 supporter 지지자 governor 지사 failure 실패 valuable 가치 있는

05 ① 꿀은 일벌에 의해 만들어진다.
② 너무 많은 스트레스가 내게 두통을 생기게 했다.
③ 로봇은 다양한 산업에서 사용될 수 있다.
④ 모든 자료는 시스템에서 삭제되어야 한다.
⑤ 헬멧은 건설 현장에서 착용되어야 한다.

해설 ⑤ 주어 Helmets는 동작의 대상이므로, 동사 형태를 수동태로 써야 한다. 조동사의 수동태는 「조동사+be동사+p.p.」의 형태이다.

어휘 industry 산업 erase 삭제하다 construction site 건설 현장

06 • 선물은 팬들에 의해 내게 보내졌다.
• 긴급한 부탁이 나에 의해 그에게 요청되었다.

해설 동사 send가 사용된 4형식 문장의 수동태에서는 간접목적어 앞에 전치사 to를 쓴다. 동사 ask의 경우 전치사 of를 쓴다.

어휘 urgent 긴급한 favor 부탁, 호의

07 해설 조동사의 수동태는 「조동사+be동사+p.p.」의 형태로 쓴다.

어휘 evidence 증거

08 해설 동사구 take care of를 사용한 수동태 문장이므로, 「be동사+p.p.+전치사/부사」의 형태로 나타낸다.

어휘 take care of ~을 관리하다, 돌보다

09 그의 어머니는 그에게 축소 모형 첼로를 사주었다.

해설 4형식 문장의 수동태에서 동사가 buy일 때는 간접목적어 앞에 전치사 for를 쓴다.

어휘 miniature 축소 모형

10 사람들은 영어를 국제 언어로 불러 왔다.

해설 현재완료 수동태는 「have/has+been+p.p.」의 형태로 쓴다.

어휘 international 국제의

11 손 씨는 최고의 아시아 선수로 뽑혔다.
해설 주어 Mr. Son은 동작의 대상이므로, 동사 형태를 수동태로 써야 한다. 이에 따라 현재분사 choosing을 과거분사 chosen으로 고친다.

12 그는 많은 여자아이들에 의해 비웃음을 당했다.
해설 동사구 laugh at을 사용한 수동태 문장이므로, 「be동사+p.p.+전치사+by+행위자」의 어순으로 나타낸다.
어휘 laugh at ~를 비웃다

13 해설 지각동사의 수동태 문장은 「주어+be동사+p.p.+to부정사~」의 어순으로 쓴다.
어휘 knock 두드리다

14 해설 사역동사의 수동태 문장은 「주어+be동사+p.p.+to부정사~」의 어순으로 쓴다.

15 A: Baker 선생님은 학생들에게 무엇을 가르치니?
B: 쓰기와 문학이 그에 의해 학생들에게 가르쳐져.
해설 4형식 문장의 수동태에서 동사가 teach일 때는 간접목적어 앞에 전치사 to를 쓴다.
어휘 literature 문학

16 • 그녀는 추천서를 써줄 것을 요청받았다.
• 그는 자신의 연구를 계속하도록 격려되었다.
해설 5형식 문장의 목적격보어가 to부정사인 경우, 수동태 전환 시에 to부정사를 be p.p. 뒤에 그대로 쓴다.
어휘 recommendation 추천서 encourage 격려하다 research 연구

17 그의 삼촌은 그에게 새 카메라를 사주었다.
→ 새 카메라가 그의 삼촌에 의해 그를 위해 구입되었다.
해설 4형식 문장의 수동태에서 동사가 buy일 때는 간접목적어 앞에 전치사 for를 쓴다.

18 해설 진행 수동태는 「be동사+being+p.p.」의 형태로 쓴다.
어휘 dictionary 사전

19 해설 현재완료 수동태는 「have/has+been+p.p.」의 형태로 쓴다.
어휘 warehouse 창고

20 A: 너는 누구를 기다리고 있니, Jane?
B: 나는 서비스 기술자를 기다리고 있어. 에어컨이 그에 의해 수리될 거야.
해설 미래시제 수동태는 「will+be동사+p.p.」의 형태로 쓴다.
어휘 service technician 서비스 기술자

21 (1) 부장이 내 제안을 받아들일 수도 있다.
→ 내 제안이 부장에 의해 받아들여질 수도 있다.
(2) 이 마을의 대부분의 사람들은 그를 존경한다.
→ 그는 이 마을의 대부분의 사람들에 의해 존경받는다.
해설 (1) 조동사의 수동태는 「조동사+be동사+p.p.」의 형태로 쓴다.
(2) 동사구의 수동태는 「be동사+p.p.+전치사/부사」의 형태로 쓴다.
어휘 manager 부장, 관리자 accept 받아들이다 proposal 제안 look up to ~를 존경하다

22 해설 (1) 진행 수동태는 「be동사+being+p.p.」의 형태로 쓴다.
(2) 현재완료 수동태는 「have/has+been+p.p.」의 형태로 쓴다. 부정어 not은 been 앞에 써야 함에 유의한다.
어휘 refugee 난민 prepare 마련[준비]하다

23 나는 그녀에게 잘못된 문자 메시지를 보냈다.
(1) 그녀는 나에 의해 잘못된 문자 메시지를 받았다.
(2) 잘못된 문자 메시지가 나에 의해 그녀에게 보내졌다.
해설 (1) 4형식 문장을 간접목적어를 주어로 하는 수동태 문장으로 전환할 때, 「주어(O_1)+be동사+p.p.+O_2~」의 형태로 쓴다.
(2) 4형식 문장을 직접목적어를 주어로 하는 수동태 문장으로 전환할 때, 「주어(O_2)+be동사+p.p.+전치사+O_1~」의 형태로 쓴다. 동사는 send이므로, 전환 시에 전치사 to를 사용한다.

24 해설 (1) 지각동사의 수동태는 「주어+be동사+p.p.+to부정사~」의 형태로 쓴다.
(2) 사역동사의 수동태는 「주어+be동사+p.p.+to부정사~」의 형태로 쓴다.
어휘 stroke 쓰다듬다 mow 깎다, 베다 lawn 잔디

25 ① 이 산은 많은 사람들에 의해 방문된다.
② 그녀는 방금 응급실로 실려 갔다.
③ 공기 청정기가 직원들을 위해 구입되었다.
④ 그 남자아이는 선생님에 의해 반성문을 쓰도록 강요받았다.
해설 ② 현재완료 수동태 문장이 되어야 하므로, 동사를 「has been p.p.」의 형태로 고쳐 쓴다.
④ 사역동사의 수동태 문장이므로, made 뒤의 동사원형 write를 to부정사로 고쳐 쓴다.
어휘 emergency room 응급실 air cleaner 공기 청정기 employee 직원 apology letter 반성문

CHAPTER 07 관계사

Point 31 주격 관계대명사

Point 32 소유격 · 목적격 관계대명사

문법 확인 pp. 126~127

Ⓐ 1 나를 도와주는 2 인권에 관한
3 심사위원 상을 탄 4 건물을 디자인하는
5 나뭇잎을 먹고 있는 6 도로에 주차된
7 쓰레기를 줍고 있는

Ⓑ 1 지붕이 빨간 2 이름이 Jack인
3 내가 지지할 수 없는 4 그가 절벽에서 떨어지는
5 내가 의지할 수 있는 6 내가 목격한

문법 기본 p. 128

Ⓐ 1 who, that 2 which 3 whose
4 whose 5 which, that 6 who, whom
7 whom

Ⓑ 1 is 2 whose 3 whom
4 which 5 who is 6 is
7 who

문법 쓰기 pp. 129~130

Ⓐ 1 I bought a book which[that] is written in French.
2 I have a friend whose mother is a PE teacher.
3 Hemingway was the writer who[that] wrote *The Old Man and the Sea*.
4 The judges selected one winner who(m)[that] they would give the award to.[The judges selected one winner to whom they would give the award.]

Ⓑ 1 which → who[that] 2 whom → whose
3 who → whom 4 of which → which[that]
5 that → which 6 are → is

Ⓒ 1 which[that] is about the Korean War
2 whose face was pale
3 who[that] was pulling a handcart
4 which[that] I could agree with[with which I could agree]
5 We need someone who[that] majored in math.
6 I have a friend whose heart was broken.
7 The flowers which[that] he bought me smell good.
8 The mobile game which[that] you talked about was amazing.[The mobile game about which you talked was amazing.]

실전 연습 p. 131

1 He has a personality which[that] attracts everyone.
해설 목적어인 a personality를 선행사로 하는 관계대명사절을 쓴다. 이때 주격 관계대명사 which[that]를 사용한다.
어휘 personality 성격 attract 마음을 끌다

2 She practiced for the performance which[that] she would participate in.[She practiced for the performance in which she would participate.]
해설 the performance를 선행사로 하는 관계대명사절을 쓴다. 이때 목적격 관계대명사 which[that]를 사용하며, 전치사 in을 관계대명사 앞에 쓸 수도 있다.
어휘 performance 공연 participate in ~에 참가하다

Point 33 관계대명사 that / what

Point 34 관계부사

문법 확인 pp. 132~133

Ⓐ 1 중요한 2 당신이 이해하지 못한
3 아이들이 원하는 4 내가 원하는 것이다
5 우리가 논의한 것을 6 나를 행복하게 만든 것은

Ⓑ 1 그 기계가 만들어진 방식이다
2 우리가 정상에 도달할 수 있는
3 그가 그처럼 행동했던
4 의사가 없는
5 꽃이 피기 시작하는

문법 기본 p. 134

Ⓐ 1 when 2 why 3 where
4 what 5 that 6 where, how
7 what

Ⓑ 1 the way 2 why 3 when
4 What 5 that 6 where
7 that

문법 쓰기 pp. 135~136

Ⓐ 1 that I sang with
2 what I told you
3 where my parents lived
4 how he handled the problem

Ⓑ 1 that → what
2 which → that
3 the way how → how
4 where → why
5 what → where
6 what → that

Ⓒ 1 what is necessary
2 that went on a journey
3 why[for which] you should visit Korea
4 how[the way in which] I release stress
5 She gave me all the money that she had.
6 What I want is your sincere apology.
7 The restaurant was the place where[at which] he proposed to me.
8 March is the month when[in which] we get together.

실전 연습 p. 137

1 I did not say anything that was false.
해설 선행사 anything은 -thing으로 끝나는 부정대명사이므로, 관계대명사 that이 이끄는 절의 수식을 받는다.

2 This is the place where Picasso was born.
해설 the place를 선행사로 하는 관계부사절을 쓴다. 선행사가 장소를 나타내므로 관계부사 where를 사용한다.
어휘 in person 직접

Point 35 복합관계대명사

Point 36 복합관계부사

문법 확인 pp. 138~139

Ⓐ 1 이 규칙을 어기는 사람은 누구든지
2 당신이 우리와 공유하길 원하는 어느 것이든지
3 당신이 제안하는 무엇이든지
4 내가 아는 사람은 누구에게든지
5 사람들이 무슨 말을 하더라도

Ⓑ 1 Carol이 어려움에 처할 때마다
2 그녀가 어디에 있더라도
3 그것이 아무리 사소하더라도
4 당신이 그를 언제 방문하더라도
5 그녀가 가는 곳 어디에서나

문법 기본 p. 140

Ⓐ 1 However 2 whomever
3 whatever 4 Whenever
5 whichever 6 Wherever

Ⓑ 1 whatever 2 whomever
3 however much it 4 Wherever
5 what 6 Anyone

문법 쓰기 pp. 141~142

Ⓐ 1 Whoever broke the window
2 Whatever you do
3 However tired you may be
4 Wherever he goes

Ⓑ 1 who → whoever
2 which matter → matter which
3 whichever → whenever
4 whom → who
5 Whatever → Whenever
6 I carefully → carefully I

Ⓒ 1 wherever you are
2 Whichever you buy
3 whomever he met
4 however small it is
5 Whoever is my opponent, I don't care.[I don't care whoever is my opponent.]
6 Whenever I visited my grandpa, I felt comfortable.[I felt comfortable whenever I visited my grandpa.]
7 Whatever she told you, you should not believe it.[You should not believe whatever she told you.]
8 However rich he was, he continued working.[He continued working, however rich he was.]

실전 연습 p. 143

1 My parents will love whomever I will marry.
해설 '~하는 사람은 누구든지'라는 뜻의 복합관계대명사 whomever를 사용하여 목적절을 쓴다.

2 however tired I become
해설 no matter how는 복합관계부사 however로 바꿔 쓸 수 있다.
어휘 give up ~을 포기하다

CHAPTER 07 내신 대비 실전 TEST pp. 144~146

01 ④	02 ①	03 ⑤	04 ③	05 ③
06 ④	07 ③	08 ④	09 ⑤	10 ④

11 However → Whoever
12 Whatever → However
13 This is the very dictionary that
14 at which[where]
15 the book which[that] I had borrowed
16 the gym where[at which] I learned
17 the one who[that] will explain
18 Wherever you work
19 What I want to hear from you is an apology.
20 (1) the reason why he was late for the appointment
(2) the moment when I saw Cathy for the first time
21 (1) Whoever leaves the classroom last
(2) Whatever you buy at the store

22 (1) Only the people that were invited could take part in the wedding.
(2) I met the man who(m)[that] we saw on TV last night.

23 (1) No matter what you choose
(2) However busy you are

24 (1) The hotel where you stayed last year is remodeling.
(2) The hotel at which you stayed last year is remodeling.[The hotel which[that] you stayed at last year is remodeling.]

01 • 그는 내가 암스테르담을 떠난 이유였다.
• 그것이 내가 내 집을 판 이유였다.
해설 이유를 나타내는 관계부사는 why이다.

02 • 너는 메뉴 중에서 주문한 것이 마음에 들었니?
• 네가 말하고 있는 그 사람을 나는 모른다.
해설 첫 번째 빈칸에는 '~하는 것'이라는 뜻의 선행사를 포함하는 관계대명사 what이 알맞다. 두 번째 빈칸에는 선행사가 사람이며 전치사 about의 목적어 역할을 하는 목적격 관계대명사 whom이 알맞다.

03 ① 그는 내가 가장 좋아하는 가수이다.
② 나는 그녀가 언급한 남자를 안다.
③ 이것은 백합이라고 불리는 꽃이다.
④ 그녀에게 반박하고 있는 사람은 없었다.
⑤ 이것은 내가 당신의 도움을 필요로 하는 일이다.
해설 「전치사+목적격 관계대명사」의 형태일 때는 목적격 관계대명사를 생략할 수 없다.
어휘 mention 언급하다 lily 백합 talk against ~에게 반박하다

04 ① 나는 취미가 드론 날리기인 남자를 안다.
② 네 부모님을 화나게 하는 어떤 것도 하지 마라.
③ 우리의 돌봄이 필요한 많은 아이들이 있다.
④ 나를 실망시킨 것은 그것이 깨끗하지 않았다는 것이다.
⑤ 이것은 내가 찾고 있던 볼펜이다.
해설 ③ 주격 관계대명사 who가 이끄는 절의 동사 needs는 선행사 many children의 수에 일치시켜 need로 고쳐야 한다.
어휘 care 돌봄, 관심

05 해설 '~하는 사람은 누구든'의 의미이며 전치사 for의 목적어 역할을 하는 명사절이 필요하므로, 복합관계대명사 whoever를 사용해야 한다.
어휘 reward 보상

06 그는 내가 했던 같은 대답을 그녀에게 했다.
해설 선행사가 the same의 수식을 받고 있으므로 관계대명사 that을 쓴다.

07 해설 빈칸에 들어갈 부사절은 '아무리 ~하더라도'의 의미이므로, 복합관계부사 however를 써야 한다. however가 이끄는 절의 어순은 「however+형용사[부사]+주어+동사~」이다.
어휘 earn (돈을) 벌다

08 내가 그를 방문할 때마다 그는 거기에 있을 것이다.
해설 '~할 때마다'라는 뜻의 at any time when은 복합관계부사 whenever로 바꿔 쓸 수 있다.
어휘 call on ~를 방문하다

09 • 치과의사가 있다.
• 나는 너에게 그 치과의사에 대해 말했다.
해설 두 문장에서 공통되는 부분은 the dentist이므로, 두 번째 문장에서 해당 부분을 삭제한다. 그런 다음에 사람 선행사(the dentist)를 수식할 수 있고 전치사 about의 목적어 역할을 하는 관계대명사 who(m)을 사용해 두 문장을 결합시킨다. 관계대명사 who와 that은 「전치사+관계대명사」의 어순으로는 쓸 수 없다는 것에 유의한다.

10 나는 그가 나에게 말하는 방식을 좋아하지 않는다.
해설 동사 like 뒤의 절은 관계부사절이다. 관계부사 how 대신에 선행사 the way를 쓸 수 있다.

11 우리와 함께하고 싶어 하는 사람은 누구든지 환영이다.
해설 의미상 '~하는 사람은 누구든지'라는 뜻이 되어야 하므로, However를 복합관계대명사 Whoever로 고쳐 써야 한다.

12 내가 그녀를 아무리 많이 존경하더라도, 나는 그녀의 의견에 동의할 수 없다.
해설 의미상 '아무리 ~하더라도'라는 뜻이 되어야 하므로, Whatever를 복합관계부사 However로 고쳐 써야 한다.

13 해설 the very의 수식을 받는 선행사는 관계대명사 that의 수식을 받는다.
어휘 dictionary 사전

14 이곳은 사람들이 자연을 즐길 수 있는 국립공원이다.
해설 관계대명사 that은 전치사 뒤에는 올 수 없으므로, 전치사 뒤에 올 수 있는 목적격 관계대명사 which로 고쳐 써야 한다. 장소를 나타내는 선행사 뒤에 오는 at which는 관계부사 where로도 바꿔 쓸 수 있다.
어휘 national 국립의, 국가의

15 • 나는 그 책을 잃어버렸다.
• 나는 그 책을 도서관에서 빌렸다.
→ 나는 도서관에서 빌렸던 책을 잃어버렸다.
해설 두 문장에서 공통되는 부분인 the book이 선행사가 된다. 사물인 선행사를 수식하는 목적격 관계대명사 which[that]를 사용하여 쓴다.

16 • 이곳이 그 체육관이다.
• 나는 그 체육관에서 펜싱을 배웠다.
→ 이곳이 내가 펜싱을 배웠던 체육관이다.

해설 두 문장에서 공통되는 부분인 the gym이 선행사가 된다. 장소 선행사를 수식하는 관계부사 where를 사용하여 쓴다. 관계부사 where는 「전치사+관계대명사」(at which)로 바꿔 쓸 수 있다.

어휘 gym 체육관

17 해설 사람 선행사 the one을 수식하는 주격 관계대명사 who[that]를 사용하여 쓴다.

어휘 experiment 실험

18 해설 '어디에서 ~하더라도'라는 뜻의 복합관계부사 wherever를 사용하여 쓴다.

19 해설 '~하는 것'이라는 뜻의 선행사를 포함하는 관계대명사 what을 사용하여 쓴다.

어휘 apology 사과

20 (1) 그는 그 이유를 설명했다. 그는 그 이유 때문에 약속에 늦었다.
→ 그는 자신이 약속에 늦은 이유를 설명했다.
(2) 나는 그 순간을 결코 잊지 못할 것이다. 나는 그 순간 처음으로 Cathy를 보았다.
→ 나는 처음으로 Cathy를 본 순간을 결코 잊지 못할 것이다.

해설 (1) 이유를 나타내는 선행사 the reason은 관계부사 why가 이끄는 절로 수식한다.
(2) 때를 나타내는 선행사 the moment는 관계부사 when이 이끄는 절로 수식한다.

어휘 appointment 약속

21 해설 (1) '~하는 사람은 누구든지'라는 뜻의 복합관계대명사 whoever가 이끄는 절을 쓴다.
(2) '무엇을 ~하더라도'라는 뜻의 복합관계대명사 whatever가 이끄는 절을 쓴다.

어휘 lock 잠그다

22 (1) 초대받은 사람들만이 결혼식에 참석할 수 있었다.
(2) 나는 우리가 어젯밤에 TV에서 본 남자를 만났다.

해설 (1) 문장의 본동사는 could take part in이며, 그 앞은 주어에 해당한다. 주어 부분을 구성하는 Only the people과 invited 사이에는 주격 관계대명사 that과 were가 생략되어 있다.
(2) 목적어인 the man 뒤에 목적격 관계대명사 who(m)[that]가 생략되어 있다.

어휘 take part in ~에 참석하다

23 (1) A: 네가 무엇을 선택하더라도, 너는 그것을 완전히 소유할 수 있어.
B: 오, 진짜? 정말로 고마워!
(2) A: 네가 아무리 바쁘더라도, 너는 얼마간의 시간을 가족과 보내야 해.
B: 맞아. 충고해줘서 고마워.

해설 (1) '무엇을 ~하더라도'라는 뜻의 no matter what을 사용하여 쓴다.
(2) '아무리 ~하더라도'라는 뜻의 복합관계부사 however를 사용하여 쓴다.

어휘 completely 완전히 thanks a million 정말 고맙습니다

24 • 그 호텔은 개조 중이다.
• 너는 작년에 그 호텔에서 머물렀다.
(1) 네가 작년에 머물렀던 호텔은 개조 중이다.
(2) 네가 작년에 머물렀던 호텔은 개조 중이다.

해설 (1) 두 문장에서 공통되는 부분인 the hotel이 선행사가 된다. 선행사가 장소를 나타내므로, 관계부사 where가 이끄는 절로 수식한다.
(2) 관계부사는 「전치사+관계대명사」로 바꿔 쓸 수 있으므로, (1)의 where 자리에 at which를 써 넣는다. 전치사 at을 관계대명사절의 끝에 쓸 수도 있다.

어휘 remodel 개조하다

CHAPTER 08 접속사

Point 37 부사절 접속사

Point 38 상관접속사

문법 확인 pp. 148~149

Ⓐ 1 그녀는 말을 많이 하지 않았기 때문에
2 만일 당신이 도전하지 않으면
3 비록 우리가 실패할지라도
4 날씨가 너무 더워서
5 제가 잠잘 수 있도록

Ⓑ 1 남성과 여성 모두
2 나뿐만 아니라 당신도
3 내가 아니라 나의 형[오빠/남동생]이
4 혼자서 또는 다른 사람들과 함께
5 Chris와 Christine 둘 다

문법 기본 p. 150

Ⓐ 1 because 2 until 3 Although
4 if 5 so

Ⓑ 1 nor 2 since 3 has
4 well 5 because 6 is

문법 쓰기 pp. 151~152

Ⓐ 1 both French and English
2 not only wise but also kind
3 Not I but Brian
4 Neither Amy nor Martin

Ⓑ 1 such → so 2 Unless → If
3 either → only 4 or → nor
5 because of → because 6 was → were

Ⓒ 1 Although[Though/Even though] the diamond looks real
2 If you sign the paper
3 either cake or ice cream
4 both sadness and depression
5 before I was five years old
6 you took care of me, I trust you
7 not only good-looking but (also) intelligent
8 Andy but Lucy helped the old couple

실전 연습 p. 153

1 so busy that I can't review your report
해설 '너무 ~해서 …하다'라는 의미는 「so+형용사/부사+that…」의 형태로 나타낸다.
어휘 review 검토하다

2 Both fruits and vegetables contain fiber.
해설 'A와 B 둘 다'라는 의미는 상관접속사 「both A and B」를 활용해 나타낸다. 해당 구문이 주어로 쓰일 경우, 복수 동사를 써야 함에 유의한다.
어휘 contain 포함하다 fiber 섬유질

Point 39 접속사 that

Point 40 간접의문문

문법 확인 pp. 154~155

Ⓐ 1 그가 안전하게 탈출했다는 것이
2 내가 너를 볼 수 없다는 것이
3 그가 자신의 병을 이겨내기를
4 그 문제들이 해결되지 않은 채로 남아 있다는 것이다
5 그들이 결혼할 것이라는

Ⓑ 1 그 영화가 몇 시에 시작하는지
2 입장권이 얼마인지
3 누가 이 경기에서 이길 거라고
4 그들이 살아 있는지 아닌지
5 그것이 뜰 것인지 아니면 가라앉을 것인지

문법 기본 p. 156

Ⓐ 1 whether 2 what 3 That
4 that 5 that

Ⓑ 1 that 2 that
3 What did you say 4 whether
5 that 6 that

문법 쓰기 pp. 157~158

Ⓐ 1 that he is only eighteen
2 whether[if] she goes swimming
3 how much your parents love you
4 Where do you think I can

Ⓑ 1 which → that
2 what → that
3 what → whether[if]
4 is your enemy → your enemy is
5 that → whether
6 if → how

Ⓒ 1 It was disappointing that
2 There is a rumor that
3 what she is looking for
4 whether[if] we need a reservation

5 The problem is that you are not ready.
6 I know (that) he is working as a waiter.
7 Tell me why you are upset.
8 I asked him whether[if] he agreed (or not).

실전 연습 p. 159

1 (1) (that) you got a job
(2) (that) you will hear good news
해설 (1)과 (2)에서 주절 뒤에 이어지는 절은 접속사 that을 사용해 쓴다.

2 I am not sure whether[if] Matthew is joking.
해설 주절인 I am not sure 뒤에 '~인지 아닌지'에 해당하는 부분을 「whether/if+주어+동사」의 형태로 쓴다.

CHAPTER 08 내신 대비 실전 TEST pp. 160~162

01 ④ **02** ② **03** ③ **04** ③ **05** ⑤
06 ④ **07** ③ **08** ⑤ **09** ④
10 which → whether
11 did we invite → we invited
12 Not only I but also he is
13 Neither he nor she knows
14 that
15 that
16 whether[if] she is interested in space science
17 unless
18 so, that
19 (1) Three years have passed since she left.
(2) My parents believe that homeschooling is effective.
20 (1) Either he or his wife
(2) that nobody can predict the future
21 (1) because the weather was bad
(2) because of the bad weather
22 (1) whether[if] you can attend
(2) why you quit the company
23 (1) Both Jim and Kevin are quiet and thoughtful.
(2) Jim's favorite sport is not baseball but football.

01 ① 나는 네가 수술을 받았다고 들었어.
② 나는 그가 제시간에 올 것이라고 확신한다.
③ 사실은 우리에게 어떠한 선택권도 없다는 것이다.
④ 너는 단백질이 풍부한 음식을 먹을 필요가 있다.
⑤ 인터넷이 모든 것을 바꾸었다는 것은 사실이다.
해설 ④의 that은 주격 관계대명사인 반면, 나머지 that은 모두 접속사이다.
어휘 surgery 수술 protein 단백질

02 해설 '너무 ~해서 …하다'라는 의미는 「so+형용사/부사+that…」의 형태로 나타낸다.

03 지구가 평평하다는 것은 한때 일반적인 믿음이었다.
해설 It은 가주어이고 that 이하가 진주어로 쓰인 문장이다. 주절 뒤에 이어지는 절 the earth was flat 앞에 that이 와야 한다.
어휘 common 일반적인 flat 평평한

04 • 그 건물이 파괴되었지만, 누구도 다치지 않았다.
• 그는 초대받지 않는 한 그 파티에 참석하지 않을 것이다.
해설 빈칸에는 각각 양보를 나타내는 접속사 Although와 '만일 ~하지 않으면'이라는 뜻의 조건을 나타내는 접속사 unless가 들어가야 한다.
어휘 destroy 파괴하다

05 해설 '~인가 아닌가'의 의미를 나타내는 접속사 whether를 사용한 문장이 알맞다.

06 비록 우리 팀이 경기에서 졌을지라도 나는 우리 팀이 자랑스럽다.
해설 문맥상 빈칸에는 양보의 접속사 though(비록 ~일지라도)가 오는 것이 적절하다.

07 그녀와 나 둘 다 스페인어를 읽을 수가 없다.
해설 「neither A nor B」가 주어로 쓰일 경우, B에 동사의 수를 일치시킨다.
어휘 Spanish 스페인어

08 ① 내가 아니라 나의 아버지가 의사이다.
② 당신이나 내가 그 일을 해야 한다.
③ 그 책은 실용적이고 재미있다.
④ 그의 제안과 나의 제안 모두 받아들여지지 않았다.
⑤ 그뿐만 아니라 그의 여동생들도 밴쿠버에 살고 있다.
해설 「B as well as A」가 주어로 쓰일 경우, B에 동사의 수를 일치시킨다.
어휘 practical 실용적인

09 너는 ________ 아니?
① 자유의 여신상이 어디에 있는지를
② 누가 회장직에 출마할지를
③ 지역 축제가 언제 시작하는지를
④ 해변이 얼마나 멀리 있는지를
⑤ 우리가 무슨 요리를 준비해야 할지를
해설 ④를 제외한 나머지는 모두 간접의문문으로 「의문사+주어+동사…」의 어순이므로 빈칸에 들어갈 수 있다.
어휘 president 회장 local 지역의

10 네가 그 요청을 받아들일지의 여부는 중요하지 않다.
해설 '~인지 아닌지'라는 뜻의 접속사 whether로 고치는 것이 내용상 자연스럽다.
어휘 request 요청

11 우리가 얼마나 많은 손님들을 초대했는지를 모르겠다.
해설 의문사가 있는 간접의문문의 어순은 「의문사+주어+동사…」이다.

12 해설 'A뿐만 아니라 B도'의 의미는 「not only A but (also) B」의 어순으로 나타낸다.

13 해설 'A와 B 둘 다 아닌'의 의미는 「neither A nor B」의 어순으로 나타낸다.

14 그 강사는 우리가 빠른 변화에 스스로를 적응시켜야 한다고 말했다.

해설 밑줄 친 부분 뒤에는 문장 성분을 모두 갖춘 절이 이어지고 있고, 문맥상 '~라고'라는 뜻의 접속사가 필요하므로 what을 that으로 고쳐 써야 한다.

어휘 lecturer 강사, 강연자 adapt 적응시키다 rapid 빠른

15 나는 모든 사람의 삶이 동등한 가치를 지니고 있다는 의견에 동의한다.

해설 the opinion과 동격 관계인 절을 이끌 접속사 that으로 고쳐 써야 한다.

어휘 opinion 의견

16 너는 아니? 그녀가 우주 과학에 관심이 있니?
→ 너는 그녀가 우주 과학에 관심이 있는지 아닌지를 아니?

해설 의문사가 없는 간접의문문은 「whether/if+주어+동사」의 형태로 쓴다.

어휘 space science 우주 과학

17 해설 '만일 ~하지 않으면'이라는 뜻의 접속사는 unless이다.

어휘 buried 매장된 treasure 보물

18 해설 '너무 ~해서 …하다'라는 의미는 「so+형용사/부사+that…」의 형태로 나타낸다.

19 해설 (1) '~ 이후로'라는 뜻의 접속사 since를 사용하여 두 개의 절을 잇는다.

(2) '~라고'라는 뜻의 접속사 that을 사용하여 believe의 목적절을 쓴다.

어휘 effective 효과적인

20 (1) 그가 Ben을 돌볼 것이다. 또는 그의 아내가 Ben을 돌볼 것이다.
= 그나 그의 아내 둘 중 한 명이 Ben을 돌볼 것이다.

(2) 아무도 미래를 예측할 수 없다. 그것이 요점이다.
= 요점은 아무도 미래를 예측할 수 없다는 것이다.

해설 (1) 'A나 B 둘 중 하나'라는 뜻의 「either A or B」를 활용하여 쓴다.

(2) '~라고'라는 뜻의 접속사 that을 사용하여 is 뒤에 보어절을 쓴다.

어휘 predict 예측하다

21 날씨가 나빴다. 그래서 야구 경기가 취소되었다.

(1) 날씨가 나빴기 때문에 야구 경기가 취소되었다.

(2) 나쁜 날씨 때문에 야구 경기가 취소되었다.

해설 접속사 because 뒤에는 주어와 동사를 갖춘 절이 이어지고, because of 뒤에는 명사구가 이어진다.

22 (1) A: 다음 주 회의에 당신이 참석할 수 있는지를 제게 알려주세요.
B: 네. 제 일정을 확인한 후에 당신에게 알려드릴게요.

(2) A: 당신이 왜 회사를 그만두었는지 말해줄 수 있나요?
B: 새로운 분야에서 일하고 싶어서요.

해설 (1) 의문사가 없는 간접의문문은 「whether/if+주어+동사」의 형태로 쓴다.

(2) 의문사가 있는 간접의문문은 「의문사+주어+동사…」의 형태로 쓴다.

어휘 quit 그만두다 field 분야

23 해설 (1) 'A와 B 둘 다'라는 뜻의 상관접속사 「both A and B」를 사용해 주어를 쓴다. 이때 동사를 복수형으로 써야 함에 유의한다.

(2) 'A가 아니라 B'라는 뜻의 상관접속사 「not A but B」를 사용해 보어를 쓴다.

어휘 personality 성격 thoughtful 사려 깊은

CHAPTER 09

가정법

Point 41 가정법 과거와 과거완료

Point 42 혼합 가정법

문법 확인 pp. 164~165

Ⓐ 1 만약 비가 오고 있지 않다면
2 나는 다른 도시로 이사 갈 텐데
3 만약 내가 그 사실을 알았다면
4 만약 그들이 결혼식에 나를 초대했다면
5 그는 괜찮았을 텐데

Ⓑ 1 만약 그때 그녀가 그와 결혼했다면
2 만약 그가 전쟁터에 갔다면
3 우리는 오늘 여행을 갈 텐데
4 만약 내가 이곳에 아이들과 함께 있다면
5 만약 네가 파티에 왔다면

문법 기본 p. 166

Ⓐ 1 were 2 could 3 had had
4 would 5 had lent

Ⓑ 1 were 2 visit 3 got
4 had won 5 might 6 buy

문법 쓰기 pp. 167~168

Ⓐ 1 she could see the Sydney Opera House
2 If I had not been busy
3 If people knew the truth
4 you could have prepared yourself in advance

Ⓑ 1 had given → give 2 is → were
3 call → have called 4 took → had taken
5 have → had 6 won't → wouldn't

Ⓒ 1 were more comfortable
2 they would be in Hawaii now
3 I would use sunblock
4 I would have made the cake bigger
5 If she took the subway, she could get there in time.
6 If I had had more time, I could have finished it.
7 If I had known his phone number, I would have contacted him.
8 If I had grown up in Spain, I would speak Spanish well now.

실전 연습 p. 169

1 (1) if you were the principal
(2) I would not give homework to students
해설 A와 B의 말은 모두 실현 가능성이 희박한 일에 대한 가정을 나타내므로, 가정법 과거 문장으로 쓴다. 「If+주어+동사의 과거형~, 주어+조동사 과거형+동사원형…」의 형태이다.
어휘 principal 교장 homework 숙제

2 If I had learned English earlier, I would be fluent now.
해설 주어진 우리말은 과거에 실현되지 못한 일이 현재까지 영향을 미치는 내용을 나타내고 있으므로, 혼합 가정법 문장으로 쓴다. 「If+주어+had p.p.~, 주어+조동사 과거형+동사원형…」의 형태이다.
어휘 fluent 유창한

Point 43 I wish+가정법

Point 44 as if+가정법

문법 확인 pp. 170~171

Ⓐ 1 나만의 방을 갖고 있다면 좋을 텐데
2 스위스를 방문할 수 있다면 좋을 텐데
3 싸우는 것을 멈추면 좋을 텐데
4 인생에 대해 더 진지하다면 좋을 텐데
5 경영학을 전공했다면 좋았을 텐데
6 콘서트 입장권을 샀다면 좋았을 텐데
7 그렇게 많은 돈을 쓰지 않았다면 좋았을 텐데
8 어제 집에서 머물렀다면 좋았을 텐데

Ⓑ 1 마치 꿈속에 있는 것처럼
2 마치 전문가인 것처럼
3 마치 그러한 것들이 이용 가능한 것처럼
4 마치 내가 어린애인 것처럼
5 마치 그것을 직접 봤던 것처럼
6 마치 내 마음을 읽은 것처럼
7 마치 아무것도 먹지 못한 것처럼
8 마치 밤새 잠을 못 잤던 것처럼

문법 기본 p. 172

Ⓐ 1 would 2 had learned 3 could
4 were 5 hadn't

Ⓑ 1 owned 2 would 3 had
4 were 5 had 6 had

문법 쓰기 pp. 173~174

Ⓐ 1 I had brothers and sisters
2 I had not lost my wallet
3 he knew the secret ingredient
4 he had been sick

Ⓑ 1 have → had　2 make → had made
3 will → would　4 such → if
5 am → were　6 has → had

Ⓒ 1 they would not ignore me
2 my team had won the championship
3 as if he were a millionaire
4 as if he had eaten onions
5 I wish he would keep his promise.
6 I wish they had forgiven my mistake.
7 She treated me as if I were a stranger.
8 Lisa talks as if she had read the article.

실전 연습

p. 175

1 I had apologized to him

해설 밑줄 친 우리말 문장은 과거에 이루지 못한 일에 대한 아쉬움을 나타내므로, 〈I wish+가정법 과거완료〉 문장으로 쓴다. 「I wish+주어+had p.p.~」의 형태이다.

어휘 mad 몹시 화가 난 argue with ~와 말싸움을 하다 apologize 사과하다

2 Philip acted as if he were someone else.

해설 주절과 동일한 때의 사실과 반대되는 일에 대한 가정을 나타내므로, 〈as if+가정법 과거〉 문장으로 쓴다. 「as if+주어+동사의 과거형~」의 형태이다.

어휘 act 행동하다

CHAPTER 09 내신 대비 실전 TEST

pp. 176~178

01 ③　**02** ④　**03** ②　**04** ④　**05** ②
06 ③　**07** ③　**08** ④　**09** ⑤　**10** ④
11 would bring　**12** hadn't trained
13 he would arrive at some conclusion
14 as if I were floating on the sea
15 will → would　**16** did → had done
17 he had found　**18** had entered
19 had not left
20 (1) He speaks as if he had won a gold medal.
(2) Were I not tired, I could go out.
21 (1) If he had joined the meeting
(2) I would not be seriously ill now
22 you had listened to the doctor's advice
23 (1) as if he were a young prince
(2) as if she had seen a ghost
24 (1) if you were five years younger
(2) she would have been very worried
25 (1) I had helped my sister
(2) I had not skipped my morning exercises

01 그는 마치 자신이 우스꽝스러운 광대인 것처럼 행동한다. 사실, 그는 그렇지 않다.

해설 주절의 시제와 관계없이 as if가 이끄는 절이 주절과 같은 시점의 내용을 나타내면, as if 뒤에 동사의 과거형이 와야 한다.

어휘 silly 우스꽝스러운 clown 광대

02 그가 우리 팀에 합류하지 않았기 때문에, 우리는 이길 수 없었다.
④ 만약 그가 우리 팀에 합류했다면, 우리는 이길 수 있었을 텐데.

해설 주어진 직설법 과거 문장을 가정법 과거완료 문장으로 바꿔 쓸 수 있다. 「If+주어+had p.p.~, 주어+조동사 과거형+have p.p.…」의 형태이다.

어휘 join 합류하다

03 ① 내가 새 컴퓨터를 갖게 되면 좋을 텐데.
② 내가 그때 Cindy를 믿었다면 좋았을 텐데.
③ 나의 형제들은 마치 물고기인 것처럼 수영한다.
④ 만약 내게 돈이 있다면, 나는 약간의 음식을 살 수 있을 텐데.
⑤ 만약 당신이 대통령이라면, 당신은 무엇을 하겠는가?

해설 과거를 나타내는 부사 then으로 보아, 과거에 이루지 못했던 일에 대한 유감을 나타내는 〈I wish+가정법 과거완료〉 문장이다. I wish 뒤에 오는 동사는 had p.p. 형태가 되어야 한다.

어휘 trust 믿다 president 대통령, 회장

04 만약 그가 어젯밤에 그녀를 구하지 않았다면, 그녀는 지금 어려움에 처해 있을 텐데.

해설 if절에는 과거를 나타내는 부사구 last night가, 주절에는 현재를 나타내는 부사 now가 쓰인 것으로 보아 혼합가정법 문장이다. if절의 동사는 had p.p., 주절의 동사는 '조동사 과거형+동사원형' 형태가 되어야 한다.

어휘 rescue 구하다

05 해설 현재 이룰 수 없는 소망을 나타내므로, 〈I wish+가정법 과거〉 문장이다. 「I wish+주어+(조)동사의 과거형~」의 형태로 쓴다.

어휘 telescope 망원경

06 내가 어렸을 때 돈을 저축했다면 좋았을 텐데.

해설 과거에 이루지 못한 일에 대한 아쉬움을 나타내므로, 〈I wish+가정법 과거완료〉 문장이다. I wish 뒤에 오는 동사는 had p.p. 형태가 되어야 한다.

어휘 save 저축하다

07 만약 내게 휴대전화가 있다면, 나는 지금 날씨를 찾아볼 텐데.

해설 현재 사실과 반대되는 일을 가정하고 있으므로, 가정법 과거 문장이다. 주절의 동사는 '조동사 과거형+동사원형' 형태가 되어야 한다.

어휘 look up ~을 찾아보다

08 해설 if절은 과거를, 주절은 현재를 가리키고 있으므로 혼합 가정법 문장이다. if절의 동사는 had p.p. 형태가 되어야 한다.

어휘 proposal 제안 situation 상황

09 나는 그가 자신의 약속을 지킨다면 좋을 텐데.
= 그가 자신의 약속을 지키지 않아서 유감이다.
해설 〈I wish+가정법 과거〉 문장을 I'm sorry (that)~으로 시작하는 직설법 현재 문장으로 바꿔 쓸 수 있다.
어휘 stick to one's word 약속을 지키다

10 그는 마치 나의 매우 친한 친구였던 것처럼 행동한다.
= 사실은, 그는 나의 매우 친한 친구가 아니었다.
해설 as if 뒤에 온 동사가 had p.p. 형태인 것으로 보아, 주절보다 앞선 때의 사실과 반대되는 일을 가정하고 있음을 알 수 있다. 이는 'In fact,'로 시작하는 직설법 과거 문장으로 바꿔 쓸 수 있다.
어휘 behave 행동하다 close 친한, 가까운

11 만약 내가 한 주 동안 무인도에서 지낸다면, 나는 성냥 한 상자를 가져갈 텐데.
해설 가정법 과거 문장의 주절에서 동사는 '조동사 과거형+동사원형' 형태이다.
어휘 desert island 무인도 match 성냥

12 만약 그가 그 코치에게서 훈련을 받지 않았다면, 그는 훌륭한 선수가 되지 못했을 텐데.
해설 가정법 과거완료 문장의 if절에서 동사는 had p.p. 형태이다.
어휘 train 훈련을 받다

13 해설 '~하면 좋을 텐데'라는 뜻의 문장은 「I wish+주어+(조)동사의 과거형~」의 어순으로 쓴다.
어휘 conclusion 결론

14 해설 '마치 ~인 것처럼'이라는 뜻의 문장은 「as if+주어+동사의 과거형~」의 어순으로 쓴다.
어휘 float 뜨다

15 만약 내가 정치인이라면, 나는 정직하려고 노력할 텐데.
해설 가정법 과거 문장의 주절에서 조동사는 과거형으로 써야 한다.
어휘 politician 정치인

16 만약 내가 조금 전에 준비 운동을 했다면, 나는 지금 다리에 쥐가 나지 않을 텐데.
해설 가정법 과거완료의 if절은 「if+주어+had p.p.」의 형태로 쓴다.
어휘 warm-up exercise 준비 운동 a while ago 조금 전에 have a cramp 쥐가 나다

17 사실 그는 그들이 유죄라는 증거를 발견하지 못했다.
= 그는 마치 그들이 유죄라는 증거를 발견한 것처럼 말한다.
해설 주절보다 앞선 때의 사실과 반대되는 일을 가정하는 문장이 되어야 한다. 따라서 as if 뒤에 오는 동사는 had p.p. 형태로 쓴다.
어휘 evidence 증거 guilt 유죄(임)

18 내가 다니는 회사가 해외 시장에 진출하지 않아서 유감이다.
= 내가 다니는 회사가 해외 시장에 진출했다면 좋았을 텐데.
해설 과거에 이루지 못한 일에 대한 유감을 나타내는 문장이 되어야 한다. 따라서 I wish 뒤에 오는 동사는 had p.p. 형태로 쓴다.
어휘 overseas 해외의 market 시장

19 해설 혼합 가정법 문장의 if절은 「If+주어+had p.p.~」 형태로 쓴다.

20 해설 (1) '마치 ~했던 것처럼'의 의미는 「as if+주어+had p.p.~」의 형태로 표현한다.
(2) 현재 사실과 반대되는 일을 가정하는 문장이므로, 「If+주어+동사의 과거형~, 주어+조동사 과거형+동사원형…」 형태로 쓴다. 단, 주어진 조건2에 따라, if를 생략하고 주어와 동사의 위치를 서로 바꾼다.

21 (1) 그가 모임에 참석하지 않았기 때문에, 그는 많은 것들을 배울 수 없었다.
= 만약 그가 모임에 참석했다면, 그는 많은 것들을 배울 수 있었을 텐데.
(2) 내가 어제 약을 먹지 않았기 때문에, 나는 지금 심하게 아프다.
= 만약 내가 어제 약을 먹었다면, 나는 지금 심하게 아프지 않을 텐데.
해설 (1) 가정법 과거완료 문장의 if절은 「If+주어+had p.p.~」 형태로 쓴다.
(2) 혼합 가정법 문장의 주절은 「주어+조동사 과거형+동사원형…」 형태로 쓴다.
어휘 medicine 약 seriously 심하게

22 해설 '~했다면 좋았을 텐데'라는 뜻의 문장은 「I wish+주어+had p.p.~」의 어순으로 쓴다.
어휘 advice 충고, 조언

23 (1) 그는 마치 자신이 젊은 왕자인 것처럼 행동한다. 사실, 그는 젊은 왕자가 아니다.
(2) 나의 할머니는 마치 유령을 봤던 것처럼 보인다. 사실, 그녀는 유령을 보지 않았다.
해설 (1) '마치 ~인 것처럼'이라는 뜻의 문장은 「as if+주어+동사의 과거형~」 형태로 쓴다.
(2) '마치 ~했던 것처럼'이라는 뜻의 문장은 「as if+주어+had p.p.~」 형태로 쓴다.
어휘 prince 왕자 ghost 유령

24 (1) A: 만약 네가 5년 더 젊어진다면, 너는 무엇을 하겠니?
B: 나는 해외로 가서 그곳에서 5년 동안 살 거야.
(2) A: 만약 네가 병원에 있다는 것을 그녀가 알았다면, 그녀는 매우 걱정했을 거야.
B: 맞아. 그것이 내가 그녀에게 알리지 않은 이유야.
해설 (1) 가정법 과거 문장의 if절은 「If+주어+동사의 과거형~」으로 쓴다.
(2) 가정법 과거완료 문장의 주절은 「주어+조동사 과거형+have p.p.…」로 쓴다.

25 〈보기〉 내가 약간의 용돈을 저축했다면 좋았을 텐데.
(1) 내가 나의 여동생의 숙제를 도와줬다면 좋았을 텐데.

(2) 내가 나의 아침 운동을 거르지 않았다면 좋았을 텐데.

해설 과거에 이루지 못한 일에 대한 아쉬움을 나타내는 문장은 「I wish+주어+had p.p.~」 형태로 쓴다.

어휘 skip 거르다, 건너뛰다

CHAPTER 10

비교 구문

Point 45	원급 비교
Point 46	비교급 표현

문법 확인

pp. 180~181

Ⓐ
1 연극만큼 재미있다
2 어른만큼 똑똑하다
3 보이는 것만큼 맛있지는 않다
4 당신이 생각하는 것만큼 쉽지는 않다
5 가능한 한 빠르게
6 가능한 한 일찍
7 사람보다 열 배 더 크다
8 네가 생각한 것보다 두 배 더 중대하다

Ⓑ
1 우리보다 더 일찍
2 일반적인 가방보다 훨씬 더 무겁다
3 새 차보다 값이 덜 나간다
4 점점 더 빠르게
5 당신 스스로에 대해 더 많이 알수록

문법 기본

p. 182

Ⓐ
1 competent 2 cheaper 3 older
4 even 5 soon 6 much
7 brightly

Ⓑ
1 strong 2 can 3 as
4 much 5 and 6 the more

문법 쓰기

pp. 183~184

Ⓐ
1 not so active as
2 twice as big as
3 the wiser he became
4 getting heavier and heavier

Ⓑ
1 deeper → deep
2 little → less
3 are → can
4 two → twice
5 big and big. → bigger and bigger
6 good → better

Ⓒ
1 as early as possible[as early as he can]
2 twice as long as a man
3 less intelligent than humans
4 The spicier the food is
5 This cloth is as light as a feather.
6 It is not so simple as you think.

7 The bird flu is spreading faster and faster.
8 We worked even harder than before.

실전 연습 p. 185

1 People gathered twice as much as before.

해설 '…보다 몇 배로 더 ~하게'라는 의미는 「배수사+as+원급+as」의 형태로 나타낸다.

어휘 gather 모이다

2 More and more people are spending their vacations

해설 '점점 더 ~한'이라는 뜻의 「비교급+and+비교급」 표현을 사용하여 주어를 쓴다.

Point 47 최상급 표현 (1)

Point 48 최상급 표현 (2)

문법 확인 pp. 186~187

Ⓐ
1 우리나라에서 가장 싼 항공편을
2 미국 발라드 중에서 가장 유명했다
3 가장 웃긴 코미디언들 중 하나이다
4 내가 지금까지 본 것 중 가장 작은 휴대전화이다
5 적어도 다섯 대의 세탁기를

Ⓑ
1 인터뷰만큼 효과적이지 않다
2 가족보다 더 소중하지 않다
3 James보다 더 부지런하지 않다
4 다른 어떤 군인보다 더 용감하다
5 다른 모든 소년들보다 더 작다

문법 기본 p. 188

Ⓐ
1 tallest 2 smaller 3 largest
4 faster 5 cutest

Ⓑ
1 parts 2 of 3 No
4 any 5 most 6 politer

문법 쓰기 pp. 189~190

Ⓐ
1 as deep as / deeper than / all the other
2 No other question / any other question / more difficult than

Ⓑ
1 faster → fastest 2 what → that
3 resource → resources 4 bigger → biggest
5 later → latest 6 most → more

Ⓒ
1 the smallest country in Asia
2 (that) I have ever met
3 is easier than this one
4 faster than any other region
5 His lectures became the most famous in Paris.
6 Helsinki is one of the coldest cities in the world.
7 No other tree is as beautiful as the red maple.
8 The pumpkin is heavier than all the other pumpkins.

실전 연습 p. 191

1 (1) the most popular restaurant
(2) (that) we have ever visited

해설 (1) '가장 인기가 많은 식당'을 「the+최상급」을 사용해 표현한다.
(2) '지금까지 ~한 것 중 가장 …한'이라는 의미는 「the+최상급+(that)+주어+have ever p.p.」의 형태로 표현한다.

어휘 netizen 네티즌(인터넷 사용자)

2 Nothing is more useless than wrong information.

해설 '어떤 것도 …보다 더 ~하지 않다'라는 의미는 「Nothing ~ 비교급+than」의 형태로 표현한다.

어휘 useless 쓸모없는

CHAPTER 10 내신 대비 실전 TEST pp. 192~194

01 ③ 02 ① 03 ⑤ 04 ③ 05 ③
06 ③ 07 ② 08 ② 09 ④ 10 ③
11 earlier → early
12 two → twice
13 The hotter it gets
14 one of the most attractive cities
15 bigger and bigger
16 the most delicious sweet potato
17 as many toys as Jack
18 as[so] difficult as persuasion[more difficult than persuasion]
19 (1) The leader became the most powerful in the world.
(2) Russian is one of the most difficult languages.
20 (1) No (other) dessert is as[so] delicious as tiramisu.
(2) Tiramisu is more delicious than all the other desserts.
21 five times as big as
22 (1) less healthy than vegetables[not as[so] healthy as vegetables]
(2) we can
23 (1) getting warmer and warmer
(2) The more exercise you do
24 (1) as[so] tall as John[taller than John]
(2) the heaviest

01 ① 이것은 가게에서 가장 싼 의자이다.
② 가게의 다른 어떤 의자도 이것보다 더 싸지 않다.
③ 이것은 가게의 다른 의자들만큼 싸지는 않다.
④ 이것은 가게의 다른 어떤 의자보다 더 싸다.
⑤ 이것은 가게의 다른 모든 의자들보다 더 싸다.
해설 ③은 이것이 가게의 다른 의자들만큼 싸지는 않다는 의미인 반면, 나머지는 모두 이것이 가게의 의자들 중 가장 싸다는 의미이다.

02 해설 '기껏해야'라는 의미의 표현은 at best이다.

03 그 영화는 기대한 것보다 훨씬 더 좋았다.
해설 still, far, even, a lot은 '훨씬'이라는 뜻으로 비교급을 강조할 수 있는 부사이지만, very는 비교급을 강조할 수 없는 부사이다.

04 그 강은 아시아의 다른 어떤 강보다 더 크다.
해설 「비교급+than any other+단수 명사」: 다른 어떤 …보다 더 ~하다

05 해설 '…보다 몇 배로 더 ~한'이라는 의미는 「배수사+as+원급+as …」나 「배수사+비교급+than …」의 형태로 나타낸다.
어휘 average 평균의

06 ① 그는 그의 형제 중에서 가장 똑똑하다.
② 이곳은 일본에서 가장 큰 서점 중 하나이다.
③ Carol은 그녀의 학급에서 가장 사려 깊은 여자아이이다.
④ 재활용은 가장 중요한 일 중 하나이다.
⑤ 그것은 빅토리아 시대의 많은 위대한 소설들 중 가장 훌륭했다.
해설 ③에는 전치사 in이 들어가야 하는 반면, 나머지는 모두 전치사 of가 들어가야 한다.
어휘 thoughtful 사려 깊은 recycling 재활용 Victorian 빅토리아 시대의

07 ① 이것은 태블릿 PC들 중 가장 무겁다.
② 너는 나만큼이나 곤충에 대해 많이 알고 있구나.
③ 이곳 음식은 예전만큼 좋지 않다.
④ 어떤 것도 당신의 행복보다 더 중요하지는 않다.
⑤ 그곳은 런던에서 가장 낭만적인 장소들 중 하나이다.
해설 ② 주절의 동사가 일반동사 know이므로, 접속사 as 뒤에 대동사 do를 써야 한다.
어휘 tablet PC 태블릿 PC insect 곤충 romantic 낭만적인

08 그녀는 점점 더 강해지고 있다.
해설 '점점 더 ~한'이라는 의미는 「비교급+and+비교급」의 형태로 나타낸다.

09 당신은 부유해질수록, 걱정거리가 더 많아질 수도 있다.
해설 '~할수록 더 …하다'라는 의미의 문장이므로, 「the+비교급 ~, the+비교급 …」의 형태로 바꿔 표현할 수 있다.

10 축구는 싱가포르에서 가장 널리 시청되는 스포츠이다.
= 싱가포르에서 다른 어떤 스포츠도 축구만큼 널리 시청되지는 않는다.
해설 최상급 비교 문장은 「No (other) 명사 ~ as[so]+원급+as」의 형태로 바꿔 쓸 수 있다.
어휘 widely 널리

11 당신은 가능한 한 일찍 자녀를 외국어에 노출시킬 필요가 있다.
해설 '가능한 한 ~하게'라는 의미는 「as+원급+as possible」의 형태로 나타낸다.
어휘 expose 노출시키다

12 수컷 반딧불이의 빛은 암컷의 빛보다 두 배 더 밝다.
해설 '…보다 몇 배로 더 ~한'이라는 의미는 「배수사+as+원급+as」의 형태로 나타낸다.
어휘 firefly 반딧불이

13 해설 '~할수록 더 …하다'라는 의미는 「the+비교급 ~, the+비교급 …」의 형태로 나타낸다.
어휘 evaporate 증발되다

14 해설 '가장 ~한 … 중의 하나'라는 의미는 「one of the+최상급+복수 명사」의 형태로 나타낸다.
어휘 attractive 매력적인

15 오염 문제는 오늘날 점점 더 심해지고 있다.
해설 '점점 더 ~한'이라는 의미는 「비교급+and+비교급」의 형태로 나타낸다.
어휘 pollution 오염 nowadays 오늘날

16 이것은 내가 지금까지 맛 본 고구마 중 가장 맛있다.
해설 '지금까지 ~한 것 중 가장 …한'이라는 의미는 「the+최상급+(that)+주어+have ever p.p.」의 형태로 표현한다.
어휘 sweet potato 고구마

17 그는 Jack보다 세 배 더 많은 장난감을 가지고 있다.
해설 「배수사+비교급+than …」은 「배수사+as+원급+as …」로 바꿔 쓸 수 있다.

18 설득이 이 일에서 가장 어려운 부분이다.
해설 최상급 비교 문장은 「No (other) 명사 ~ as[so]+원급+as」나 「No (other) 명사 ~ 비교급+than」의 형태로 바꿔 쓸 수 있다.
어휘 persuasion 설득

19 해설 (1) 「the+최상급」의 형태로 최상급 비교 문장을 표현한다. 비교 범위를 한정해 줄 때는 「in+단수 명사」의 형태로 나타낸다.
(2) '가장 ~한 … 중의 하나'라는 의미는 「one of the+최상급+복수 명사」의 형태로 나타낸다.

20 티라미수는 가장 맛있는 디저트이다.
(1) 다른 어떤 디저트도 티라미수만큼 맛있지는 않다.
(2) 티라미수는 다른 모든 디저트보다 더 맛있다.
해설 (1) 원급을 사용하는 최상급 표현 「No (other) 명사 ~ as[so]+원급+as」로 문장을 구성한다.
(2) 비교급과 all the other를 사용하는 최상급 표현 「비교급+than all the other+복수 명사」로 문장을 구

성한다.

어휘 dessert 디저트, 후식

21 해설 '…보다 몇 배로 더 ~한'이라는 의미는 「배수사+as+원급+as」의 어순으로 나타낸다.

22 (1) 채소는 패스트푸드보다 더 건강에 좋다.

(2) 우리는 모든 손님들을 가능한 한 편안하게 만들려고 노력한다.

해설 (1) '채소가 패스트푸드보다 건강에 더 좋다'는 의미를 달리 말하면, '패스트푸드가 채소만큼 건강에 좋지는 않다'는 의미가 된다. 이는 「less+형용사+than …」이나 「not as[so]+원급+as」로 표현한다.

(2) 「as+원급+as possible」은 「as+원급+as+주어+can」으로 바꿔 쓸 수 있다.

어휘 comfortable 편안한

23 (1) A: 지난주에는 날씨가 약간 쌀쌀했는데, 이번 주에는 따뜻해졌어요. 날씨가 점점 더 따뜻해지고 있어요.

B: 맞아요. 봄이 다가왔다는 걸 나는 느낄 수 있어요.

(2) A: 네가 더 많이 운동할수록, 너는 더 건강해질 거야.

B: 알겠어. 이제부터 운동할 거야.

해설 (1) '점점 더 ~한'이라는 의미는 「비교급+and+비교급」의 형태로 나타낸다.

(2) '~할수록 더 …하다'라는 의미는 「the+비교급 ~, the+비교급 …」의 형태로 나타낸다.

어휘 chilly 쌀쌀한 just around the corner 다가온, 임박하여 work out 운동하다 from now on 이제부터

24 (1) 다른 어떤 남자아이도 John만큼 키가 크지는 않다.

(2) James는 네 명의 남자아이들 중 가장 무겁다.

해설 (1) John의 키가 가장 크다는 의미의 문장은 최상급 표현인 「No (other) 명사 ~ as[so]+원급+as」나 「No (other) 명사 ~ 비교급+than」을 사용해 쓴다.

(2) James의 몸무게가 가장 많이 나간다는 의미의 문장은 「the+최상급」 형태로 쓴다.

어휘 height 키 weight 몸무게

CHAPTER 11 특수구문

Point 49 강조

Point 50 부정

문법 확인

pp. 196~197

Ⓐ
1 정말 믿는다
2 이상한 냄새가 정말 난다
3 정말 노력한다
4 정말 공유했다
5 바로 John이었다
6 내가 보고 싶은 사람은
7 바로 지난 주였다
8 우리가 그것을 보관하는 곳은

Ⓑ
1 가지고 있는 것은 아니다
2 냄새가 나는 것은 아니다
3 행복한 것은 아니다
4 아는 것은 아니다
5 아무도
6 한 푼도 없었다
7 모두 새롭지 않다
8 결코 미안하다고 말하지 않았다

문법 기본

p. 198

Ⓐ
1 not every, not always, not ~ both, not all
2 no one, neither, not ~ any, none, never

Ⓑ
1 do 2 does 3 did
4 did 5 that 6 was
7 that 8 when

문법 쓰기

pp. 199~200

Ⓐ
1 does wish / did wish 2 do agree / does agree
3 is, want / was, wanted 4 is, meet / was, met

Ⓑ
1 not always 2 No one
3 anything 4 fits
5 Not all 6 lives

Ⓒ
1 did look good
2 It was at midnight
3 Not all students can
4 Neither of us forgot
5 He does drink a lot of coffee.
6 Not every man can be an artist.
7 It was Jack that[who] waited for me.
8 None of us are wearing helmets.

실전 연습 p. 201

1 It was his dad that[who] bought him a laptop.
해설 '…한 것은 바로 ~였다'라는 뜻의 「It was ~ that …」 강조 구문을 사용한다. 강조하려는 말이 his dad이므로, 이를 It was와 that 사이에 쓴다.

2 Not all of them doubt your story.
해설 '모두가 ~한 것은 아니다'라는 뜻의 부분 부정을 나타내는 문장이다. 「not+all of~」의 형태로 쓴다.
어휘 doubt 의심하다

Point 51 부사구 · 부정어 도치

Point 52 부사 도치

문법 확인 pp. 202~203

Ⓐ 1 선반 위에 2 정문 앞에
3 독일에서 4 침대에서 위아래로
5 거의 보지 못한다 6 거의 알지 못했다
7 똑똑할 뿐만 아니라

Ⓑ 1 나도 그래 2 그의 형[남동생]도 그래
3 나도 그래 4 여기 거스름돈이
5 여기 그녀가 6 저기 Bill이

문법 기본 p. 204

Ⓐ 1 So 2 Neither 3 can
4 did 5 was 6 have
7 will

Ⓑ 1 was 2 he stood 3 walked Steve
4 could I 5 was she 6 comes the train
7 he goes

문법 쓰기 pp. 205~206

Ⓐ 1 did I dream 2 are eleven cards
3 is Robert intelligent 4 was a star

Ⓑ 1 I will → will I 2 So → Neither[Nor]
3 do → will 4 am → was
5 neither → so 6 offer they → they offer

Ⓒ 1 was the parking lot
2 did I talk
3 neither was I
4 There goes
5 comes a marching band
6 the gate stood a guard
7 does she attend a meeting
8 He will stay two more days, and so will I.

실전 연습 p. 207

1 Rarely did I look up at stars.
해설 부정어 rarely가 맨 앞에 오고 일반동사 look이 사용된 문장으로 써야 한다. 부정어가 문장 맨 앞에 올 때 도치가 일어나므로, 「부정어(rarely)+did+주어+동사원형 ~」의 형태로 문장을 구성한다.

2 (1) I don't want to talk
(2) Neither[Nor] do I
해설 (1) 부정문인 A의 말의 일부를 영작하는 문제이다.
(2) 부정문인 A의 말에 동의하는 표현이므로, 「neither/nor+동사+주어」의 형태로 쓴다.

CHAPTER 11 내신 대비 실전 TEST pp. 208~210

01 ② 02 ③ 03 ② 04 ⑤ 05 ③
06 ④ 07 ⑤ 08 ④ 09 ② 10 ⑤
11 a man stood → stood a man
12 It is his manner that
13 can I do my homework
14 does
15 Neither[Nor] can I
16 So am I
17 Neither of the sisters
18 Not all
19 Never do I see a sad movie.
20 (1) was her secret that she told me in the bedroom
(2) was in the bedroom that[where] she told me her secret
21 (1) does not take a violin lesson every day
(2) never studies with an English tutor
22 (1) So do I.
(2) Neither does Dad.
23 (1) Not one → No one
(2) I can't satisfy everyone.
24 ⑤, does

01 장난감은 아이들이 정신적으로 성장하도록 돕는다.
→ 아이들이 정신적으로 성장하도록 돕는 것은 바로 장난감이다.
해설 바꿔 쓴 문장에 It ~ that 강조 구문이 사용되었다. 현재시제의 문장에서 a toy를 강조하고자 하므로, a toy를 It is와 that 사이에 두어야 한다. 강조하고자 하는 말을 제외한 나머지 부분은 that 뒤에 그대로 쓴다.
어휘 develop 성장[발전]시키다 mentally 정신적으로

02 ① Chris는 나를 빼고 낚시를 하러 정말 갔다.
② 그녀는 사랑이 영원하다고 정말 믿었다.
③ 그는 나보다 피아노를 더 잘 연주한다.

④ 부디 나를 용서하고 내게 돌아와줘.
⑤ 그는 쓸데없는 것들에 정말 돈을 쓴다.
해설 ③의 do는 동사 play를 대신하는 대동사이고, 나머지는 모두 일반동사를 강조하는 강조의 do[does/did]이다.
어휘 forgive 용서하다 useless 쓸데없는

03 일부 학생들은 춤추는 것을 좋아한다. 일부 학생들은 노래 부르는 것을 좋아한다.
① 모든 학생들이 춤추는 것을 좋아한다.
② 모든 학생들이 춤추는 것을 좋아하는 것은 아니다.
③ 모든 학생들이 노래 부르는 것을 좋아한다.
④ 어떤 학생들도 노래 부르는 것을 좋아하지 않는다.
⑤ 두 학생 모두 노래 부르는 것을 좋아하지 않는다.
해설 학생들 중 일부만 춤을 추는 것을 좋아한다는 의미이므로, 부분 부정을 나타내는 not all을 사용한 ②가 알맞다.

04 Tom이 버스에 두고 내린 것은 바로 그의 우산이었다.
해설 his umbrella를 강조하기 위해 「It was ~ that …」 강조 구문이 사용되었다.

05 나는 우리가 다시 만날 수 있다고 꿈에도 생각하지 못했어.
해설 부정어(little)가 문장 맨 앞에 올 때 도치가 일어나므로, 「Little+did+주어+동사원형 ~」의 형태로 고쳐야 한다.

06 A: 나는 아침을 먹지 못했어요.
B: 나도 먹지 못했어요. 우리 뭐 좀 먹어요.
해설 빈칸에 들어갈 말은 A의 말에 동의하는 표현으로, A의 말이 부정문이므로 「neither+동사+주어」의 형태가 되어야 한다. A의 말에 쓰인 동사가 didn't have이므로, 빈칸에서 neither 뒤에 오는 동사는 did이다.

07 해설 'A뿐만 아니라 B도'라는 뜻의 「not only A but (also) B」를 사용한 문장이다. 부정어 not only가 문장 맨 앞에 오면 도치가 일어나므로, 「Not only+did+주어+동사원형 ~」의 형태로 문장을 구성한다.

08 해설 빈칸에는 '결코 ~하지 않는'이라는 뜻의 전체 부정 표현 never를 포함한 미래시제의 표현이 들어가야 한다.
어휘 realize 깨닫다 ruin 망치다

09 여름이 끝났다. 나의 휴가도 끝났다.
= 여름이 끝났고, 나의 휴가도 그렇다.
해설 긍정문 뒤에서 '~도 또한 그렇다'라는 의미를 나타낼 때 「so+동사+주어」로 쓴다. 앞 문장에서 일반동사의 과거형이 쓰였으므로, so 뒤에는 did를 쓴다.

10 ① 나는 그런 광경을 한 번도 본 적이 없었다.
② 벤치에 청바지를 입은 소녀가 앉아 있었다.
③ James는 아들의 건강에 대해 정말 신경을 쓴다.
④ 나는 그런 머리를 한 너를 거의 알아보지 못했다.
⑤ 내가 어제 언쟁을 한 사람은 바로 Jane이었다.[어제 그녀와 언쟁을 한 사람은 바로 Jane이었다.]
해설 「It was ~ that …」 강조 구문에서 that 뒤에는 강조하고자 하는 말을 제외한 나머지 부분이 온다. 그런데 ⑤의 that 뒤에는 모든 문장 성분이 빠짐없이 있으므로, her나 I를 삭제해야 한다.
어휘 sight 광경 recognize 알아보다 argue 언쟁을 하다

11 길모퉁이를 돈 곳에 짙은 파란색 코트를 입은 한 남자가 서 있었다.
해설 장소 · 방향의 부사구가 문장 맨 앞에 쓰였으므로, 주어와 동사의 어순을 바꾸어야 한다.

12 해설 '…한 것은 바로 ~이다'라는 의미는 「It is ~ that …」 강조 구문을 사용해 나타낸다. 강조하려는 말이 his manner이므로, 이를 It is와 that 사이에 쓴다.
어휘 manner 태도

13 나는 컴퓨터 없이는 숙제를 거의 할 수 없다.
해설 부정어(hardly)가 문장 맨 앞에 올 때 도치가 일어나므로, 「Hardly+can+주어+동사원형 ~」의 형태로 문장을 바꿔 쓴다.

14 • 이 금은 정말 진짜처럼 보이지만, 진짜가 아니다.
• 그녀는 그것을 살 충분한 돈을 가지고 있다. 그도 또한 그렇다.
해설 첫 번째 빈칸에는 일반동사 look을 강조하는 does가 들어가야 한다. 두 번째 빈칸에도 does를 넣어 긍정문 뒤에서 동의하는 표현을 만든다.

15 A: 나는 그가 그것을 어떻게 했는지 이해할 수 없어.
B: 나도 그래. 그는 천재임에 틀림없는 것 같아.
해설 빈칸에는 부정문인 A의 말에 동의하는 표현이 와야 하므로, 「neither/nor+동사+주어」의 형태로 쓴다.
어휘 figure out ~을 이해하다 genius 천재

16 A: 내가 Peter를 도울 수 있어서 기뻐.
B: 나도 그래. 우리의 도움이 그에게 큰 도움이 되길 바라.
해설 빈칸에는 긍정문인 A의 말에 동의하는 표현이 와야 하므로, 「so+동사+주어」의 형태로 쓴다.

17 해설 '둘 다 ~못하다'의 의미는 「neither of+명사」의 형태로 나타낸다.

18 해설 '모든 ~이 …한 것은 아니다'라는 의미는 부분 부정 표현 not all을 사용해 나타낸다.
어휘 eyesight 시력

19 해설 「부정어(Never)+do+주어+동사원형 ~」의 형태로 문장을 구성한다.

20 그녀는 침실에서 자신의 비밀을 나에게 말해주었다.
해설 과거시제의 문장으로, 강조하고자 하는 말을 It was와 that 사이에 넣어서 쓴다.

21

요일	활동
월요일	바이올린 수업 듣기
화요일	수학 교사와 공부하기
수요일	바이올린 수업 듣기
목요일	수학 교사와 공부하기
금요일	에어로빅 하기

토요일	아르바이트 하기
일요일	아르바이트 하기

(1) Q: Chris는 매일 바이올린 수업을 듣니?
A: 아니. 그가 매일 바이올린 수업을 듣는 것은 아니야.
(2) Q: Chris는 영어 교사와 공부하니?
A: 아니. 그는 영어 교사와 공부하지 않아.

해설 (1) Chris는 월요일과 수요일에만 바이올린 수업을 들으므로, 부분 부정 표현 not ~ every를 사용하여 '매일 ~한 것은 아니다'라는 뜻의 문장을 만든다.
(2) Chris는 영어 교사와 공부하지 않으므로, 전체 부정 표현 never를 사용한 부정문을 만든다.

어휘 tutor 가정교사 aerobics 에어로빅 work part-time 아르바이트를 하다

22 A: Jack, 이 사진 속의 고양이 좀 봐. 너무 귀엽지 않니? 나는 고양이를 기르고 싶어.
B: 나도 그래. 고양이를 사달라고 엄마에게 청해보는 건 어때?
A: 글쎄, 엄마는 동물에 알레르기가 있으시잖아. 엄마는 고양이를 기르는 것을 좋아하지 않으셔.
B: 아빠도 좋아하지 않으셔. 아빠는 동물을 기르는 일에 비용이 많이 든다고 생각하셔.

해설 (1) 긍정문 뒤에서 '~도 또한 그렇다'라는 의미를 나타낼 때 「so+동사+주어」로 쓴다.
(2) 부정문 뒤에서 '~도 또한 그렇다'라는 의미를 나타낼 때 「neither+동사+주어」로 쓴다.

어휘 allergic 알레르기가 있는 cost 비용이 들다

23 어제는 내 생애에서 가장 기쁜 날 중의 하나였다. ⓐ 아무도 산만해지지 않고 모든 반 친구들이 나의 발표를 경청했다. 그리고 나는 반장으로 선출되었다. 나는 학급을 위해 봉사하는 반장이 되리라고 결심했다. ⓑ 내가 모두를 만족시킬 수는 없다. 하지만 나는 반 친구들이 하기를 원하는 것을 할 것이다.

해설 (1) Not one을 '아무도 ~하지 않다'라는 뜻의 전체 부정 표현인 No one으로 고쳐야 한다.
(2) '모두를 ~한 것은 아니다'라는 뜻의 부분 부정 표현인 not ~ every를 사용한다.

어휘 get distracted 산만해지다 presentation 발표
elect 선출하다 serve 봉사하다

24 Andrew는 내 남동생이다. 그는 어렸을 때 좀처럼 채소를 먹지 않았다. 우리 엄마는 그의 건강에 대해 걱정했다. 그래서 그녀는 Andrew가 채소를 좀 먹도록 하기 위해, 채소를 사용하여 파이를 만들곤 했다. 그것은 효과가 있었다. 이제 그는 채소를 정말로 즐겨 먹는다.

해설 ⑤ 주어(he)가 3인칭 단수이고 시제가 현재인 문장에서 일반동사 enjoy를 강조해야 하므로 does로 고쳐야 한다.

어휘 work 효과가 있다

CHAPTER 12 일치와 화법

Point 53 수 일치

Point 54 시제 일치

문법 확인

pp. 212~213

Ⓐ
1 The rich are / 부유한 사람들이
2 Not I but Tony has been / 내가 아니라 Tony가
3 Many a man has made / 많은 사람들이
4 None of the students were / 그 학생들 중 누구도
5 Physics is / 물리학은
6 A number of people keep / 많은 사람들이

Ⓑ
1 wondered, had told / 그가 왜 쓸모없는 거짓말을 했는지
2 thought, is / 정직이 최선의 방책이라고
3 explained, discovered / 1492년에 Columbus가 아메리카 대륙을 발견했다고
4 rains, will be called off / 만일 비가 아주 많이 오면

문법 기본

p. 214

Ⓐ 1 was 2 enjoys 3 use 4 is 5 keep 6 treats 7 help

Ⓑ 1 was 2 has 3 has 4 am 5 am 6 is 7 suffer

문법 쓰기

pp. 215~216

Ⓐ 1 Katie as well as you 2 Every student has
3 Neither you nor I am 4 Many a person is

Ⓑ 1 are → is 2 greets → greet
3 was → were 4 leave → had left
5 will water → water 6 is → was

Ⓒ
1 Thirty minutes is
2 Neither I nor she has
3 I get to my grandmother's house
4 there had been a traffic accident here
5 Every child[kid] has potential.
6 Half of the neighbors are farmers.
7 I thought that he spoke English very well.
8 Tom said that the early bird catches the worm.

실전 연습

p. 217

1 Some of the employees lose their jobs.

해설 주어는 「부분 표현(some)+of+복수 명사」의 형태로 쓰고, 동사는 of 뒤에 오는 명사의 수에 따라 복수 동사를 쓴다.

어휘 employee 직원 lose 잃다

2 soccer improved his strength

해설 주절의 시제가 과거(said)이고, 밑줄 친 종속절의 시점이 주절의 시점과 동일하다. 따라서 시제 일치의 원칙에 따라, 종속절의 시제도 과거로 쓴다.

어휘 improve 향상시키다 strength 체력

Point 55 평서문의 화법 전환

Point 56 의문문 · 명령문의 화법 전환

문법 확인 pp. 218~219

Ⓐ 1 Carl은 "나는 내 일을 그만둘 거야."라고 내게 말한다. / Carl은 자신의 일을 그만두겠다고 내게 말한다.
2 그는 "나는 저녁 파티를 열 거야."라고 말했다. / 그는 저녁 파티를 열겠다고 말했다.
3 그녀는 "그들은 이곳에서 살아 왔어요."라고 말했다. / 그녀는 그들이 그곳에서 살아 왔다고 말했다.
4 나의 엄마는 "인내는 미덕이란다."라고 내게 말씀하셨다. / 나의 엄마는 인내는 미덕이라고 내게 말씀하셨다.

Ⓑ 1 나는 "너는 태국 음식을 먹어 본 적이 있니?"라고 그에게 말했다. / 나는 그가 태국 음식을 먹어 본 적이 있는지 그에게 물었다.
2 Cindy는 "너는 오늘 무엇을 할 거니?"라고 내게 말했다. / Cindy는 내가 그날 무엇을 할 것인지를 내게 물었다.
3 아빠는 우리에게 "안전벨트를 매렴."이라고 말했다. / 아빠는 우리에게 안전벨트를 매라고 충고했다.
4 그녀는 자신의 강아지에게 "그들을 향해 짖지 마."라고 말했다. / 그녀는 자신의 강아지에게 그들을 향해 짖지 말라고 명령했다.

문법 기본 p. 220

Ⓐ 1 ago – before
2 yesterday – the day before
3 here – there
4 now – then
5 tomorrow – the next day
6 today – that day
7 this – that

Ⓑ 1 he 2 told
3 then 4 if
5 was 6 what my job was
7 to get 8 not to be

문법 쓰기 pp. 221~222

Ⓐ 1 asked, her laptop weighed
2 told, (that) she had
3 not to go
4 whether[if] I could fill that

Ⓑ 1 will → would
2 yesterday → the day before
3 that → whether[if]
4 was I → I was
5 that don't → not to

Ⓒ 1 She said (that) she would spend a lot of time there.
2 He told us (that) he would visit Kyoto for sure.
3 He told her (that) he had read the book the day before.
4 Jim said (that) the sun sets in the west.
5 She asked me whether[if] I still worked for that company.
6 I asked Luke when he would leave for his trip.
7 Ms. Parker told[asked/requested] him to come and sit next to her.
8 My father told me not to disappoint him.

실전 연습 p. 223

1 that she would clean the floor the next day

해설 평서문을 간접 화법으로 전환한 문장에서 인칭대명사 I는 전달자의 입장에 맞춰 she로, will은 전달 동사의 시제와 일치시켜 would로, 부사 tomorrow는 전달자의 입장에 맞춰 the next day로 고쳐 쓴다.

2 if I would practice playing the violin

해설 의문사가 없는 의문문을 간접 화법으로 전환해야 하므로, 「if+주어+동사」 어순으로 쓴다. 이때 전달 동사의 시제, 전달자의 입장을 고려하여 피전달문의 시제, 인칭대명사, 부사(구)를 전환한다.

CHAPTER 12 내신 대비 실전 TEST pp. 224~226

01 ② 02 ② 03 ① 04 ③ 05 ④
06 ② 07 ① 08 ④ 09 ④ 10 ②
11 froze → freezes 12 is → are
13 sharks are an endangered species
14 she had a piano lesson the next day
15 is
16 not to try to memorize everything
17 where she could exchange money in China
18 A number of trees are
19 Neither you nor she has done this work.
20 (1) Half of the victims were children
(2) light travels faster than sound
21 (1) told me (that) she had a job interview that day
(2) told[ordered] me to move my desk back

22 (1) slow and steady wins the race
(2) the U.S. became independent from Britain in 1776
23 (1) where he could find a book on architecture
(2) whether[if] they had any noodle dishes
24 (1) is → are
(2) Martin asked me if I could teach him how to play the guitar.

01 A: 나도 내 남편도 중국 음식을 즐겨 먹지 않아.
B: 오, 나도 그래.
해설 「neither A nor B」가 주어로 쓰일 경우, 동사의 수는 B에 일치시킨다.

02 그녀는 제2차 세계대전이 1945년에 끝났다고 설명했다.
해설 종속절이 역사적 사실을 나타낼 때는 항상 과거시제로 쓴다.
어휘 come to an end 끝나다

03 • 20분이 필요한 시간 전부이다(20분이면 된다.)
• 많은 사람이 이 섬에서 목숨을 잃었다.
해설 시간을 나타내는 표현과 〈many a+단수 명사〉는 단수 취급한다.

04 나의 삼촌은 "오늘 내가 너를 위해 의자를 만들어 줄게."라고 내게 말했다.
→ 나의 삼촌은 그날 나를 위해 의자를 만들어 주겠다고 내게 말했다.
해설 전달 동사의 시제가 과거(told)이므로, 전달 동사의 시제와 일치시켜 will을 would로 전환한다.

05 그 코치는 "오후 3시에 여기로 와."라고 내게 말했다.
→ 그 코치는 오후 3시에 여기로(→ 그곳으로) 오라고 내게 지시했다.
해설 간접 화법으로 전환 시, 부사 here는 there로 전환한다.
어휘 order 지시[명령]하다

06 Jake: 너는 왜 하늘을 보고 있니?
Lucy: 새떼가 상공을 날고 있어서.
→ Jake는 Lucy에게 왜 하늘을 보고 있는지 묻는다.
해설 Jake의 질문을 간접 화법으로 전환해야 한다. 간접 화법 문장에서 전달 동사는 ask를 쓰며, 전달자의 입장에 맞춰 인칭대명사 you를 she로 전환해야 한다.
어휘 flock 떼, 무리

07 해설 종속절의 내용은 불변의 진리에 관한 것이므로, 주절의 시제와 상관없이 항상 현재시제로 쓴다.
어휘 medium 매체, 수단

08 ① 모든 학생은 이야기를 가지고 있다.
② 아픈 사람들은 치료를 받으려 하고 있었다.
③ 너 아니면 그녀가 그곳에 가야 한다.
④ 대부분의 선생님들은 그것을 알고 있었다.
⑤ 너뿐만 아니라 그도 노트북 컴퓨터를 사기를 원한다.
해설 「부분 표현(most)+of+복수 명사」가 주어일 때, 동사는 of 뒤에 오는 명사의 수에 따라 복수 동사를 쓴다.
어휘 seek 얻으려고 하다, 찾다 aware 알고 있는

09 그는 "네가 집안일을 하는 것을 내가 도와줄게."라고 나에게 말했다.
→ 그는 내가 집안일을 하는 것을 도와주겠다고 나에게 말했다.
해설 평서문을 간접 화법으로 전환한 문장에서 인칭대명사 I는 전달자의 입장에 맞춰 he로, you는 me로, will은 전달 동사의 시제와 일치시켜 would로 전환한다.
어휘 housework 집안일

10 그는 "당신은 저를 명단에 올려줄 수 있나요?"라고 나에게 말했다.
→ 그는 내가 그를 명단에 올려줄 수 있는지 나에게 물었다.
해설 의문사가 없는 의문문을 간접 화법으로 전환해야 하므로, 「if/whether+주어+동사」의 형태로 쓴다. 이때 전달 동사의 시제 및 전달자의 입장을 고려하여 피전달문의 시제, 인칭대명사를 전환한다.

11 나는 물이 섭씨 0도에서 어는지를 몰랐다.
해설 종속절의 내용이 과학적 사실에 관한 것일 때, 종속절은 항상 현재시제로 쓴다.
어휘 freeze 얼다

12 학생들 중 어느 누구도 교실에 없다.
해설 「부분 표현(none)+of+복수 명사」가 주어일 때, 동사는 of 뒤에 오는 명사의 수에 따라 복수 동사를 쓴다.

13 해설 종속절은 현재의 사실에 관한 내용으로, 「주어+동사+보어」의 어순으로 쓴다.
어휘 endangered 멸종 위기에 처한 species 종

14 그녀는 "나는 내일 피아노 수업이 있어."라고 말했다.
→ 그녀는 다음 날 피아노 수업이 있다고 말했다.
해설 평서문을 간접 화법으로 전환 시, 전달 동사의 시제 및 전달자의 입장을 고려하여 피전달문의 시제, 인칭대명사, 부사(구)를 전환한다.

15 • 그는 베트남의 수도가 하노이라고 우리에게 말해주었다.
• 내가 아니라 내 남동생이 새 의자를 사러 갈 거야.
해설 첫 번째 문장의 빈칸에는 be동사가 들어가야 한다. 주어(the capital city of Vietnam)가 단수이며, 종속절의 내용이 불변의 진리에 관한 것이므로, 빈칸에는 be동사의 단수형이자 현재시제인 is가 들어가야 한다. 두 번째 문장에서 주어 「not A but B」 뒤에 있는 빈칸에는 be동사가 들어가야 한다. 동사의 수는 B에 일치시켜야 하므로, 빈칸에는 be동사의 3인칭 단수형인 is가 들어가야 한다.
어휘 capital city 수도

16 Linda: 어제 선생님이 너에게 뭐라고 말씀하셨니?
Jack: 선생님이 "모든 것을 외우려고 하지 마."라고 나에게 말씀하셨어.

→ 선생님은 Jack에게 모든 것을 외우려고 하지 말라고 조언했다.

해설 부정 명령문을 간접 화법으로 전환 시 「동사(advise)+목적어+not to부정사」 형태로 문장을 구성한다.

어휘 memorize 외우다

17 여행사 직원: 중국 여행에 대해 질문이 있으신가요?
Rosa: 중국 어느 곳에서 환전할 수 있나요?
→ Rosa는 여행사 직원에게 중국 어느 곳에서 환전할 수 있는지를 물었다.

해설 의문사가 있는 의문문을 간접 화법으로 전환해야 하므로, 「의문사+주어+동사」의 형태로 쓴다. 이때 전달 동사의 시제 및 전달자의 입장을 고려하여 피전달문의 시제, 인칭대명사를 전환한다.

어휘 travel agent 여행사 직원 exchange money 환전하다

18 해설 '많은 수의 ~'이라는 의미는 「a number of+복수 명사」로 나타낼 수 있고, 뒤에 복수 동사가 이어져야 한다.

어휘 remove 제거하다

19 해설 'A와 B 둘 다 ~이 아닌'이라는 뜻의 상관접속사 「neither A nor B」를 사용해 쓴다. 이때 동사의 수는 B에 일치시킨다는 점에 유의한다.

20 해설 (1) 「부분 표현(half)+of+복수 명사」가 주어일 때, 동사는 of 뒤에 오는 명사의 수에 따라 복수 동사를 쓴다.
(2) 종속절의 내용은 과학적 사실에 관한 것이므로, 주절의 시제와 상관없이 항상 현재시제로 쓴다.

어휘 victim 희생자 travel 이동하다

21 (1) 그녀는 "나는 오늘 구직 면접이 있어요."라고 나에게 말했다.
→ 그녀는 그날 구직 면접이 있다고 나에게 말했다.
(2) 나의 선생님은 "네 책상을 뒤로 옮기렴."이라고 나에게 말했다.
→ 나의 선생님은 내 책상을 뒤로 옮기라고 나에게 말씀하셨다[지시하셨다].

해설 (1) 평서문을 간접 화법으로 전환 시, 전달 동사의 시제 및 전달자의 입장을 고려하여 피전달문의 시제, 인칭대명사, 부사(구)를 전환한다.
(2) 따옴표 안의 말은 지시하는 내용의 명령문이므로, 간접 화법으로 전환 시 「동사(tell/order)+목적어+to부정사」 형태로 문장을 구성한다.

어휘 job interview 구직 면접

22

과목	내용
영어	속담: 천천히 그리고 꾸준히 하면 경주에서 이긴다.
역사	미국은 1776년에 영국으로부터 독립했다.

(1) 영어 선생님은 천천히 그리고 꾸준히 하면 경주에서 이긴다는 속담을 우리에게 말씀해주셨다.
(2) 역사 선생님은 미국이 1776년에 영국으로부터 독립했다고 우리에게 말씀해주셨다.

해설 (1) 종속절의 내용이 속담이나 격언일 경우 항상 현재시제로 쓴다.
(2) 종속절의 내용이 역사적 사실일 경우 항상 과거시제로 쓴다.

어휘 steady 꾸준한 independent 독립된

23 (1) 사서: 어떤 종류의 책을 찾고 있나요?
Tom: 건축 관련 도서를 어디에서 찾을 수 있을까요?
→ Tom은 사서에게 건축 관련 도서를 어디에서 찾을 수 있는지 물어보았다.
(2) 웨이터: 이제 주문할 준비가 되셨나요?
Jessy: 국수 요리가 있나요?
→ Jessy는 웨이터에게 국수 같은 메뉴가 있는지 물어보았다.

해설 (1) Tom의 말을 간접 화법으로 전환 시, 「의문사+주어+동사」의 형태로 쓴다.
(2) Jessy의 말을 간접 화법으로 전환 시, 「whether/if+주어+동사」의 형태로 쓴다.

어휘 librarian 사서 architecture 건축 noodle 국수

24 ⓐ Martin과 나는 둘 다 스포츠에 흥미가 있다. 그래서 우리는 함께 야구 경기를 보러 가곤 했다. 또한 나는 기타 연주하는 것을 즐기지만, Martin은 그렇지 않다. ⓑ Martin은 "내게 기타를 연주하는 법을 가르쳐줄 수 있니?"라고 내게 말했다.

해설 (1) 「both A and B」가 주어로 쓰일 경우 복수 취급하여 뒤에 복수 동사가 와야 한다.
(2) 의문사가 없는 의문문을 간접 화법으로 전환해야 하므로, 「if+주어+동사」의 형태로 쓴다. 이때 전달 동사의 시제 및 전달자의 입장을 고려하여 피전달문의 시제, 인칭대명사를 전환한다.

Memo

Memo

Memo

Memo

Memo

Memo

Memo

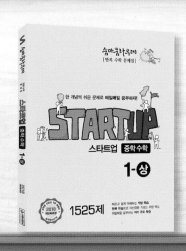